DATE DUE

À la rencontre d'un Québec qui bouge

Introduction générale au Québec

Responsable d'édition : Martine François
Conception graphique et mise en pages : Paula Jiménez

Illustration couverture : Ville de Québec. Cliché ©Régis Fournier

Comité des travaux historiques et scientifiques

Collection CTHS-Histoire n° 35
ISBN 978-2-7355-0677-4

© CTHS, 2009
110, rue de Grenelle, 75357, Paris cedex 07
www.cths.fr

Comité des travaux historiques et scientifiques

À la rencontre d'un Québec qui bouge

Introduction générale au Québec

Sous la direction de

Robert LALIBERTÉ

ÉDITIONS DU CTHS
2009

Remerciements

Je tiens à remercier en premier lieu tous les auteurs qui ont apporté leur contribution à la réalisation de cet ouvrage. Mes remerciements à leur endroit sont d'autant plus sincères que chacun peut, en toute simplicité et en toute objectivité, être présenté comme le meilleur, ou tout au moins l'un des meilleurs spécialistes des différents sujets qui y sont abordés.

Je suis particulièrement reconnaissant envers Yannick Resch et Yvan Lamonde qui non seulement m'ont encouragé dès le début à mettre de l'avant ce projet, mais m'ont également fait profiter de leurs conseils et de leur expérience tout au long de sa réalisation.

Le travail délicat de révision linguistique et de mise en page du manuscrit a été effectué par Cindy Paradis. Je ne saurais trop la remercier pour l'enthousiasme, la constance et la compétence avec lesquelles elle s'est acquittée de ces tâches.

Mes remerciements vont enfin à Martine François, déléguée générale du Comité des Travaux historiques et scientifiques (CTHS) qui dès le départ s'est montrée intéressée par ce projet et sans qui il n'aurait pu se concrétiser.

Les auteurs

Louise BEAUDOIN
Professeure invitée à l'Université de Montréal et membre associée au Centre d'études et de recherches internationales de l'Université de Montréal (CERIUM)

Jean-Claude CORBEIL
Directeur éditorial des ouvrages de référence à la maison d'édition Québec-Amérique

Denys DELÂGE
Professeur à l'Université Laval à Québec

Gilbert GAGNÉ
Professeur à l'Université Bishop's à Sherbrooke

Alain-G. GAGNON
Professeur à l'Université du Québec à Montréal et titulaire de la Chaire de recherche du Canada en études québécoises et canadiennes (CREQC)

Micheline LABELLE
Professeure à l'Université du Québec à Montréal et directrice du Centre de recherche sur l'immigration, l'ethnicité et la citoyenneté (CRIEC)

Guy LACHAPELLE
Professeur à l'Université Concordia à Montréal et secrétaire général de
l'Association internationale de science politique (AISP)

Robert LALIBERTÉ
Directeur général de l'Association internationale des études québécoises
(AIEQ)

Yvan LAMONDE
Professeur à l'Université McGill à Montréal

Diane LAMOUREUX
Professeure à l'Université Laval à Québec

Marcel MARTEL
Professeur à l'Université York à Toronto et titulaire de la Chaire Avie
Bennett Historica en histoire canadienne

Paul MAY
Doctorant à l'Université du Québec à Montréal et à l'Institut d'études
politiques de Lyon

Micheline MILOT
Professeure à l'Université du Québec à Montréal

Stéphane PAQUIN
Professeur à l'École de politique appliquée de l'Université de
Sherbrooke

Cécile PRÉVOST-THOMAS
Membre associée au groupe de recherches JCMP (Jazz, Chanson
et Musiques Populaires Actuelles) de l'OMF (Observatoire Musical
Français) à Paris Sorbonne-Paris IV et au CRILCQ (Centre de

Recherche Interuniversitaire sur la Littérature et la Culture québécoises) de l'Université du Québec à Montréal.

Yannick RESCH
Professeure à l'Institut d'études politiques (IEP) d'Aix-en-Provence et présidente de l'Association internationale des études québécoises (AIEQ)

Michel VENNE
Directeur général de l'Institut du Nouveau Monde (INM) et directeur de L'Annuaire du Québec

Pierre VÉRONNEAU
Directeur des collections à la Cinémathèque québécoise, Montréal

Louise VIGEANT
Professeure au Collège Édouard-Montpetit à Longueuil

Introduction

Robert LALIBERTÉ

Depuis plus de trente ans, le Québec est un sujet d'intérêt et un objet d'étude pour des centaines de chercheurs, de professeurs et d'étudiants de partout à travers le monde. Pour les uns, le Québec est une énigme. Il faut bien admettre qu'il n'est pas toujours aisé de comprendre le Québec. Il n'est pas étonnant qu'un observateur étranger ou même qu'un observateur résidant au Québec puisse voir une certaine ambivalence, pour ne pas dire une réelle contradiction, entre le fait que le Québec cherche inlassablement à défendre et à affirmer son identité, notamment en réclamant une plus grande autonomie politique au sein du Canada, et le fait qu'il cherche en même temps à promouvoir l'ouverture à l'Autre, au monde et à la diversité.

Pour d'autres, le Québec est un laboratoire. En l'observant, il est possible d'analyser une société qui, en raison de sa jeunesse, mais aussi de l'évolution rapide qu'elle a connue au cours du dernier demi-siècle, s'est transformée profondément de manière à faire face à des défis qui loin de lui être exclusifs peuvent concerner également d'autres sociétés. Là encore, il faut bien admettre qu'on risque de grandement se méprendre au sujet du Québec si on continue à le voir comme il était il y a à peine trente, quarante ou cinquante ans. On ne peut saisir adéquatement le Québec d'aujourd'hui sans tenir compte du dynamisme social, culturel, politique et économique qui l'a caractérisé et transformé au cours des dernières décennies.

Ce livre vise précisément à mieux faire connaître le Québec actuel. Il a l'ambition d'aider celles et ceux qui le consulteront et l'utiliseront à apprécier le Québec d'aujourd'hui tel qu'il est, c'est-à-dire avec son ambivalence et ses contradictions, mais aussi avec son dynamisme et sa capacité de bouger, de changer et de se redéfinir constamment. Ce n'est toutefois pas un ouvrage savant, ni encore moins un guide touristique ou une introduction générale au Québec dans lequel on trouverait des données sur le territoire du Québec, sa population, son économie. De telles données, tirées de *L'Annuaire du Québec 2008*, sont néanmoins présentées en annexe[1].

Ce livre est plutôt un essai qui fournit des informations, des analyses et des comparaisons qui peuvent être utiles pour « comprendre » le Québec d'aujourd'hui et l'« apprécier » à sa juste valeur. Il traite de différents thèmes ou phénomènes qui ont marqué l'évolution du Québec. D'ailleurs, il y a lieu de souligner ici que les sujets qui y sont abordés correspondent à ceux auxquels accordent le plus souvent leur attention ceux qui se consacrent à l'étude du Québec.

Autrement dit, avec ce livre, on tende de répondre à la question suivante : Qu'a le Québec de si particulier ou peut-être bien de si universel pour susciter autant d'intérêt et d'attention ?

Cette approche offre deux grands avantages. Elle permet d'abord de mettre en évidence les principales contraintes ainsi que les grands défis et enjeux qui ont progressivement transformé le Québec. Elle permet ensuite d'expliquer comment le Québec a su s'adapter à ces contraintes et relever ces défis en adoptant des solutions qui bien souvent le distinguent et en font une sorte de laboratoire social, culturel, politique et économique.

Le contenu de l'ouvrage s'articule donc autour de l'examen de quatre grands défis que le Québec a rencontrés dans le passé et avec lesquels il doit encore composer. Le premier de ces défis, qui fait l'objet de la première partie de l'ouvrage, est celui de la construction de l'identité québécoise : une identité qui, en raison de sa genèse, a toujours été plurielle, l'est encore plus depuis quelques décennies, demeure inachevée et, de ce fait, donne épisodiquement lieu à des débats de société qui visent à réduire l'écart entre le « Nous » et « l'Autre ». La deuxième partie de l'ouvrage est consacrée à l'examen d'un autre grand défi

---

1. Le Directeur de l'Annuaire du Québec, Michel Venne, nous a aimablement autorisés à publier ces données

auquel la société québécoise a été et est encore confrontée, soit celui de continuer à s'adapter à un environnement qui ne cesse de changer, et ce, en faisant appel à des solutions qui tiennent compte des contraintes particulières qui ont marqué et marquent encore son évolution, mais aussi de son besoin d'affirmer sa spécificité. S'il est indéniable que toutes les sociétés sont confrontées à ce même défi, il n'en demeure pas moins que la société québécoise est l'une des rares à avoir vécu une Révolution tranquille, une période où en l'espace d'environ dix ans elle est passée de la tradition à la modernité, de la résistance contre l'assimilation et la domination à l'affirmation de son identité et de sa capacité à prendre en main son propre développement. Dans la troisième partie de l'ouvrage, on retrouve quatre textes qui permettent de mieux saisir pourquoi il est si important et nécessaire pour le Québec, et si difficile aussi parfois, de projeter à l'étranger son identité française, en même temps que la créativité et la vitalité de sa culture, notamment de sa littérature et de son théâtre, mais aussi de sa chanson et de son cinéma. Enfin, la quatrième et dernière partie de ce livre est consacrée à un autre grand défi qui, sans être nouveau pour le Québec, revêt une importance encore plus grande aujourd'hui : s'ouvrir à l'Autre, bien sûr, à celui de l'intérieur, mais aussi à celui de l'extérieur des frontières du Québec, à celui dont il a besoin aussi bien pour assurer son développement, que pour affirmer et conforter son identité.

Robert LALIBERTÉ
Le 21 avril 2008

Première partie

La construction inachevée d'une identité plurielle

Échapper à l'héritage colonial ?

Denys DELÂGE

Quelles sont nos origines ?

À quand remontent les origines de notre histoire ? Aux traces retrouvées des premiers humains en Amérique, il y a de cela une quinzaine de milliers d'années, sinon davantage ? Aux dix mille ans de l'occupation humaine du Québec ? À moins que ce ne soit aux premières traces de l'agriculture et de la sédentarisation il y a deux ou trois mille ans ? Faut-il plutôt s'inscrire dans l'ancienne tradition historiographique qui fixe les commencements non pas à l'arrivée des nombreux pêcheurs et baleiniers dans le golfe du Saint Laurent vers 1500 et peut-être même avant 1492, mais à celle des explorateurs mandatés par les rois pour venir prendre possession d'un morceau d'Amérique en vertu d'une mission civilisatrice et chrétienne en terres sauvages et païennes ? Tout aurait alors commencé le 24ᵉ jour de juillet 1534, alors que l'explorateur malouin Jacques Cartier plante une croix à Gaspé portant les écussons de son roi. Voyons le compte rendu dans le journal de l'explorateur :

> [...] nous fîmes faire une croix de trente pieds de haut qui fut faite devant plusieurs d'eux [Amérindiens] sur la pointe de l'entrée du dit hable [havre de Gaspé] sous le croisillon de laquelle nous mîmes un écusson en bosse à trois fleurs de lys et dessus un écriteau en bois engravé en grosse lettre de forme où il y avait Vive le Roy de France. Et icelle croix plantâmes sur la dite pointe devant eux lesquels la regardaient faire et planter. Et après qu'elle fut élevée en l'air nous mîmes tous à genoux les mains jointes en adorant icelle devant eux [...]
> Nous étant retournés en nos navires vint le capitaine [le chef Donnacona] [...] et nous fit une grande harangue nous montrant la dite croix et faisant le signe de la croix avec deux doigts et puis nous montrait la

terre tout alentour de nous comme s'il eut voulu dire que toute la terre était à lui et que nous ne devions pas planter la dite croix sans son congé [assentiment].

[Nous] leur montrâmes par signes que la dite croix avait été plantée pour faire merche [marque] et balises pour entrer dans le dit hable [havre][1].

Que vaut une telle proclamation sans occupation effective ? Qui plus est, ce rituel d'appropriation visant l'exclusion des puissances européennes rivales par l'invocation du droit de découverte repose manifestement non seulement sur un malentendu avec les Amérindiens, mais aussi sur une tromperie. Le rapport colonial naît ici.

Et si le geste fondateur n'était pas celui de la « découverte », mais celui de l'occupation européenne permanente ? Il faudrait alors retenir le débarquement de Champlain et d'une trentaine d'hommes le 3 juillet 1608 sur la pointe de ce que les « Sauvages » désignaient de « Kebhek »[2], c'est-à-dire « détroit ». C'était en territoire montagnais (ou innu), là où se regroupaient, du printemps à l'automne, environ 1500 Montagnais, Algonquins, Micmacs, Etchemins pour la pêche, la chasse, l'écorce de bouleau, les mariages. Les froids venus, ces nomades regagnaient leurs territoires de chasse. Les Français remplaçaient en ce lieu les premiers habitants sédentaires et cultivateurs, les Iroquoiens du Saint-Laurent disparus vers 1580 à la suite d'une conjugaison de malheurs : maladies nouvelles reliées à l'unification microbienne du monde associée aux contacts transatlantiques, guerres intertribales pour l'accès à la traite des fourrures et peut-être aussi un refroidissement climatique. Des vingt huit hivernants, seuls huit hommes échapperont à la mort par le scorbut (carence de vitamine C), mais grâce à l'aide amérindienne on survivra désormais aux hivers suivants. Champlain a souligné, dans ses écrits, un grand nombre de gestes qu'il jugeait fondateurs : outre la construction

---

1. J. Cartier, M. Bideaux, ed., *Relations*, Bibliothèque du Nouveau Monde, Montréal, Presses de l'Université de Montréal, 1986, p. 117.
2. Champlain, *Œuvres*, G.É. Giguère, éditeur, Réimpression, Montréal, Éditions du Jour, 1973, 3 volumes, pagination continue, vol. 1, p. 296.

de l'Habitation, les premiers défrichements et les premières semailles en ce pays où écrit-il on ne semait pas, puis réalisant plus tard qu'au sud, Iroquois et Hurons vivaient dans des villages entourés d'immenses champs, il fera de l'utilisation du bœuf et de la charrue le critère distinctif entre civilisation et barbarie ; il y aura ensuite la première messe en ce pays de « Sauvages » sans religion, mais pourtant animistes.

Enfin, Champlain procède à un rituel officiel de prise de possession avec acte notarié, évidemment à l'insu des « Sauvages » dont la présence ne compte guère à la fois parce qu'ils sont placés du côté du « manque » et parce que, pour des mobiles stratégiques, on craint de les en informer. Et pourtant, Québec n'a-t-il été fondé parce que les Français y avaient été autorisés à s'y établir cinq années auparavant, le 27 mai 1603, par le chef montagnais Anadabijou lors d'une grande cérémonie d'alliance d'une durée de deux semaines et regroupant près de Tadoussac, quelques Français et un millier d'Amérindiens ?[3]

Si nous retenions cette alliance de 1603 comme l'événement fondateur plutôt que la fondation de Québec en 1608, ne nous représenterions-nous pas « nos origines » sur le mode d'une rencontre fondatrice intégratrice de tous les partenaires, Amérindiens inclus, dans un « nous » collectif ? Ne serions-nous pas davantage en position d'assumer l'héritage de l'histoire coloniale qui est la nôtre avec ses malentendus fondamentaux du départ ? Et même si la mémoire continuait de privilégier l'année 1608, ne faudrait-il pas souligner davantage le rôle indispensable joué par les Montagnais pour assurer le succès de l'entreprise ? Encore que cela serait insuffisant si nous ne portions pas attention à la lutte des Montagnais pour la défense de leurs intérêts, de leur pouvoir, de leur souveraineté par rapport aux nouveaux venus[4]. Lutte dont la résonance parvient jusqu'à notre époque. Insuffisant également si nous ne portions pas attention à la transformation des partenaires de l'alliance dans la dynamique de la rencontre et de la conquête.

---

3. D. Delâge, « Kebhek, Uepishtikueiau ou Québec: histoire des origines », *Les Cahiers des Dix* et les Éditions La Liberté, Québec, Février 2008, 24 p.
4. Je remercie Alain Beaulieu pour ses commentaires à cet égard.

L'histoire coloniale de l'Amérique du Nord fut une histoire de conquête et d'alliance. Conquête parce qu'il s'agissait d'annexer l'Amérique pour y faire émerger une Nouvelle Europe. Alliance parce que, bien que subordonnée à celle de la conquête, une dynamique d'alliance entre Amérindiens et Européens caractérise toute l'histoire coloniale avec des modalités, voire des différences radicales entre les acteurs, et ce, selon les époques. La colonisation française en Amérique du Nord s'est toutefois distinguée des entreprises coloniales rivales par une proximité plus grande des Français et des Amérindiens, par un métissage nettement plus répandu et plus intense, tant sur le plan des intermariages qu'à celui des transferts culturels. Cela ne relève pas d'une supposée « nature ethnique » ou du « génie colonial », mais de facteurs structurels et conjoncturels. Les Français émigrent peu et ils le font sur le mode individuel et masculin, sur des terres non occupées par des sédentaires, où leurs activités économiques et militaires les placent en position de dépendance et d'interaction avec les premières nations. Leur principal allié de commerce, la confédération des Hurons, est dispersé en 1650, tandis que des prix non concurrentiels obligent à aller au devant des fournisseurs amérindiens. Le catholicisme est beaucoup plus imbu de l'esprit missionnaire à cette époque. Enfin, la nature archaïque de la société française d'alors, propriété seigneuriale, sociétés d'ordres, centralisation monarchique doublée du principe traditionnel de légitimité d'un pouvoir venant du divin, contribue à la promotion d'un modèle intégrateur des Amérindiens. En somme, tout en reconnaissant que tous les projets coloniaux visent la domination, le modèle colonial français se caractérise par l'intégration et le métissage, tandis que les modèles néerlandais et anglais conduisent davantage à la ségrégation[5].

---

5. D. Delâge, *L'alliance franco-amérindienne des XVIIe et XVIIIe siècles. Spécificités, changements de régime, mémoires* dans Colloque « Expériences et mémoires : partager en français la diversité du monde » Bucarest, septembre 2006, p. 1-50 sur le site internet : http://www.celat.ulaval.ca/histoire.memoire/b2006/Delage.pdf

Ambiguïtés de l'alliance et de la conquête
Mauvais pères et faux enfants

Alliance et conquête ont constitué une dynamique qui a passablement évolué selon les systèmes coloniaux et selon les époques. Les métaphores de parenté utilisées en diplomatie amérindienne rendent compte de ces différences selon les régimes et les époques. En effet, au cours de notre histoire, les rapports entre Amérindiens et autorités coloniales se sont exprimés par les métaphores des rapports de parenté.

Le temps des « cousins »

« Mais, tu n'as point d'esprit mon cousin ! ». Ainsi rétorquaient fréquemment des Amérindiens aux propos des Français venus vivre parmi eux au début du XVIIᵉ siècle. Le peu d'esprit des Européens était à la mesure de leur incompréhension des cultures du « Nouveau Monde[6] ». Retenons, pour notre propos, la désignation des Français comme « cousins » par les hôtes autochtones. Pourquoi ce « cousinage » ? Parce que les chefs montagnais, algonquins, micmacs et hurons se jugeant égaux au roi de France, leurs « enfants » étaient donc cousins. Évidemment, la métaphore était fallacieuse puisque les pouvoirs des chefs autochtones et ceux du roi français n'étaient pas comparables, bien qu'en contexte américain, du fait que l'implantation coloniale se limitait à quelques enclaves en pays amérindien, la métaphore n'était pas si inexacte qu'on pourrait le croire de prime abord.

Le « père » et les « enfants »

La métaphore des « cousins » ne durera pas. L'expression des rapports entre Français et Amérindiens fit bientôt place, dans les documents de l'époque, à la métaphore du « père » et des « enfants ». C'est le chef huron des Grands Lacs, Kondiaronk-Saretsi, qui l'exprime en 1682

---

6. C. Leclerc, *Nouvelle Relation de la Gaspésie*, Édition critique par Réal Ouellet, Montréal, Presses de l'Université de Montréal, 1999, p. 270-279.

alors qu'il s'adresse au gouverneur français (dont le nom générique pour les Amérindiens était « Onontio ») : « Saretsi ton fils Onontio, se disait autrefois ton frère, mais il a cessé de l'être car il est maintenant ton fils, et tu l'as engendré par la protection que tu lui as donnée contre ses ennemis. Tu es son Père et il te connaît pour tel, il t'obéit comme un enfant obéit à son père[7] ».

En cessant d'être « frère » pour devenir « fils » d'Onontio, Kondiaronk et l'ensemble des alliés amérindiens acceptaient de reconnaître au gouverneur un rôle de défenseur, de pourvoyeur et de médiateur dans l'alliance. C'est l'affaiblissement général des nations amérindiennes, à la suite des terribles épidémies du XVIIe siècle, ainsi que les défaites des Hurons et de leurs alliés dans leurs guerres avec les Iroquois qui ont permis au pouvoir colonial de se hisser au-dessus des Amérindiens. Ceux-ci acceptaient désormais de s'inscrire dans un rapport filial avec le roi.

Ce rapport fut source de tensions et de mésinterprétations de part et d'autre, car Onontio, s'il était devenu un « père », ne s'était tout de même pas élevé, aux yeux des Amérindiens, au point d'accéder au statut d'« oncle » ! Dans le système de parenté matrilinéaire des Hurons, en effet, c'est l'oncle maternel qui avait autorité sur ses neveux utérins et non pas le père sur ses enfants comme c'est le cas dans la famille patriarcale européenne. Les métaphores diplomatiques avaient ainsi des référents issus de systèmes culturels complètement différents. Le roi aurait cru s'abaisser à revendiquer le statut d'oncle, tandis que les Amérindiens cherchaint pas beaucoup à en faire leur père. Les différences culturelles furent à l'origine de tensions, d'ambiguïtés et d'accommodements entre Français et Amérindiens.

Cette tradition s'est maintenue durant toute la période coloniale française. D'ailleurs, cette représentation des Amérindiens comme des « enfants » ne s'est pas limitée au champ diplomatique. Selon les conceptions de l'époque, le degré de civilisation atteint par les sociétés amérindiennes aurait correspondu à celui de l'« enfance » de l'humanité, l'Europe plus

---

7. Archives nationales de France, C11A-6 Fo 7 v.

développée ayant, bien sûr, atteint l'âge adulte de la civilisation. Cette conception de la supériorité européenne doublée de l'observation de l'« ensauvagement » des Français au contact des Amérindiens ont conduit les autorités coloniales à renoncer au projet initial « de ne faire qu'un seul peuple[8] » et en conséquence à s'opposer aux mariages interethniques. Cependant, la pratique en était depuis longtemps répandue en Acadie et elle y demeura généralisée partout dans les pays en amont de Montréal de même qu'en amont de la Nouvelle-Orléans. Enfin, à partir de la fin des années 1740, les autorités coloniales françaises ont pratiqué à l'égard des Amérindiens une politique davantage inspirée par la conquête que par l'alliance, investissant la métaphore diplomatique du père d'une connotation nettement plus patriarcale européenne, donc plus coercitive. La politique impériale se distanciait ainsi non seulement d'une tradition d'accommodement diplomatique, mais également de l'univers interculturel et métis de proximité des Amérindiens et des Canadiens (français) des Grands Lacs et du Mississipi.

Lorsque l'historien analyse le rapport métaphorique de parenté entre Amérindiens et Européens à la lumière du rapport réel qui s'est établi entre eux, force lui est de constater que le roi-« père » n'a jamais été qu'un mauvais père. La politique du roi de France ne cherchait que l'établissement de son propre pouvoir et la domination des peuples soi-disant « sauvages ». D'un autre côté, ces derniers ont aussi trouvé avantage à se définir comme des « enfants », non seulement parce que cela leur permettait de se procurer des produits modernes, mais également parce que cela leur assurait une aide précieuse dans les guerres qu'ils livraient à leurs ennemis traditionnels. L'enjeu n'apparaissait pas toujours clairement aux Amérindiens, sauf à l'occasion de la conclusion de traités internationaux qui avaient pour effet de céder leurs territoires à une autre puissance européenne. Émergeait aussitôt la question de quel droit « notre père » le roi cède-t-il notre pays à nos ennemis ? En

---

8. Relations des Jésuites : contenant ce qui s'est passé de plus remarquable dans les missions des Pères de la Compagnie de Jésus dans la Nouvelle-France, vol. 1, 1633, Montréal, Éditions du Jour, 1972, p. 28.

réalité, l'alliance franco-amérindienne s'inscrivait dans un système plus vaste, impérial et mondial dans lequel elle devenait un pion dans la logique géo-impériale. Les Amérindiens n'avaient probablement pas conscience de cela jusqu'à ce que les transactions de territoires et de zones d'influences entre empires français et anglais conduisirent au retrait de la France d'Amérique du Nord par le traité de Paris 1763. Cela fut interprété comme une trahison et un abandon par les alliés amérindiens. La cession de la Nouvelle-France en 1763 fit donc apparaître au grand jour les mécanismes de conquête au travers de l'alliance d'avant la défaite française.

L'éviction de la puissance coloniale française a modifié complètement l'équilibre des forces en Amérique du Nord. Les Premières Nations ont alors perdu la balance du pouvoir qu'elles détenaient tant que durait l'antagonisme entre les empires. Leur force relative s'en trouvait considérablement réduite devant un ennemi qui s'accaparait toujours plus de terres. Formellement, la nouvelle alliance anglo-amérindienne s'est inscrite dans la filiation de l'alliance franco-amérindienne, mais les rapports n'étaient plus de même nature. Sous le leadership du chef Pontiac, les « patriotes amérindiens », après deux années de guerre entre 1763 et 1765, n'ont pas pu empêcher l'implantation des Britanniques. En revanche, ces derniers ont dû faire d'importantes concessions et accepter la création d'un territoire indien ; ce qui allait inciter la révolte des coloniaux américains privés ainsi de l'accès aux terres des Appalaches.

Le régime britannique au Canada et les « enfants » attardés

Jusqu'à la fin des guerres, avec la nouvelle république des États-Unis d'Amérique, les autorités britanniques ont assumé un rôle de « père » médiateur, pourvoyeur et défenseur envers leurs « enfants ». Ceux-ci leur assuraient en contrepartie un appui guerrier souvent décisif. Après 1815, avec la fin des guerres anglo-américaines, le recul de la traite des fourrures, la montée de l'immigration, l'essor du commerce du bois et l'intensification de la colonisation, le roi-« père » n'a désormais nul besoin de ses « enfants ». Imbu de préjugés raciaux, il les juge attardés dans les premiers âges de l'humanité. Le processus d'expropriation des terres des Indiens s'est accéléré et la politique des présents a été progressivement abandonnée. Dans les archives de l'époque, le « père » dit qu'il a deux enfants, le rouge et le blanc, qu'il les aime également, mais qu'advenant la situation où l'enfant blanc manquerait de terres et que l'enfant rouge en aurait trop, ce serait de son devoir de père d'en ôter « à ses enfants sauvages pour donner aux blancs[9] ».

Devenus des intrus sur leurs propres terres, voilà les Amérindiens, disent les nombreuses pétitions « nus et misérables ». Ils invoquent l'obligation de leur « père » de les tirer de la détresse. Ils font appel au devoir moral des riches de partager leur richesse. Ils rappellent surtout la dette des « blancs » à leur égard : alors qu'ils étaient puissants, les Amérindiens n'ont-ils pas reçu avec générosité ces premiers colons misérables, n'ont-ils pas eu pitié d'eux, ne les ont-ils pas autorisés à s'installer sur leurs terres ? Maintenant que la situation s'est inversée, c'est au tour du roi d'être le donateur, d'habiller et de nourrir ses « enfants misérables ». À l'époque de la révolte des Patriotes du Haut et du Bas-Canada qui voulaient réduire les prérogatives royales et obtenir un gouvernement responsable, les Amérindiens s'inscrivent dans une tout autre logique : ils demandent au roi d'être un bon « père », de les prendre en pitié. Ils ne demandent à vrai dire presque rien, simplement de maintenir la politique des présents. Ils cherchent à placer le roi dans l'obligation de donner, plus précisément de redonner (selon la logique du don et du contre-don). Ils implorent sa sollicitude.

Au bout du compte, ces faux « enfants » n'obtiennent presque rien. Leur démarche exprime d'abord leur dépendance et leur assujettissement. C'est que ce « père », que les « enfants » amérindiens invoquent, n'envisage jamais que l'« enfant rouge » grandisse. L'octroi, en 1848, du gouvernement responsable aux Canadiens marque une étape vers la reconnaissance de leur maturité politique. Il n'en alla jamais de même pour les Amérindiens. L'« enfant rouge » ne pouvait accéder à

---

9. Bibliothèque et Archives nationales du Canada, RG 10, bob. C-10999, vol. 8. p. 8677-8678.

la responsabilité qu'à la condition de renoncer à son statut d'Indien[10]. Comme toute personne mineure, il devait obtenir l'autorisation de son « père » pour vendre ou louer, pour consommer de l'alcool, pour circuler, pour intenter des actions en justice, pour s'associer, pour signer un contrat, pour voter, etc. Son affranchissement était au prix de son assimilation. Jusque dans les années soixante, un Indien qui recevait un diplôme collégial ou universitaire perdait du fait même son statut d'Indien. Encore aujourd'hui, c'est le « père », c'est-à-dire le gouvernement canadien, à titre de fiduciaire, qui détermine le statut des descendants issus des mariages de ses « enfants rouges ».

L'affranchissement n'est donc pas encore complètement réalisé, même si au cours des années soixante, les Indiens ont obtenu les libertés démocratiques individuelles et, en 1982, une reconnaissance de droits collectifs. Ils sont toujours sous la tutelle du ministère des Affaires indiennes du Canada. Cependant, cette inféodation ne résulte pas seulement d'une imposition unilatérale : les Amérindiens eux-mêmes hésitent encore à se définir comme des citoyens à part entière, c'est-à-dire, au plan politique comme des « adultes ». Le statut d'« enfant-bénéficiaire » du « père » fédéral comporte des avantages. Si la loi leur a imposé ce statut, leurs traditions et l'histoire les ont aussi incités à l'accepter et à s'y complaire.

Héritage colonial et dette

Nous avons affirmé précédemment que le pouvoir colonial avait été un mauvais « père ». Il en a été ainsi parce qu'un bon père souhaite toujours voir ses enfants grandir, le dépasser et devenir des adultes responsables. Or tel n'a jamais été le projet du « père » colonial pour ses « enfants » autochtones. D'autre part, les Amérindiens furent de faux « enfants ». Les terribles contraintes de la dépossession les ont forcés à demander leur prise en charge. Leurs propres traditions les ont prédisposés à accepter la tutelle de ce puissant chef ou « big man »

---

10. D.Delâge et J-P Sawaya, *Les traités des Sept-Feux...op cit.*, p. 157-160, 221-225, 234.

qu'était leur « père » incarné par le roi ou par son représentant, le gouverneur colonial. Telle est notre conviction qu'il ne peut y avoir de sortie du rapport colonial qu'en modifiant les deux termes de la relation dont l'histoire nous a transmis l'héritage.

Pour les héritiers du mauvais « père », c'est-à-dire pour l'ensemble des non-Autochtones du Québec et du Canada, il importe de reconnaître qu'il n'existe pas de « père » de « nos » Indiens et que, conséquemment, les Autochtones ont droit à la pleine responsabilité politique, soit la maîtrise individuelle et collective de leur destin. Il semble qu'il n'y aurait pas non plus de sortie du rapport colonial sans que les Autochtones ne renoncent à leur prise en charge, ce qui veut dire la renonciation aux « largesses de sa Majesté » (dans leur forme actuelle), largesses dont le bilan direct ou indirect est si cruel pour eux comme le révèlent tous les indicateurs de misère humaine.

Est-ce que le Canada devrait dans ce cas mettre fin à toutes les politiques de promotion des Autochtones ? Certes non. À notre avis, il y a effectivement une dette à payer. Cette dette est très concrète, presque visible, elle tient à l'écart terrible que l'histoire a creusé entre l'ensemble de la population et les premières nations. Cependant, ce serait reproduire le rapport colonial que de rembourser cette dette par des politiques paternalistes qui dispenseraient les Amérindiens de leurs devoirs de citoyens. L'émancipation n'est plus envisageable sur le mode de l'ancienne aristocratie et les Amérindiens ne peuvent croire atteindre l'autonomie en jouissant de privilèges de chasse et en étant exempts d'impôts pour avoir été victimes de l'Histoire! Il n'y a pas de sortie du rapport colonial pour les premières nations sans accepter les devoirs que comporte l'attribution de droits.

Cela suppose, premièrement, de renoncer aux anciens traités pour conclure des traités contemporains plus équitables qui conduisent à l'autonomie gouvernementale et à l'accès des ressources, deuxième-ment, de rompre avec l'actuelle loi fédérale qui maintient la tutelle sur les Indiens et définit leur identité sur la base de critères généalogiques, troisièmement, que les quatre vingt mille autochtones qui appartiennent à onze nations distinctes, sont répartis dans près de soixante communautés et constituent un pour cent de la population du Québec, acceptent de se regrouper et, enfin, quatrièmement, qu'une aide financière considérable soit accordée pour permettre aux communautés autochtones d'atteindre un niveau de développement comparable à celui de leurs compatriotes.

Des progrès substantiels ont été réalisés depuis le projet du gouvernement fédéral de 1969 qui visait à éteindre le statut légal des Indiens pour procéder à leur intégration-assimilation dans la société canadienne. Ceux-ci s'y sont opposés et ont réclamé la reconnaissance institutionnelle et légale de leurs identités collectives. En 1973, le jugement Calder de la Cour suprême du Canada a confirmé l'existence de droits ancestraux pour les Autochtones et, au Québec, le jugement Malouf a reconnu également les droits qu'avaient les Cris et les Inuits sur les terres de la Baie de James en ordonnant la suspension sur ces terres des travaux des grands chantiers hydroélectriques. En 1982, les droits historiques et issus de traités des Indiens, des Inuits et des Métis ont reçu une reconnaissance formelle dans la constitution canadienne. Au Québec, le gouvernement a conclu un premier traité moderne, la Convention de la Baie de James et du Nord québécois (1975) avec les Cris et les Inuits. Ce traité a été suivi, en 2002, d'une entente de « nation à nation », la Paix des Braves, qui promeut l'autonomie, le versement de redevances, le développement durable et la prise en charge de ce développement par les Cris. Les résultats s'avèrent dans l'ensemble, nettement positifs. Il en va de même du Nunavik, territoire inuit de 507 000 km^2 au nord du 55e parallèle, où l'on a créé en 2007 un gouvernement régional qui, contrairement au précédent, est non-ethnique. D'autres ententes sont possibles, avec les Innus et les Attikameks particulièrement, mais les négociations sont interminables et les partenaires indiens très divisés. Le Québec est la seule province au Canada dont le parlement ait reconnu les droits des Autochtones des onze nations habitant son territoire : Abénaquis, Algonquins, Attikameks, Cris, Hurons-Wendats, Innus (Montagnais), Inuits, Malécites, Micmacs, Mohawks, Naskapis.

Les difficultés demeurent énormes. Des solutions territoriales sont nettement plus difficiles à réaliser au sud qu'au nord, encore que celles-ci, tout en étant indispensables pour assurer aux communautés l'accès aux ressources, ne sont pas des panacées dans un monde où près de la moitié des Autochtones vivent désormais en ville. Faudra-t-il rattacher un statut autochtone aux personnes vivant dans les villes ? Mettre à leur disposition des institutions, des services de santé, des écoles ? Comment échapper à la « loi du sang » qui définit le statut légal des Indiens, mais pas celui des Inuits ?. En effet, n'étaient Indiens jusqu'en 1985, que les descendants, dans la lignée patrilinéaire et non émancipés, des Indiens recensés en 1850 et 1851. Les Indiens ne pouvaient évidemment pas être définis par le territoire puisque l'histoire canadienne a consisté à les en déposséder ! Depuis 1985, le critère de la seule filiation patrilinéaire a été jugé discriminatoire et remplacé par un autre visant le caractère endogamique (entre Indiens) ou exogamique des mariages. Les petits-enfants de parents et de grands-parents exogames ne sont plus légalement des Indiens. Ces règles du mariage ont créé depuis 1850 deux catégories d'Indiens, certains reconnus légalement, d'autres culturellement Indiens mais sans statut. Cela est source de tensions et de racisme tant entre autochtones qu'entre ces derniers et les allochtones.

Le difficile passage de la tradition à la modernité, l'expérience traumatisante des pensionnats qui a été imposée à des générations successives d'enfants qu'on coupait de leurs parents dès la première année de l'école primaire, l'exclusion sociale, la dépossession sous toutes ses formes sont autant de facteurs qui, dans plusieurs communautés, ont conduit non seulement à l'enfermement dans une culture de la pauvreté, mais à une terrible implosion sociale, dont la sortie est bien incertaine. En certains lieux se rajoute, aux dépens des populations, la corruption, le népotisme voire le crime organisé. À l'évidence, le rapport colonial affecte l'âme. Il n'y aura d'issue positive que dans la reprise en mains, le regain de fierté, la compassion, la responsabilisation, l'autonomie et la démocratie qu'accompagnera une amélioration des conditions socio-économiques. Des manifestations artistiques remarquables, des entreprises économiques modernes et d'envergure autant que des thérapies de groupes et des réalisations communautaires de toutes sortes nous convainquent de la possibilité de réussir et d'exceller. En somme, le pire et le meilleur renvoient à une urgence absolue : se débarrasser mutuellement du rapport colonial.

Bibliographie

Site internet

DELÂGE Denys, L'alliance franco-amérindienne des XVIIe et XVIIIe siècles. Spécificités, changements de régime, mémoires dans Colloque « *Expériences et mémoires : partager en français la diversité du monde* » Bucarest, septembre 2006, p. 1-50 sur le site internet : http://www.celat.ulaval.ca/histoire.memoire/b2006/Delage.pdf

Ouvrages et articles

Archives nationales de France, C11A-6 Fo 7 v.

Bibliothèque et Archives nationales du Canada, RG 10, bob. C-10999, vol. 8. p. 8677-8678.

CARTIER Jacques, BIDEAUX Michel (ed.), *Relations*, Bibliothèque du Nouveau Monde, Montréal, Presses de l'Université de Montréal, 1986, 498 p.

CHAMPLAIN, *Œuvres*, G. É. Giguère, éditeur, Réimpression, Montréal, Éditions du Jour, 1973, 3 volumes, pagination continue, vol. 1.

DELÂGE Denys, *Le Pays renversé : Amérindiens et Européens en Amérique du Nord-est, 1600-1664*, Montréal, Boréal, 1991, 416 p.

DELÂGE Denys et SAWAYA Jean-Pierre, *Les traités des Sept-Feux...op cit.*, 292 p.

DELÂGE Denys, « Kebhek, Uepishtikueiau ou Québec: histoire des origines », *Les Cahiers des Dix* et les Éditions La Liberté, Québec, 2008, 24 p.

DICKASON Olive P., *Les Premières Nations du Canada : depuis les temps les plus lointains jusqu'à nos jours*, Québec, Septentrion, 1996, 511 p.

DUPUIS Renée. *Quel Canada pour les autochtones? : la fin de l'exclusion*, Montréal, Boréal, 2001, 174 p.

LECLERC, Chrestien, *Nouvelle Relation de la Gaspésie*, Édition critique par Réal Ouellet, Montréal, Presses de l'Université de Montréal, 1999, 786 p.

OTIS Ghislain (ed.), *Droit, territoire et gouvernance des peuples autochtones*, Québec, Les Presses de l'Université Laval, 2005, 197 p.

Relations des Jésuites : contenant ce qui s'est passé de plus remarquable dans les missions des Pères de la Compagnie de Jésus dans la Nouvelle-France, vol. 1, 1633, Montréal, Éditions du Jour, 1972.

SIMARD Jean-Jacques, *La réduction : l'autochtone inventé et les Amérindiens d'aujourd'hui*, Québec, Septentrion, 2003, 430 p.

Une culture à la jonction de trois héritages : français, britannique, étatsunien

Yvan Lamonde

Une mise à jour des perceptions réciproques des Français et des Québécois voudrait que vus de France, ces derniers ne soient pas des « Français d'Amérique » ni même les « cousins d'Amérique » et que, vus par eux-mêmes, ils ne soient plus les porteurs d'une « Amérique française », mais bien des américains francophones ou des francophones américains, actifs dans toutes les francophonies, qu'elles soient européenne, africaine ou américaine. Les lecteurs français d'un tel énoncé en saisiront mieux le sens s'ils se demandent pourquoi pendant longtemps, en traversant l'Atlantique pour aller aux États-unis, ils disaient « aller en Amérique », consolidant du coup une réduction linguistique et géographique de l'Amérique aux États-unis. De la même façon, la substitution du qualificatif « étatsunien » à celui de « américain » indique clairement que les tenants de l'américanité du Québec, conscients de leur appartenance à ce continent et des conséquences identitaires et politiques qui en découlent, réservent le mot Amérique à l'ensemble des pays qui la constituent, nonobstant l'importance des États-Unis.

Multiplicité des métropoles et diversité des héritages extérieurs

Leur rapport à la France n'étant plus la seule matrice identitaire des Québécois du point de vue de leurs héritages politico-culturels ou métropolitains, la France demeure certes leur première et leur principale ex-« mère patrie », mais elle partage historiquement ce statut avec deux autres métropoles, Londres et New York / Washington. Cette évolution dans les perceptions tient essentiellement au regard critique nouveau que les Québécois ont porté sur eux-mêmes et dont je fus le premier, comme historien, à rendre compte de façon systématique.

Comment s'est donc opéré ce petit renversement copernicien dans la connaissance et la reconnaissance que les Québécois ont d'eux-mêmes ? C'est d'abord l'adoption d'une perspective d'histoire des idées et d'une histoire intellectuelle synthétique sur plus de deux siècles qui a permis de voir sur le long terme une succession d'héritages métropolitains, de « régimes » politiques qu'on n'avait pas eu tendance à voir dans leur globalité.

L'indéfectible attachement du Québec à la France est tel qu'il a longtemps contribué à gommer la cession du pays. Contre toute réalité de conquête britannique de la colonie, on y a soit continué à espérer le « retour de nos gens », soit souhaité des rapports intenses, soit vécu dans un intrigant mélange de nostalgie et de ressentiment. Le premier commissaire du Québec en France, Hector Fabre, avait fait l'aveu qui convenait en 1884 :

> Les pays qui ont aimé la France à certaines heures, lorsqu'ils en avaient besoin, lorsqu'ils avaient besoin de son sang et de son or, ne sont pas rares dans le monde; mais des pays qui l'ont aimée toujours comme le mien, en connaissez-vous beaucoup ? Qui l'ont aimé pour en avoir reçu le bienfait de l'existence, qui l'ont aimée après les déchirements de la séparation, à travers les ombres de l'oubli, qui l'ont aimée pour elle-même, sans en attendre rien, sans la juger, sans la critiquer, en l'aimant tout simplement, en connaissez-vous beaucoup ?[1]

L'aveu est vrai et rend compte d'un sentiment qui traverse les allégeances et les clivages. On a jugé la France, mais la fidélité a traversé tous les jugements contradictoires, si bien qu'on n'imagine tout simplement pas de l'indifférence de la part de la France. Ce n'est pas s'avouer dépendant pour autant. Parce qu'on voit mieux, depuis un certain temps, que l'allégeance des Québécois à la France demeure la plus ancienne et la plus vivante, mais elle ne recouvre pas en totalité l'identité québécoise.

S'il y a eu cession de la Nouvelle-France en 1763, c'est d'abord parce qu'il y a eu conquête du territoire par la Grande-Bretagne. Il y avait

---

1. Discours repris dans G. Bellerive, *Conférences et discours de nos hommes politiques à l'étranger*, Québec, Léger Brousseau, 1902, p. 136.

bien une persévérance française dans la non-acceptation fondamentale du conquérant, mais les changements d'allégeance à l'époque étaient fréquents même si, à court et moyen terme, la transition posait de sérieux défis. Ce passage à la Grande-Bretagne en posait quatre : la langue, la religion, le système de propriété foncière (régime seigneurial) et de droit (civil ou de *common law*). On a parfois soudé ces quatre traits culturels et politiques, mais il a bien fallu chercher constamment à sauvegarder ces caractéristiques distinctives. Mais ce passage se faisait aussi avec l'octroi – un peu obligé – de la monarchie constitutionnelle incluant la démocratie parlementaire, ainsi que l'implantation de l'imprimerie qui avait toujours été refusée par la monarchie absolue sous le régime français. Lorsque la Chambre d'assemblée du Bas-Canada, siège pour la première fois en 1792, c'est l'une des premières démocraties occidentales qui se met en place.

Surtout que les habitants des colonies britanniques au sud – les Treize colonies et les futurs États-Unis – avaient dès 1774 sollicité l'appui des « Canadiens » – lire Canadiens français – dans leur projet d'indépendance coloniale et envahi le territoire avant d'être repoussés par l'armée britannique débarquée en force au dégel du fleuve Saint-Laurent en 1775.

Il faut s'arrêter pour saisir ce qu'a pu être la confusion des sentiments et des allégeances des Canadiens. Ils sont Français depuis 1534 (Jacques Cartier), mais surtout depuis 1608 (Samuel de Champlain). Ils deviennent britanniques en 1763. En 1774, les futurs « Yankees » leur offrent l'indépendance (quelle forme aurait-elle prise ?) et la république. En une douzaine d'années, l'allégeance se décline en trois drapeaux, trois régimes politiques possibles, deux langues et diverses confessions religieuses. Il y a dans ces héritages, depuis quatre siècles, un cosmopolitisme structurel dont l'intégration fut et demeure le grand défi de l'identité québécoise.

La diversité des héritages est non seulement inscrite dans l'histoire, mais elle constitue très tôt une trame de fond de l'identité du Québec.

Cette diversité qui remet en question l'unicité de la marque de la France n'est donc pas un effet de mode contemporain qui ferait voir rétrospectivement et superficiellement une dimension de l'identité québécoise. Cette perspective d'histoire des idées sur le long terme et sur la succession des héritages et des métropoles entraîne du coup une perspective postcoloniale obligée, dans la mesure où il faut voir ensuite, au-delà des héritages extérieurs, la spécificité de l'expérience coloniale intérieure, locale. Que donne donc comme institutions, comme itinéraire politique et comme outillage mental le métabolisme inévitable de ces trois héritages ? Comment parvient-on à convertir en richesse et en capital symbolique ce qui risque toujours d'être une ambivalence identitaire immobilisante ?

S'interroger sur l'expérience coloniale locale équivaut à prendre conscience d'une situation coloniale *de ce côté-ci de l'Atlantique*, à faire le constat d'une situation similaire des pays de l'ensemble du continent façonné par l'immigration française, hollandaise, britannique, espagnole, portugaise, et à en tirer une conclusion toute simple mais passablement radicale : il faut d'abord comparer le comparable, c'est-à-dire les colonies entre elles et non plus seulement et d'abord chacune d'entre elles avec sa ou ses métropole (s). C'est l'américanité commune de ces colonies devenues des nations souveraines, leur appartenance au continent, au Nouveau Monde, qui induit un rapport conséquent à l'Ancien Monde, à l'Europe.

Un destin ou une « vocation » en Amérique

Tôt ou tard, les habitants de ces colonies se sont demandé, au-delà de l'accomplissement de leur indépendance de la métropole, ce que pouvait bien être leur « destin » en Amérique même. Après la Déclaration d'indépendance (1776) et la rédaction d'une Constitution (1787), après l'énoncé de la doctrine Monroe en 1823 (refus de l'ingérence européenne dorénavant dans les Amériques) et après la déclaration d'indépendance intellectuelle dans le fameux discours (1837) de Ralph Waldo Emerson,

« The American Scholar », on a formulé pour la première fois aux États-unis, en 1845, l'idée d'un « Manifest destiny[2] ».

On le fait aussi au Canada français qui s'appelle alors le Bas-Canada, uni au Haut-Canada (l'actuelle province d'Ontario), après un épisode de résistance en 1837 et de rébellions en 1838, et ce, face à la pression politique et militaire de la Grande-Bretagne dans ces deux « provinces » de sa colonie d'Amérique du nord britannique. L'ancienne Nouvelle-France est alors bien dissimulée dans la mémoire de la France. J'en donnerai trois indices.

Lorsque Alexis de Tocqueville enquête en 1830-1831 sur le système pénitentiaire étatsunien, il fait en août 1831 un crochet et un bref séjour d'une semaine à Québec et à Montréal et se dit étonné d'y trouver encore des « Français ». C'est dire l'oubli en France des habitants de l'ancienne colonie. Par ailleurs, en 1837 et en 1838, les événements d'émancipation coloniale du Québec à l'égard de la Grande-Bretagne sont connus et perçus en France à travers la presse britannique, celle du colonisateur, et lorsque le leader du Parti patriote, Louis-Joseph Papineau, séjourne (1839-1845) à Paris pour y chercher des appuis, il doit constater que la France tient plus à son Entente cordiale avec la Grande-Bretagne sur la question d'Orient qu'à l'émancipation d'une colonie anglaise. Enfin, il faut prendre l'exacte mesure de la venue (1855) de « La Capricieuse », premier navire français à remonter officiellement le Saint-Laurent depuis la cession de la Nouvelle-France en 1763, et comprendre que l'événement, contemporain d'une nouvelle Entente cordiale avec la Grande-Bretagne, n'a pas du tout la même signification pour les Français et pour les Canadiens français. Pour les premiers, il s'agit d'une attente commerciale qui n'est pas une politique véritable de Napoléon III, pour les seconds, d'une attente symbolique, identitaire et peut-être même réparatrice.

---

2. Le terme « Manifest destiny », traduit en français par « destin » ou « destinée » manifeste, renvoie à une idéologie qu'ont défendue les démocrates-républicains aux États-Unis, dans les années 1840. Selon cette idéologie, la nation américaine avait pour mission de répandre la démocratie et la civilisation dans l'Ouest.

C'est dans le contexte général de ces événements, y compris de l'admiration des Patriotes pour les États-Unis, qui leur font aussi faux bond en 1837 et 1838, et de l'échec d'un projet d'annexion (1849) du Canada à la grande République voisine, que Edmé Rameau de Saint-Père publie à Paris, en 1859, *La France aux colonies*. L'un des chapitres de cet ouvrage, « De l'avenir moral et intellectuel des Canadiens en Amérique », devient la matrice d'une représentation séculaire des Québécois eux-mêmes en Amérique. Concordant avec la vision que l'on s'est fait au Bas-Canada dès le début du XIXe siècle, du caractère mercantile des « Yankees », d'un américanisme des « calculs de la boutique et [des] âpres désirs de la cupidité », Edmé Rameau de Saint-Père propose une formule promise à une belle fortune : « Il nous semble point être dans la destinée du Canada d'être une nation industrielle ou commerciale »[3]. Ce destin américain devient rapidement une « vocation » spirituelle, religieuse, puis catholique et française en Amérique contre le matérialisme de la civilisation étatsunienne. Cette idéologie dominante au Canada français nourrit aussi une vision de soi de leader en matière de prosélytisme catholique en Amérique – la vocation catholique et francophone du Canada français en Amérique – qu'une politique du Vatican va transférer vers 1920 aux Irlandais catholiques du Canada et des États-Unis du fait qu'ils parlent la langue de la majorité de la population de l'Amérique du nord et qu'ils ont aussi le pouvoir économique.

En dépit de la réalité, cette « vocation » catholique des francophones en Amérique va servir de représentation de soi des Canadiens jusqu'à ce qu'ils deviennent, après 1945, des « matérialistes » comme les Étatsuniens. La fin de la Crise économique de 1929, la prospérité économique et l'épargne obligée de temps de guerre, le goût de consommer au sortir de celle-ci jettent les Canadiens français dans l'« american way of life ». Désormais, leur vision matérialiste des États-Unis et catholique spiritualiste d'eux-mêmes ne peut plus tenir la route. Il faut trouver autre chose.

---

3. E. Rameau de Saint-Père, *La France aux colonies : étude sur le développement de la race française hors de l'Europe (Acadiens et Canadiens)*, Paris Jouby, 1859, p. 269.

La difficulté de regarder la France moderne et contemporaine

Le nouveau pouvoir britannique établi dans « The Province of Quebec » à partir de 1763 ainsi que le pouvoir bientôt déclinant mais réel de l'Église catholique induisent une lecture de la Révolution française de 1789 et de l'exécution de Louis XVI en 1793, qui est à l'origine d'une vision de « deux France » : l'une, inacceptable, la contemporaine née de la Révolution, l'autre, seule acceptable, celle de Bossuet et des grands classiques, la France d'Ancien Régime. Cette vision, alimentée par l'instauration de la Monarchie de Juillet, en 1830, puis par l'avènement de la Seconde République, en 1848, par la Troisième République et les lois Combes, aura la vie dure. C'est cette représentation de la « France éternelle » qui prévaut lors des célébrations de héros de la Nouvelle-France (Cartier, Champlain, Montcalm, Lévis) à Honfleur, à Saint-Malo et à Vestric-Candiac entre 1890 et 1910, célébrations qui confortent une histoire nationale souvent axée sur cet « âge d'or ».

Il s'est toutefois trouvé des événements et des individus pour mener le combat en faveur de rapports avec la France *contemporaine*. C'est le cas durant les deux premières décennies du XXᵉ siècle avec ces « exotistes » qui, contre les régionalistes, plaident en faveur d'une littérature canadienne-française en prise sur la littérature française contemporaine et non pas seulement sur les auteurs monarchistes d'Ancien Régime ou catholiques. André Siegfried, qui saisira mieux que quiconque la réalité du Canada français, écrit en 1907 : « On voit bien qu'elle [la Nouvelle-France] n'a pas fait son 1789. Les croyances d'autrefois, parmi les Canadiens français, sont pour ainsi dire conservées dans la glace et il ne semble pas que le grand courant des idées modernes ait jusqu'à présent entamé, chez eux, le roc de la foi catholique »[4].

C'est encore le cas durant la Crise tout autant spirituelle qu'économique et sociale des années trente, alors que le passé fait défaut comme référence, qu'on cherche anxieusement dans le présent et dans les

---

4. A. Siegfried, *Le Canada, les deux races. Problèmes politiques contemporains*, Paris, Armand Colin, 1906, p. 16.

expériences françaises un nouvel ordre des choses. Jacques Maritain, André Siegfried, Emmanuel Mounier sont, de manières diverses, des figures d'un nouveau questionnement sur un certain type de catholicisme et sur le nationalisme. Le séjour (1935-1937) à Paris du jeune intellectuel André Laurendeau constitue un cas de figure de ce regard sur la France contemporaine qui commence à modifier le regard canadien-français sur ses traditions et sur sa modernité.

C'est encore le cas pendant la Seconde Guerre mondiale alors que le Québec devient momentanément le centre de l'édition de livres français, que des Canadiens français doivent expliquer à leurs amis français pourquoi ils tiennent une position anticonscriptionniste, que l'opinion publique québécoise passe, à l'automne de 1942, du pétainisme à la France libre gaulliste et que des exilés français (Maritain, le dominicain Alain-Marie Couturier) pensent autrement les rapports entre la création artistique et intellectuelle et le catholicisme.

À telle enseigne qu'au tournant des années cinquante, cette double conversion à une France contemporaine et non plus « éternelle » (c'est-à-dire d'Ancien Régime) et à une vision américaine de soi qui ne peut plus être une condamnation du matérialisme des États-Unis, modifie le regard que portent les Canadiens français sur la France. Ce regard sur l'Autre change d'abord et avant tout parce que le regard sur soi des Canadiens français s'est modifié. Certes la volonté politique du nouveau gouvernement du Parti libéral porté au pouvoir en 1960 est pour quelque chose dans l'ouverture, après celle de New York, d'une Délégation générale du Québec à Paris (1961), mais il me semble que le nouveau regard *laïc* des Québécois – le terme est alors consacré – leur permet enfin de regarder la France telle qu'elle est. Ajoutons à cette nouveauté le renforcement du « Vive le Québec libre » (1967) du général de Gaulle, ingérence tant espérée qui ne s'était pas produite au moment de « La Capricieuse » en 1855 et qui est perçue comme la fin d'une indifférence inscrite dans la politique extérieure de la France depuis Louis XV.

Le changement du regard de part et d'autre – la France républicaine qui peut aussi, enfin, regarder une société autre que « théocratique » et qui au sortir de la guerre peut commencer à voir l'américanité du Québec – trouve une forme concrète dans la double création de l'Office franco-québécois pour la jeunesse (1968) et de l'Association Québec-France / France-Québec (1968) qui met fin à un clivage social des échanges jusqu'alors limités aux universitaires, aux gens de lettres et à quelques médecins, au profit d'une circulation de jeunes boulangers, cuisiniers ou psychologues de moins de 35 ans, de Québécois et de Français curieux, pour des raisons généalogiques ou touristiques, de connaître qui la Beauce française, qui la Beauce québécoise.

Il n'est donc pas étonnant que la balance des échanges ait changé de position, que les touristes et les étudiants universitaires français soient plus nombreux que la contrepartie québécoise : l'équilibre proportionnel s'est fait. Et si l'université française est aujourd'hui moins attractive pour les Québécois que l'université québécoise pour les jeunes français, il se trouve de multiples autres créneaux où faire l'expérience d'une culture commune faite de différences connues et reconnues.

Bibliographie

BELLERIVE Georges, *Conférences et discours de nos hommes politiques à l'étranger*, Québec, Léger Brousseau, 1902, 206 p.

LAMONDE Yvan, *Allégeances et dépendances. L'histoire d'une ambivalence identitaire*, Québec Édition Nota bene, 2001, 265 p.

LAMONDE Yvan et POTON Didier (dir.), *« La Capricieuse » (1855) : poupe et proue. Les relations France-Québec (1760-1914)*, Québec, Les Presses de l'Université Laval, 2006, 379 p.

RAMEAU DE SAINT-PÈRE Edmé, *La France aux colonies : étude sur le développement de la race française hors de l'Europe (Acadiens et Canadiens)*, Paris, A. Jouby, 1859.

SIEGFRIED André, *Le Canada, les deux races. Problèmes politiques contemporains*, Paris, Armand Colin, 1906, 412 p.

Une identité qui se redéfinit au contact d'une immigration de plus en plus diversifiée

Micheline Labelle

Quels rapports à l'altérité la société québécoise a-t-elle établis à travers son histoire ? Comment le Québec en est-il venu à se constituer comme principale société d'accueil de langue française en Amérique et à faire en sorte que les immigrants, qui jouent un rôle de plus en plus déterminant dans la croissance de sa population, participent pleinement à une mutation de l'identité québécoise ?

La diversité du peuple québécois

Le Québec compte 7,6 millions d'habitants, dont 11,6 % sont nés à l'étranger selon le recensement de 2006. La majorité, soit 80 % des Québécois francophones, est composée de colons venus de France au XVIe et au XVIIe siècle, et a comme langue maternelle le français. Contrairement aux autres minorités, la minorité anglophone, qui compte environ 600 000 personnes, bénéficie d'un réseau d'éducation en langue anglaise à tous les niveaux d'enseignement, d'un réseau hospitalier et de ses propres réseaux de communication. La population autochtone se compose de dix nations amérindiennes ainsi que d'une nation Inuit et représente 1,5 % de la population totale. Les minorités dites « visibles », quant à elles, forment 7 % de la population.

Les Québécois d'origine autre que française, anglaise ou autochtone représentaient 2,2 % de l'ensemble de la population en 1901, 10,4 % en 1971, 18,5 % en 2001 et environ 25 % en 2006, et ce, sans tenir compte des individus ayant des origines multiples. De nos jours au Québec, on parle 150 langues, on provient de 180 pays et on se réclame de 200 religions. La majorité des Québécois, soit 84 % d'entre eux sont toutefois de confession catholique. L'islam est en nette progression, mais les musulmans ne représentent que 1 % de la population.

En 2006, 88 % des immigrés du Québec sont concentrés dans la région métropolitaine de Montréal; ils représentent 19 % de la population de cette ville. Pour la période de 2001-2006, 21,6 % des immigrants provenaient d'Amérique; 23,9 %, d'Europe; 26 % d'Afrique; 28,8 % d'Asie et du Moyen-Orient et 0,1 % d'Océanie.

Rappel historique

D'entrée de jeu, il faut souligner qu'à l'exception des peuples autochtones, la population québécoise est issue des migrations de colonisation et des migrations de travail. Le peuplement du Québec remonte à l'époque de la Nouvelle-France et il s'est progressivement constitué à la suite de vagues successives d'immigration française, puis britannique après la conquête de 1759. Soulignons que la composition de la population française était loin d'être homogène, puisque les colons étaient originaires de diverses provinces françaises et affichaient des différences linguistiques et culturelles importantes.

Les marchands canadiens qui faisaient du commerce avec les Antilles ramenaient aussi, à partir de 1628, des esclaves provenant d'Afrique, et ce, jusqu'à la fin du régime français. Mille cent trente-deux esclaves d'origine africaine sont dénombrés en 1759, esclaves domestiques pour la plupart. L'approvisionnement se faisait à partir de la Martinique, de la Louisiane et de Saint-Domingue. Après la conquête de 1759 et l'établissement du régime britannique au Bas-Canada, le trafic s'est alimenté à d'autres sources jusqu'en 1833, date de l'abolition de l'esclavage dans l'Empire britannique.

De la même manière, la population anglo-saxonne a été au départ constituée de loyalistes qui ont fui la Révolution américaine avec leurs esclaves d'origine africaine; près de 40 000 d'entre eux s'établirent dans l'ensemble du Canada, dont 6 000 au Québec. À partir du XIXᵉ siècle, cette population s'est constituée d'immigrants des îles britanniques : Irlandais catholiques, et Écossais et Anglais protestants.

Les institutions politiques, économiques et sociales se sont donc articulées autour de la présence de « deux peuples fondateurs », les Canadiens français et les Canadiens anglais, auxquels se sont ajoutés, au fil des décennies, divers groupes. Aussi, lorsqu'on parle de « minorités ethniques » renvoie-t-on, pour l'essentiel, à ces groupes qui n'appartiennent ni à l'un ni à l'autre des deux communautés dites « fondatrices ».

Dès la fin du XIXe siècle, la politique canadienne d'immigration est caractérisée, entre autres choses, par la volonté de peupler l'Ouest canadien d'agriculteurs et d'assurer l'expansion économique du Canada. Les immigrants provenaient essentiellement du Royaume-Uni, des États-Unis et d'Europe. Cette politique, discriminatoire à l'endroit des Asiatiques et des Afro-descendants, et plus tard des juifs qui tentaient de fuir l'Europe, a prévalu jusqu'en 1962, lorsque le gouvernement canadien s'est mis à adopter des critères de sélection universels et non racistes. Dans le but de répondre aux besoins démographiques et économiques, un système de points est instauré en 1967[1] et une nouvelle loi sur l'immigration est introduite en 1978. Aux objectifs démographiques et économiques s'en sont ajoutés de nouveaux à visée sociale (réunification des familles), humanitaire (accueil de réfugiés) et politique (respect des traités internationaux).

Ces modifications législatives ainsi que les mutations géopolitiques survenues dans le monde ont amené des changements importants quant à l'origine des immigrants venus s'établir au Canada. Alors qu'avant les années soixante-dix l'immigration canadienne provenait, pour l'essentiel, d'Europe, la période contemporaine a vu le nombre d'immigrants issus des pays d'Afrique, des Caraïbes, de l'Amérique latine, du Maghreb et d'Asie croître de façon significative. En 2006, 19,6 % de la population canadienne étaient nés à l'étranger. De plus, la distribution géographique de l'immigration s'est faite de manière inégale sur le territoire canadien. L'Ontario, la Colombie-britannique et le Québec comptent, en

---

1. Depuis 1967, les candidats sont sélectionnés en vertu d'un système de points accordés sur la base de caractéristiques comme l'âge, la qualification, la profession, etc.

chiffres absolus, la plus forte concentration d'immigrants dans les villes de Toronto, Vancouver et Montréal.

La sélection et l'intégration des immigrants par le Québec

La question du nombre des immigrants a été, depuis la conquête de la Nouvelle-France par les Britanniques, en 1759, un enjeu déterminant dans l'histoire du Québec, voire une source de conflits entre la majorité française et les minorités lors des débats politiques qui ont opposé les Canadiens français et les Britanniques dans le Bas-Canada des années 1830, de même qu'au moment de la création de la Confédération canadienne en 1867[2]. L'objectif déclaré de la gestion britannique était d'assimiler les Canadiens français. Au recensement de 1871, les Canadiens français constituent 78 % de la population du Québec, la population d'origine britannique 20,4 %, les « Autres », 1,6 %. Au recensement de 1961, les Canadiens français formaient 80,6 % de la population, les Québécois d'origine britannique, 10,8 % et la population d'origine « autre », 8,6 %.

Dans les années soixante-dix, les facteurs qui ont entraîné la mise en œuvre d'une politique d'intégration et d'interculturalisme au Québec sont à certains égards ceux-là mêmes qui ont inspiré la politique générale du Canada : la volonté de s'aligner sur les nouvelles normes internationales en matière de droits de la personne et celle de préciser les objectifs démographiques et économiques en matière d'immigration. Cependant, au Québec, où tout au cours du siècle dernier les modalités d'intégration des immigrants ont fait l'objet de constantes inquiétudes en raison de l'impact qu'elles pouvaient avoir sur le développement de l'identité nationale et française de cette société, le tableau est un peu différent.

Depuis le XIXᵉ siècle, les Canadiens français ont compensé les effets des mouvements migratoires par une natalité élevée. Au cours des années soixante, il n'en est plus de même : on assiste à une baisse des naissances

---

2. P-A. Linteau, R. Durocher et J-C Robert. *Histoire du Québec contemporain. De la confédération à la crise*, Montréal, Boréal, 1979, p. 11 et 51.

qui, combinée à l'anglicisation des immigrants dans le système scolaire et le milieu du travail, a pour effet de remettre en question les rapports majorité/minorités[3]. De plus, les commissions d'enquête sur la situation économique des Canadiens français attestent leur bas statut, inférieur à celui de plusieurs minorités sur le territoire du Québec. Majorité sur le plan démographique, les Canadiens français constituent une minorité sociologique, marquée au sceau des inégalités et de l'oppression politique et culturelle. D'où le slogan « Maîtres chez nous ». Par ailleurs, il devenait urgent de réunir les « multiples solitudes » qui tenaient lieu de tissu social dans une « métropole éclatée » où l'ethnicité teintait fortement les inégalités sociales, les conflits linguistiques et scolaires, les pratiques associatives et les alliances politiques.

La volonté du Québec de se redéfinir en tant que société d'accueil et d'intégration de langue française s'inscrit donc au cours des années soixante, dans l'approche structurante de la Révolution tranquille qui allait se manifester sur les plans économique, politique, linguistique et culturel ; une approche qui dotera le Québec de divers dispositifs destinés à affirmer son identité nationale, notamment d'une politique d'immigration qui lui est propre[4].

En vertu de l'article 95 de la Constitution canadienne, la compétence en matière d'immigration se partage entre le gouvernement fédéral et les provinces. Le gouvernement fédéral a été pendant longtemps le seul à l'exercer, et ce, avec des résultats parfois contraires aux intérêts du Québec. Or le Québec a fini par comprendre, dans la foulée du « Maître chez nous » et de la naissance d'un nationalisme progressif, qu'il devait lui aussi se prévaloir de cette compétence pour assurer sa survie et, à partir de la Révolution tranquille, il se met donc systématiquement à intervenir. Le Québec vise à assurer son poids démographique et politique au

---

3. P.-A. Linteau, R. Durocher et J-C Robert., *Histoire du Québec contemporain. Le Québec depuis 1930*, Montréal, Boréal, 1986, p. 537.
4. M. Labelle et F. Rocher, « Pluralisme national et souveraineté au Canada : Luttes symboliques autour des identités collectives », dans J. Palard, A-G Gagnon et B. Gagnon, *Diversité et identités au Québec et dans les régions d'Europe*, Bruxelles et Sainte-Foy, P.I.E.-Peter Lang et Les Presses de l'Université Laval, 2006, p. 145-168.

sein de l'ensemble canadien, à enrayer les transferts linguistiques vers l'anglais et à promouvoir les relations interculturelles ainsi que le respect de la diversité au sein de la communauté politique québécoise. La création d'un ministère de l'Immigration, en 1968, dans la foulée de la modernisation de l'État québécois, marque une première étape sur cette voie. Diverses ententes successives conclues avec le gouvernement fédéral – la dernière étant l'Accord Canada-Québec de 1991 – lui permettront d'accroître ses pouvoirs en matière de sélection et d'intégration des immigrants et de les exercer en fonction des objectifs qu'il se fixe pour assurer son développement comme nation française en Amérique du Nord. Toutefois, dans ce nouveau partage des pouvoirs, le gouvernement fédéral garde entières ses prérogatives sur les réfugiés et la catégorie des immigrants parrainés par un proche parent. De plus, il garde pour lui seul le pouvoir de définir des normes et des objectifs pour le Canada dans son ensemble, de déterminer l'admissibilité au Canada et d'accorder la citoyenneté.

À la suite des rapports de diverses commissions d'enquête sur les pratiques linguistiques, la Loi 22, qui déclarait le français comme langue officielle du Québec, fut adoptée en 1974. Elle fut suivie, en 1977, par l'adoption de la *Charte de la langue française* (Loi 101) qui affirmait la volonté de l'État québécois de poursuivre son objectif de francisation « dans un climat de justice et d'ouverture à l'égard des minorités ethniques, dont elle reconnaît l'apport précieux au développement du Québec »[5]. Selon Labelle, Rocher et Rocher, « la législation linguistique adoptée par le gouvernement québécois en 1977 représente l'aboutissement d'un long processus de redéfinition de statut socio-économique et politique des francophones québécois. Le culturel devint politique »[6].

Ce moment fondateur allait amorcer l'élaboration d'un ensemble cohérent de dispositifs juridiques, politiques et consultatifs de gestion de

---

5. *La Charte de la langue française. Projet de Loi no 101*, Québec, Éditeur officiel du Québec, 1977, p.8.

6. M. Labelle, F. Rocher et G. Rocher, « Pluriethnicité, citoyenneté et intégration : de la souveraineté pour lever les obstacles et les ambiguïtés », *Cahiers de recherche sociologique*, n° 25, 1995, p. 219.

la diversité. On assista d'abord à la mise en oeuvre d'un cadre juridique visant à contrer la discrimination, à promouvoir l'égalité et à garantir les droits avec l'adoption, en 1975, de la Charte des droits et libertés du Québec. En 1986, il y eut la déclaration sur les relations interethniques et interraciales, qui faisait suite à l'appui que le gouvernement du Québec avait donné, en 1985, à la Proclamation par l'Organisation des Nations Unies, en novembre 1983, de la deuxième décennie de la lutte contre le racisme et la discrimination raciale. À ces premières mesures vinrent s'en ajouter d'autres, notamment des programmes d'équité dans l'emploi, de formation interculturelle, d'adaptation des services publics à la diversité, d'accommodements raisonnables et la mise en œuvre d'une politique d'intégration spécifique, soit celle de l'interculturalisme.

L'interculturalisme :
Une politique québécoise différente de
la politique fédérale du multiculturalisme

Tout en visant à promouvoir le français comme langue officielle, à maîtriser la sélection et l'accueil des nouveaux arrivants, le Québec cherche également à promouvoir sa propre politique publique de gestion de la diversité grâce à l'interculturalisme. La politique fédérale du multiculturalisme (institutionnalisée en 1971) s'accompagne depuis 1969 d'une politique de bilinguisme officiel. Toutes ces politiques publiques convergent en matière de respect du pluralisme, d'objectifs de justice sociale et de participation des citoyens. Or la politique québécoise de l'interculturalisme diverge sur un plan fondamental : sous le nom d'intégration, elle veut consolider un sentiment d'appartenance à cette société française unique et minoritaire en Amérique du Nord qu'est le Québec. Certains ont noté que les notions d'intégration et d'obligations mutuelles étaient absentes du discours fédéral sur le multiculturalisme. Au nom de la neutralité de son message qui doit être le même d'un océan à l'autre, le gouvernement fédéral s'interdit de mentionner qu'au Québec l'intégration des immigrants doit se faire sur fond de langue française. Le dilemme est le suivant : soit le Québec se définit comme une société bilingue et multiculturelle, soit il se définit comme une société francophone et pluraliste. La deuxième approche a été perçue et le demeure, dans le reste du Canada, comme une atteinte aux droits individuels de la minorité anglophone du Québec et au libre choix des immigrants.

La politique québécoise sera définie dans le cadre de plusieurs énoncés et plans d'action. Les documents officiels émanent du ministère de l'Immigration, mais concernent également les autres champs des politiques publiques, soit une quarantaine de ministères. Le premier plan d'action ministériel intitulé *Autant de façons d'être Québécois. Plan d'action à l'intention des communautés culturelles* fut déposé en 1981, soit peu après le référendum du Parti québécois sur la souveraineté. Il proposait un modèle différent du creuset américain, du multiculturalisme canadien ou de l'assimilation à la française. On y présentait la culture québécoise de tradition française comme un « foyer de convergence des autres traditions culturelles qu'il veut maintenir originales et vivantes partout où elles s'expriment ». Le droit à la différence, affirmé sans équivoque, s'inscrivait dans une perspective de rapprochement et de compréhension interculturelle. En 1990, le gouvernement du Parti libéral du Québec adopta un *Énoncé de politique en matière d'immigration et d'intégration*. On y défendait les notions de contrat moral et de culture publique commune, toujours conjuguées avec la perspective de l'interculturalisme. La politique québécoise venait préciser les attentes et les obligations mutuelles entre les immigrants et la société d'accueil sur la base de principes et de valeurs politiques : la démocratie, la résolution pacifique des conflits, les droits fondamentaux de la personne, la laïcité, le pluralisme, l'égalité entre les hommes et les femmes, la solidarité collective, le respect des droits historiques de la minorité anglophone du Québec et des droits historiques des Autochtones[7].

---

7. M. Labelle, « De la culture publique commune à la citoyenneté: ancrages historiques et enjeux contemporains » dans S. Gervais, D. Karmis et D. Lamoureux dir., *Du tricoté serré au métissé serré ? La culture publique commune au Québec en débats*. Les Presses de l'Université Laval, 2008, 360 p.

À la fin des années quatre-vingt-dix, le thème de la citoyenneté québécoise a été mis à l'ordre du jour. Le gouvernement du Parti québécois en a fait la promotion entre 1996 et 2003. La citoyenneté québécoise fut alors définie comme « un attribut commun à toutes les personnes résidant sur le territoire du Québec. La citoyenneté s'enracine dans le sentiment d'appartenance partagé par des individus qui ont à la fois des droits et des libertés et des responsabilités à l'égard de la société dont ils font partie. Cette perspective de la citoyenneté reconnaît les différences tout en se fondant sur l'adhésion aux valeurs communes »[8]. Cette initiative fut l'objet de vives attaques dans l'opinion publique. Elle a refait surface à l'Assemblée nationale du Québec, en 2007, dans le contexte des discussions publiques initiées par la *Commission de consultation sur les pratiques d'accommodements reliées aux différences culturelles*. Dès lors, une question se pose : une politique publique de la gestion de la diversité qui s'appuie sur les notions de « contrat moral d'intégration » et de culture commune constitue-t-elle un facteur d'attraction pour les nouveaux arrivants et les minorités ? Une approche de la citoyenneté, moins culturellement connotée, n'est-elle pas davantage un gage de succès? Mais comment parler de citoyenneté québécoise dans un contexte où le Québec fait partie du Canada et de la fédération canadienne ?

À ces différentes manifestations de la volonté du gouvernement du Québec de promouvoir sa propre politique publique de gestion de la diversité grâce à l'interculturalisme s'en ajoutent d'autres qui découlent de l'adoption et de la mise en œuvre, au Québec, de politiques de reconnaissance du caractère national de certains groupes ainsi que de politiques de la mémoire. C'est dans cette perspective que l'Assemblée nationale décida, en 1986, de reconnaître l'existence de 10 nations autochtones, auxquelles s'ajouta, en 1989, la nation malécite. En 2002, le gouvernement du Québec signait la Paix des Braves, une entente

---

8. Ministère des Relations avec les citoyens et de l'Immigration du Québec, « Allocution de Monsieur Ernst Jouthe, sous-ministre adjoint aux relations civiques », Colloque Mondialisation, multiculturalisme et citoyenneté, Montréal, Musée des Beaux-Arts, 29 mars 1998.

conclue de nation à nation, entre les Cris du Québec et le gouvernement québécois. La Paix des Braves va plus loin que la reconnaissance du statut de nation telle qu'affirmée en 1985 dans la mesure où elle confirme le droit à l'autonomie gouvernementale des Autochtones et constitue un jalon dans leur lutte pour leur droit à l'autodétermination. Par ailleurs, le Parlement du Québec adopta, en 1999, une *Loi proclamant le Jour commémoratif de l'Holocauste-Yom Hashoah au Québec.* Le 27 novembre 2001, une motion de l'Assemblée nationale a souligné l'importance de la lutte des patriotes de 1837-1838 « en commémoration de la lutte des patriotes de 1837-1838 pour la reconnaissance de notre nation, pour sa liberté politique et pour l'établissement d'un gouvernement démocratique » (Bernard Landry). En 2003, une motion faisant référence à l'entrée en vigueur de la Proclamation royale[9] a été adoptée afin de désigner le 28 juillet *Journée de commémoration du Grand Dérangement* qui rappelle la déportation en Louisiane des Acadiens, en 1755. En 2004, une motion soulignant le 10ᵉ anniversaire du génocide au Rwanda a également été adoptée par le Parlement du Québec. La même année, le gouvernement du Québec a dévoilé une plaque commémorative dédiée à la mémoire de Marie-Joseph-Angélique qui rappelle que l'esclavage a été pratiqué au Québec jusqu'en 1833. Enfin, en 2006, le gouvernement du Québec est allé plus loin en reconnaissant le 23 août comme la *Journée internationale du souvenir de la traite négrière et de son abolition.*

Identité québécoise et pluralisme
Les enjeux

La gestion des flux migratoires et de la diversité s'inscrit dans un « paradoxe libéral ». En effet, les politiques des États à l'endroit des nouveaux arrivants et des minorités deviennent de plus en plus complexes

---

9. La Proclamation royale a été délivrée en 1763 par le roi d'Angleterre George III à la suite de la conquête de la Nouvelle-France par la Grande-Bretagne. Cette proclamation avait pour but d'organiser les nouveaux territoires de la Grande-Bretagne en Amérique du Nord, de stabiliser les relations avec les Amérindiens, mais aussi d'assimiler les « Canadiens » comme on dénommait la population française à l'époque.

et contradictoires étant donné que les gouvernements visent des buts irréconciliables, tels : l'approvisionnement en main-d'œuvre, le contrôle des travailleurs migrants temporaires et des demandeurs d'asile, la gestion des problèmes urbains, la réduction des dépenses en sécurité sociale, le maintien de l'ordre public, l'intégration des anciennes et des nouvelles minorités dans les institutions sociales et politiques et la redéfinition de l'identité nationale. Les effets du 11 septembre, le climat sécuritaire planétaire et la montée du néo-conservatisme, voire du néo-racisme, sont préoccupants – au Québec comme ailleurs.

Le Québec poursuit des objectifs démographiques et économiques importants et il a toute autorité sur la sélection des immigrants indépendants. Les taux de chômage et de pauvreté représentent des obstacles structurels à leur intégration et risquent de provoquer le repli communautaire. Une autre difficulté concerne l'intégration en français. Des études récentes démontrent que « le français est dans la tourmente ». Contrer le choix que font les immigrants d'adopter la langue anglaise demeure un tour de force. En dépit de la Charte de la langue française et des progrès enregistrés, un problème majeur subsiste : celui de l'implantation dominante du français comme langue commune aussi bien dans le domaine public que dans le milieu de travail.

Nouvel axe de polarisation des rapports sociaux : la laïcité. Les revendications liées à la diversification croissante de la population, en particulier celles qui relèvent du domaine religieux, entraînent certaines tensions dans la société québécoise. Les revendications croissantes de reconnaissance et d'accommodements de la part d'immigrants de confessions diverses provoquent des débats houleux sur le caractère de la laïcité du Québec et sur l'identité québécoise. La lutte contre le racisme s'impose donc plus que jamais. À cet égard, un Plan québécois d'action contre le racisme a été rendu public au printemps 2008.

Par ailleurs, le Québec demeure un lieu intense de débats sur la redéfinition de la nation, sur les implications afférentes à la notion de citoyenneté québécoise et sur les rapports avec les nations autochtones établies sur son territoire.

Cette dynamique a modifié l'univers symbolique des identités. De nombreux sondages et études qualitatives témoignent en effet du passage d'une identité canadienne française (80 % des membres descendent des quelque deux mille familles souches du début de la colonie) à une identité québécoise, territoriale et politique, assumée et revendiquée aussi bien par les ex-Canadiens français que par les groupes minoritaires, et conjuguée ou non avec d'autres options identitaires (Québécois/Canadien, Italo-Canadien, Italo-Québécois, Québécois d'origine marocaine, etc). Ce passage d'une « identité-résistance » à une « identité-projet » laisse place à la déclinaison et au bricolage de diverses composantes identitaires.

Le mouvement souverainiste lui-même a été transformé en profondeur sous l'influence de la diversité croissante de la société québécoise. La contribution de leaders et d'intellectuels souverainistes issus des minorités ethnoculturelles est à cet égard remarquable. Certains observateurs ont également attribué ce changement à l'arrivée à l'âge adulte des « enfants de la Loi 101 » (la Charte de la langue française qui fait du français la langue officielle du Québec et la langue d'enseignement pré-universitaire obligatoire), plus ouverts à la culture québécoise et au projet national québécois. Il en va de même de l'action politique de certains leaders et intellectuels autochtones qui ont pris position en faveur de la souveraineté du Québec et se sont faire élire députés du Bloc québécois et du Parti québécois. À cet égard, il est impératif que la gouvernance québécoise poursuive son engagement envers les revendications d'autonomie gouvernementale, voire d'autodétermination, des nations autochtones, dans un rapport de nation à nations[10].

En octobre 2007, dans le contexte des débats identitaires suscités par la *Commission de consultation sur les pratiques d'accommodements reliées aux*

---

10. D. Salée, A-M Field et K. Horn-Miller, « De la coupe aux lèvres : l'action politique des peuples autochtones sur la scène internationale et la reconfiguration des paramètres de la citoyenneté au Canada » dans Micheline Labelle, François Rocher dir., *Contestation transnationale, diversité et citoyenneté dans l'espace québécois*, Montréal, Presses de l'Université du Québec, 2004, p. 156-207.

différences culturelles, le Parti québécois a présenté à l'Assemblée nationale deux projets de loi; le projet de loi 195 (Identité québécoise) et le projet de loi 196 (Constitution du Québec) qui n'ont pas été retenus par l'Assemblée nationale[11]. Leur but était de rassurer les Québécois qu'inquiétait le climat alarmiste entretenu à dessein par les médias et les partis politiques. Cette initiative a soulevé une immense controverse. Ceci montre que le débat sur la citoyenneté québécoise demeure entier puisque le Québec fait toujours partie de la Fédération canadienne.

---

11. P. Marois, *Allocution de Madame Pauline Marois, chef du Parti québécois, à l'occasion de la conférence de presse sur la Loi sur l'identité québécoise*, Québec, le 18 octobre 2007.

Bibliographie

LABELLE Micheline, « De la culture publique commune à la citoyenneté: ancrages historiques et enjeux contemporains » dans Stéphan Gervais, Dimitrios Karmis et Diane Lamoureux dir., *Du tricoté serré au métissé serré ? La culture publique commune au Québec en débats*. Les Presses de l'Université Laval, 2008, 360 p.

LABELLE Micheline et ROCHER François, « Pluralisme national et souveraineté au Canada : Luttes symboliques autour des identités collectives », dans Jacques Palard, Alain-G. Gagnon et Bernard Gagnon, *Diversité et identités au Québec et dans les régions d'Europe*, Bruxelles et Sainte-Foy, P.I.E.-Peter Lang et Les Presses de l'Université Laval, 2006, p. 145-168.

LABELLE Micheline, ROCHER François et ROCHER Guy, « Pluriethnicité, citoyenneté et intégration : de la souveraineté pour lever les obstacles et les ambiguïtés », *Cahiers de recherche sociologique*, no 25, 1995, p. 213-245.

LINTEAU Paul-André, DUROCHER René et ROBERT Jean-Claude, *Histoire du Québec contemporain. De la confédération à la crise*, Montréal, Boréal, 1979, 190 p.

LINTEAU Paul-André, DUROCHER René et ROBERT Jean-Claude, *Histoire du Québec contemporain. Le Québec depuis 1930*, Montréal, Boréal, 1986.

MAROIS Pauline. *Allocution de Madame Pauline Marois, chef du Parti québécois, à l'occasion de la conférence de presse sur la Loi sur l'identité québécoise*, Québec, le 18 octobre 2007.

Ministère de l'Immigration et des Communautés culturelles du Québec, *Caractéristiques de l'immigration au Québec. Statistiques*, Consultation 2008-2010, Montréal, Direction des affaires publiques et des communications, 2007, p. 9 et 11.

Ministère des Relations avec les citoyens et de l'Immigration du Québec, « Allocution de Monsieur Ernst Jouthe, sous-ministre adjoint aux relations civiques », Colloque Mondialisation, multiculturalisme et citoyenneté, Montréal, Musée des Beaux-Arts, 29 mars 1998.

QUÉBEC, *La Charte de la langue française. Projet de Loi no 101*, Québec, Éditeur officiel du Québec, 1977.

SALÉE Daniel, FIELD Anne-Marie et HORN-MILLER Kahente, « De la coupe aux lèvres : l'action politique des peuples autochtones sur la scène internationale et la reconfiguration des paramètres de la citoyenneté au Canada » dans Micheline Labelle, François Rocher dir., *Contestation transnationale, diversité et citoyenneté dans l'espace québécois*, Montréal, Presses de l'Université du Québec, 2004, p. 156-207.

Deuxième partie

L'adaptation constante à un environnement
en changement permanent

Le Québec et la laïcité

Micheline MILOT

Mémoire et impensé collectifs

Le Québec représente un modèle politique intéressant en regard des régimes de laïcité que l'on retrouve dans les sociétés démocratiques, compte tenu du fait que la Constitution canadienne ne comporte aucune clause sur les rapports entre l'État et les Églises, contrairement à des constitutions comme celles de la France ou des États-Unis. Le droit québécois ne contient aucune référence explicite à la notion de laïcité et jusqu'à tout récemment, la laïcité était absente des représentations collectives. Néanmoins, les principes au fondement de la laïcité ont opéré un travail continu au sein de la régulation étatique, en constante tension avec les forces confessionnelles. Comme partout en Occident, la diversité ethnoculturelle, la diffusion du libéralisme, l'avancée des droits, l'avènement de la démocratie et l'économie de marché sont autant de facteurs qui ont suscité une inévitable laïcisation du politique. Certes, il ne s'agit pas ici d'une transposition du modèle français de laïcité, mais d'une mise en œuvre singulière des quatre principes fondamentaux de la modernité politique : la séparation des pouvoirs politique et religieux, la neutralité de l'État à l'égard des différentes conceptions du bien qui coexistent dans la société et le respect des libertés fondamentales en pleine égalité pour tous (libertés de conscience, de religion et d'expression). Dans chaque contexte national, quoique selon des modalités ou des voies différentes, la laïcité accompagne inévitablement la modernité politique, prenant racine dans le détachement des droits citoyens de l'appartenance religieuse et dans la souveraineté du peuple comme source de la légitimation de l'État.

La laïcité a longtemps paru étrangère à la réalité québécoise. Entre le XVIIIe et la moitié du XXe siècle, les rapports entre les religions et l'État au Québec semblent figés dans un traditionalisme rigide. Le clergé catholique joue alors un rôle très important au sein de l'organisation sociale canadienne-française et renonce difficilement à la position prééminente dans la vie publique qu'il détenait sous l'Ancien Régime, avant la conquête britannique de 1759. La société québécoise se voit désignée comme « *the Priest Ridden Province* » par certaines élites anglophones, et ce, même au XXe siècle. Cette indéniable influence du clergé catholique dans le jeu des forces sociales paraît toutefois confondue avec l'institutionnalisation des rapports entre la sphère religieuse et la sphère politique : une confusion entre la lente sécularisation de la société et l'autonomisation des sphères politiques et juridiques par rapport aux autorités religieuses. Il n'est dès lors pas étonnant que les modèles politiques de séparation, de neutralité ou de laïcité soient demeurés longtemps dans les replis de l'impensé collectif.

Le Québec d'autrefois ne représente pourtant pas un cas unique où les influences religieuses agissaient dans les différentes sphères de la vie publique. L'épiscopat catholique en France, comme au Québec, a formé tout au long du XIXe et du XXe siècle un groupe de pression fortement organisé qui a tenté, et souvent avec succès, d'infléchir les lois et les orientations politiques, d'occuper des domaines plus ou moins délaissés par l'État, comme l'éducation et l'assistance sociale. Toutefois, au Québec, la mémoire collective insiste sur ce que ces éléments représentent en termes de pouvoir de l'Église, et en France, sur les limites de cette extension. L'interprétation varie donc en fonction des conceptions sociales dominantes concernant la nature des relations entre les Églises et l'État et de la formulation politique ou juridique de ces relations.

On ne peut nier la capacité réelle d'encadrement moral et idéologique qu'avait acquise l'Église catholique dans la société civile après la Conquête anglaise de 1759. À partir de ce moment, alors que les élites françaises retournèrent en France et que les Canadiens français catholiques se trouvèrent politiquement en situation de minorité (d'un point de vue démographique, ils étaient toutefois largement majoritaires sur le territoire), les membres du clergé restant jouèrent un rôle important dans une société désorganisée. Plus tard, l'idéologie ultramontaine galvanisera les prétentions du pouvoir ecclésial. À la fin du XVIIIᵉ et pendant le XIXᵉ, les grandes nations semblent se définir peu à peu par leur caractère d'« exception ». La France prend un tel caractère par le conflit anticlérical qui conduira à la loi de Séparation des Églises et de l'État (1905), les États-Unis, par la séparation non conflictuelle des Églises et de l'État (1791), corrélative d'une vitalité religieuse en affinité avec l'esprit démocratique, tel que l'a décrit Tocqueville[1]. Le Québec semblait, pour sa part, une nation sous la domination absolue du clergé catholique. Pourtant, on peut aisément retracer les linéaments de la laïcisation du politique dès la seconde moitié du XVIIIᵉ siècle, soit à la même période où les grandes nations apparentées, comme la France ou les États-Unis, connaissent aussi des mutations politiques profondes relatives à l'aménagement des rapports avec les Églises dominantes historiquement et à la reconnaissance des libertés de culte.

Les éléments de laïcité qui émaillent l'Histoire[2]

La colonie de la Nouvelle-France avait vu se prolonger le modèle des relations entre l'Église et l'État qui existait dans l'Ancien Régime. Ce modèle ne pourra survivre à la conquête britannique de 1759 et à la nouvelle situation sociopolitique qu'engendre une société désormais mixte sur les plans linguistique, religieux, ethnique et culturel. La conquête anglaise et les événements qui en découlent donnent lieu à une situation originale en ce qui concerne les rapports entre l'Église et l'État. Les Britanniques, dont le pouvoir politique est lié à l'Église

---

1. A. de Tocqueville, *De la démocratie en Amérique*, 2 t. Paris, Gallimard-Flammarion, [1835] 1981, 438 p.
2. Pour de plus amples informations, voir M. Milot, *Laïcité dans le Nouveau Monde. Le cas du Québec*, coll. Bibliothèque de l'École des Hautes Études/Sorbonne, Turnhout, Brepols Publishers, 2002.

anglicane, conquièrent des territoires où le catholicisme domine. L'affrontement guerrier ne se prolonge pas dans un affrontement religieux, malgré le climat d'intolérance religieuse qui sévit dans les deux métropoles européennes. Les impératifs politiques amènent tout d'abord à improviser des aménagements juridiques et institutionnels qui ont des effets immédiats d'apaisement dans la population conquise, mais qui modifient aussi à long terme la configuration des rapports entre les Églises et l'État.

Il s'agit pour les Britanniques et les Canadiens français de coexister dans la diversité non seulement culturelle, mais aussi linguistique et religieuse. À ce moment, on connaît dans les sociétés nord-américaines, tant canadienne qu'états-unienne, des problèmes semblables de coexistence liés à un contexte social vécu sous le mode du *recommencement*, et ce, même lorsque les représentations collectives se traduisent par une volonté de conservation des traditions. Les spécificités du modèle établi au Québec doivent être interprétées en tenant compte du fait qu'il s'agit d'une collectivité « neuve », dans un cadre continental marqué par l'américanité[3]. Au Canada, c'est davantage la question de la coexistence des religions qui a prédominé sur la scène politique, alors qu'en France la puissance politique a dû s'imposer, comme le souligne Dominique Schnapper[4], « contre l'absolutisme royal allié à l'Église catholique et sur leur modèle ».

Il importe à la gouvernance politique de gagner la loyauté de la population canadienne-française et d'atténuer l'influence indépendantiste des colonies américaines du Sud. Une solution pragmatique est mise en œuvre, notamment par les deux événements juridiques que sont le Traité de Paris (1763) et l'Acte de Québec (1774), et leur prolongement dans l'Acte constitutionnel de 1791 : garantir la liberté de culte des catholiques (liberté étendue à tous les groupes dès 1834) et délier l'accès

---

3. G. Bouchard, « Le Québec comme collectivité neuve. Le refus de l'américanité dans le discours de la survivance », dans Y. Lamonde et G. Bouchard dir., *Québécois et Américains. La culture québécoise aux XIXe et XXe siècles*, Montréal, Fides, 1995, p. 15-60.
4. D. Schnapper, *La démocratie providentielle. Essai sur l'égalité contemporaine*, Paris, NRF Essais, Gallimard, 2002, p 268.

aux fonctions publiques des conditions de l'appartenance religieuse, par l'abolition du serment du test[5]. Ainsi, les préoccupations politiques et économiques de la Couronne britannique l'emportent largement sur les débats dogmatiques.

Bien que l'encadrement de l'Église s'exerce avec zèle et vigueur auprès des catholiques, l'aménagement politique qui se met en place ne se fait pas le relais des convictions ecclésiales et politiques des évêques. Par ailleurs, l'Église catholique devient l'une des références identitaires structurantes (avec la langue et l'ethnie) du groupe canadien-français, mais cette composante spécifiquement confessionnelle de l'identité ne parviendra pas à se traduire véritablement en un rôle politique structuré (comme c'est le cas en Irlande, par exemple).

Certains éléments d'une organisation politique laïcisante se mettent en place dans ce que l'on désigne déjà comme la Province de Québec : distanciation entre les pouvoirs (n'excluant pas la collaboration[6]), reconnaissance de la liberté de culte, non-établissement d'une religion d'État (malgré le fait que l'Église anglicane jouisse de certains privilèges économiques pendant un certain temps), tolérance religieuse. Les linéaments de ce processus de laïcisation ne se profilent pas sur fond de débats idéologiques ni en vertu d'une séparation constitutionnelle. La notion de « pacte », au sens où l'emploie l'historien français Jean Baubérot, peut rendre compte des modalités selon lesquelles s'aménagent les rapports entre l'État et les confessions religieuses au Canada. « La notion sociologique de pacte n'implique – contrairement à l'emploi du

---

5. Pour s'assurer de la loyauté des Canadiens français catholiques qui voulaient accéder à des charges publiques, on exigeait de ceux-ci qu'ils prêtent le « serment du Test » qui consistait en l'abjuration de la fidélité au pape et en une déclaration contre le dogme de la transsubstantiation et contre le culte de la Vierge. Ce serment était analogue au *Religious Test* qui était alors prescrit dans les États américains.

6. Les alliances politiques et stratégiques définies dans un cadre diplomatique marquent profondément les rapports entre les deux instances. Il y va des intérêts de chacune. Le gouvernement cherche les moyens de juguler le mouvement émancipateur, d'inspiration américaine, et révolutionnaire, d'inspiration française, susceptible de séduire les Canadiens français. L'Église catholique veut conserver ses acquis en matière de juridiction ecclésiastique et de culte et a besoin de la protection de l'État. D'où la nécessité d'une « alliance objective » entre les deux institutions.

mot par le sens commun – ni l'égalité des parties en présence, ni la conclusion d'accords explicites. Il suffit qu'une situation de « guerre » puisse être contrée par l'organisation d'un vivre-ensemble formellement pacifique et qui tienne compte des éléments constitutifs de l'identité de chacune des parties »[7].

Globalement, on peut affirmer que la citoyenneté n'a pas été conçue par l'instance politique comme une émanation des appartenances religieuses (comme l'a décrite Tocqueville pour les États-Unis) ni comme une émancipation de celles-ci (comme en France). L'État n'a jamais fait reposer sa légitimité sur une religion civile à l'américaine[8] qui aurait chapeauté les organisations religieuses. Par ailleurs, il s'est montré peu inquiété par la pluralité religieuse, ne jugeant pas nécessaire d'éliminer les groupements intermédiaires entre le citoyen et l'État pour assurer sa suprématie selon un modèle républicain.

En définitive, une situation potentiellement explosive, propre à engendrer des conflits récurrents, se trouve contenue par une construction sociale et politique qui explique un relatif « non-événement » au Québec : pas de conflits politico-religieux (Angleterre), pas de révolution à caractère anticlérical (France), pas de loi de Séparation (États-Unis). On ne peut toutefois parler d'indifférence du pouvoir quant à la question religieuse. Un fait comme celui de l'abolition du serment du test est remarquable pour l'époque, si on le replace sur l'arrière-fond politico-religieux qui a caractérisé l'histoire de l'Angleterre au XVIe siècle, soit l'excommunication de la reine par le pape.

Le joug de l'Église, mythes et réalités

Les représentations collectives d'un Québec enserré par les forces confessionnelles jusqu'au milieu du XXe siècle demeurent tenaces. Par rapport au contexte français, les Églises étaient certes reconnues socialement utiles, en tant que corps intermédiaires entre la population et

7. J. Baubérot, *Histoire de la laïcité française*, Paris, PUF, coll. « Que sais-je ? », 2000, p 34.
8. R. Bellah, « Civil Religion in America », *Deadalus*, 1967, no 96.

l'État, et elles pouvaient jouer un rôle supplétif dans des domaines où ce dernier n'était pas encore suffisamment engagé – principalement l'éducation et les soins hospitaliers – et elles s'avèrent souvent efficaces et source de développement[9]. L'Église catholique tout particulièrement a encouragé la création de coopératives agricoles, du journalisme catholique, des caisses populaires (concurrentes des grandes banques dirigées par des anglophones), de syndicats catholiques (pour résister à l'Internationale syndicale), d'associations de jeunes et de voyageurs de commerce, d'unions catholiques de cultivateurs, etc. Ce type de revitalisation, par son contact étroit avec la population au sein de services de proximité, a contribué, sans conteste, au ralentissement du processus de sécularisation, la morale confessionnelle colorant la vie sociale. Toutefois, l'affranchissement de la sphère politique par rapport aux normes religieuses fait échec à l'idéologie ultramontaine dans ses prétentions de prééminence sur l'État.

De nombreux événements ont nourri le processus de laïcisation déjà amorcé. On peut mentionner l'affaire Guibord (1869) : l'archevêque de Montréal, Mgr Bourget, refusait d'enterrer en cimetière catholique un imprimeur qui avait œuvré au sein d'un groupe de penseurs libéraux. L'archevêque essuya un cuisant revers en cour, alors que le jugement (1875) confirma que les cimetières étaient de juridiction civile, même si les Églises avaient le droit de tenir les registres d'état civil pour le compte de l'État[10]. D'autres faits marquent bien l'écart entre la réalité empirique et la représentation d'un pouvoir ecclésial pesant de toute son emprise sur le pouvoir politique. Ainsi, le programme catholique que l'Église voulut imposer aux députés conservateurs en 1871 a connu un lamentable échec. Un autre exemple illustre l'affranchissement du politique par rapport à la religion, soit la loi contre l'influence indue, adoptée en 1875, qui visait à interdire aux curés notamment de faire du

---

9. R. Lemieux. et J-P Montminy, *Le catholicisme québécois*, Sainte-Foy, Presses de l'Université Laval et Institut québécois de recherche sur la culture, coll. « Diagnostic », 2000, 141 p.

10. Y. Lamonde, Histoire sociale des idées au Québec (1760-1896), Montréal, Fides, 2000, p 364.

chantage auprès des catholiques (en menaçant de leur interdire l'accès aux sacrements) pour qu'ils votent en faveur des conservateurs plutôt que des libéraux[11].

Au XIXe siècle, il apparaît de plus en plus clairement au fil des décisions judiciaires que le droit protège les individus contre l'arbitraire de leurs propres organisations religieuses. C'est dire qu'un processus de laïcisation peut se déployer graduellement même dans une société peu sécularisée, mais dotée d'un encadrement juridique et politique fondé sur une certaine neutralité et sur la prise en compte de la pluralité des choix religieux et moraux des individus. Les principes de laïcité apparaissent bel et bien en filigrane des choix politiques et des décisions juridiques qui ponctuent cette période au Québec. Mais il s'agit d'une laïcité « silencieuse », qui ne fait l'objet d'aucune explicitation juridique, contrairement aux États-Unis et à la France où des décisions du même ordre seront précisément associées au régime de séparation ou à celui de laïcité.

La représentation d'une « chape de plomb » catholique pesant sur la société civile demeure toutefois encore présente dans l'imaginaire collectif de nombre de Québécois. Les données historiographiques récentes apportent de plus en plus de nuances à cette interprétation globalisante qui a connu des heures de gloire depuis les années cinquante. La rapidité avec laquelle s'est effondré ce que l'on désignait comme le « ciel québécois », pendant la Révolution tranquille des années soixante, laisse présumer un long processus préalable de laïcisation non reconnu comme tel. Surtout, on a trop souvent confondu le type d'influence que peut exercer un appareil idéologique comme l'Église avec son réel pouvoir politique. On a peut-être surestimé, le temps d'une ou deux générations, la pesanteur historique d'une institution si étroitement associée au passé avec lequel les Québécois ont voulu rompre. Cette période fut celle de la formulation des principales idéologies de changement. Comme si la mise à distance du passé permettait de se donner un élan nouveau vers l'avenir.

---

11. P. Sylvain, et N. Voisine, *Histoire du catholicisme québécois. Les XVIIIe et XIXe siècles*, t. II : *Réveil et consolidation (1840-1898)*, Montréal, Boréal, 1991, p 368.

Évolutions récentes

La laïcisation du système scolaire

L'Église catholique n'a jamais été organiquement liée au pouvoir. Malgré sa puissance d'encadrement social et son tenace lobby auprès des gouvernants, il n'y a que dans le domaine de l'éducation où l'Église catholique (et les Églises protestantes) avait une place au sein des structures étatiques. Cette situation résultait du fait que, à la suite de la Confédération canadienne de 1867, le gouvernement du Québec n'a pas immédiatement pris en charge l'éducation qui devenait alors de sa juridiction. Quelques années plus tard, sa tentative de reprendre en main ce secteur se heurta au refus des Églises de céder un domaine qu'elles avaient géré depuis longtemps, dans des conditions souvent très difficiles. Il faudra attendre la création du ministère de l'Éducation, en 1964, pour que l'État assume sa responsabilité en matière d'enseignement public. Cependant, la laïcisation du système scolaire n'a été réalisée que le 1er juillet 2000, date où toutes les structures confessionnelles scolaires ont été abolies. Un cours d'éthique et de culture religieuse achève ce processus en remplaçant les enseignements religieux catholique et protestant en 2008[12].

Importance des droits individuels et accommodement « raisonnable »

La tradition politique et juridique québécoise a toujours accordé une importance fondamentale à la liberté de conscience et de religion et veillé à protéger cette liberté qui a acquis un statut quasi constitutionnel par l'adoption d'une charte des droits et liberté de la personne (1975). On peut affirmer qu'une caractéristique forte du modèle québécois (mais aussi canadien) de laïcité dans la gouvernance politique se trouve dans la longue tradition d'accommodements institutionnels accordés pour faciliter la liberté de religion et l'égalité des individus dans la sphère publique. Dans

---

12. M. Milot, « École et religion au Québec. Une laïcité en tension », *Spirale – Revue de recherches en éducation*, Lille, no 39, 2007, p. 165-177.

cette perspective, une pratique juridique s'est développée au Québec (dans la lignée juridique canadienne) : *l'accommodement raisonnable*, défini par les juges comme un corollaire obligé de l'égalité. Il s'agit d'un véritable outil de gestion de la diversité religieuse, au plan individuel. Ce principe oblige, dans certains cas, l'État, les institutions publiques, ainsi que les personnes ou les entreprises privées à modifier ou à adapter des normes générales, même légitimes et justifiées, pour tenir compte des besoins particuliers des personnes qui seraient discriminées en vertu de l'application universelle de lois ou de règles qui portent indirectement atteinte à leur pleine égalité, et ce, pour les motifs prévus par la charte[13]. Il permet d'accorder un droit de cité aux particularismes religieux individuels tout en préservant les normes communes. Les droits reconnus aux individus ne sont pas que des droits de « résistance » contre le pouvoir politique, mais également des « droits-exigences »[14] à l'égard de l'État. Autrement dit, ce dernier a le devoir de veiller activement à ce qu'aucune mesure discriminatoire ne s'exerce à l'encontre des individus[15]. L'accommodement raisonnable ne constitue pas un droit fondamental, puisqu'il est subordonné à un ensemble de critères et fait l'objet d'une évaluation au cas par cas. Les requêtes pour motif religieux constituent une part importante des demandes d'accommodement. Il s'agit de ne pas rendre l'inclusion ou l'intégration d'un individu aux institutions de la société conditionnelle à un renoncement de certaines de ses particularités identitaires, notamment religieuses.

Des éléments clairs balisent cette pratique jurisprudentielle, comme le caractère raisonnable de la demande, le bon fonctionnement de l'entreprise, le coût excessif qu'elle peut entraîner, l'ordre public et les droits d'autrui. S'incorpore au régime de laïcité implicite une définition

---

13. L'article 10 de la Charte québécoise des droits et libertés de la personne interdit toute discrimination pour les motifs fondés sur la race, la couleur, le sexe, la grossesse, l'orientation sexuelle, l'état civil, l'âge sauf dans la mesure prévue par la loi, la religion, les convictions politiques, la langue, l'origine ethnique ou nationale, la condition sociale, le handicap ou l'utilisation d'un moyen pour pallier ce handicap.

14. J. Mourgeon, *Les droits de l'homme*, Paris, PUF, coll. « Que sais-je ? », 1978, 126 p.

15. J. Woehrling, « L'obligation d'accommodement raisonnable et l'adaptation de la société à la diversité religieuse », *Revue de droit de McGill / McGill Law Journal*, 1998, vol. 43, p. 325-401.

de la liberté de religion qui conçoit « la prééminence de la conscience individuelle et l'inopportunité de toute intervention gouvernementale visant à forcer ou à empêcher sa manifestation »[16].

Tensions au sein des conceptions de la laïcité

La dissociation des pouvoirs religieux et politique est présumée chose acquise en démocratie. S'il est un élément désormais déterminant des régimes de laïcité, c'est celui de la liberté de conscience et de religion et des moyens par lesquels les États assurent à chaque citoyen l'exercice de ce droit fondamental. Toutefois, la place attribuée aux convictions religieuses dans l'espace public peut mettre à mal la neutralité de l'État et poser en des termes nouveaux la mise en œuvre de la gestion de la diversité pour la gouvernance laïque. L'attention croissante accordée sur le plan international aux droits des minorités (notamment religieuses), l'inquiétude par rapport à la montée des intégrismes, l'effritement des projets politiques collectifs dans les grandes démocraties et les entrecroisements entre religions et problèmes géopolitiques sont quelques-uns des facteurs qui complexifient le travail d'ajustement constant auquel sont soumis les principes de neutralité et de respect de l'égalité de tous les citoyens. Dans ce contexte, la manifestation des expressions d'appartenance religieuse dans la sphère publique peut susciter un certain malaise, voire de la suspicion.

Au Québec tout comme au Canada, la liberté de conscience et de religion fait l'objet d'une acception très large et libérale par les instances politiques et juridiques, au point d'inquiéter certains citoyens qui voient dans les accommodements consentis une incitation au communautarisme et un risque de recul des acquis démocratiques dans une société sécularisée. Ainsi, en 2007, on a pu observer un change-ment d'attitude par rapport à la laïcité chez une partie de la popula-tion. L'usage social du terme, jusqu'alors pratiquement inexistant, s'est rapidement répandu, au gré de réactions négatives exprimées à propos

16. Jugement Big Drug Mart c. R., Cour suprême du Canada, 1985.

des expressions religieuses dans la sphère publique et même, dans l'espace public[17]. Une cascade de petits événements relatifs à des demandes d'accommodements pour des motifs religieux[18] a alimenté une rhétorique laïque et même, laïciste. Comme les demandes provenaient de personnes appartenant à des groupes autres que chrétiens, elles ont d'autant plus suscité la méfiance et l'irritation auprès d'une partie de la population associée au groupe majoritaire (catholique et athée). La laïcité conçue selon le modèle français, alliée à une conception républicaine de la citoyenneté, fait figure pour certains citoyens de référence idéale[19] pour exiger du gouvernement qu'il interdise ou du moins qu'il limite l'expression religieuse dans la vie publique, même quand elle ne porte aucune atteinte réelle aux autres citoyens.

Dans l'histoire québécoise, la reconnaissance de la diversité a marqué la réalité politique de la laïcité et a prévalu sur la figure anticléricale que peut prendre la laïcité, même si celle-ci fut présente jusqu'à un certain point dans quelques groupes sociaux. On voit actuellement surgir au Québec, dans un contexte où de nouvelles formes d'expression religieuse sont de plus en plus visibles, une exigence selon laquelle les croyants non chrétiens qui affichent leur identité religieuse démontrent plus que tout autre citoyen qu'ils adhèrent aux valeurs présumées communes. Une telle exigence repose sur un postulat d'incompatibilité entre leurs valeurs religieuses et les valeurs sociales. On voit donc comment, au gré des événements et des évolutions sociétales, différentes conceptions de la laïcité peuvent entrer en tension dans le jeu des forces sociales.

17. Le gouvernement a créé, en mars 2007, une commission sur les pratiques d'accommodements reliées aux différences culturelles, dont les co-présidents sont l'historien Gérard Bouchard et le philosophe Charles Taylor.
18. La plupart de ces événements ne constituaient pas des accommodements raisonnables au sens juridique, mais étaient de simples décisions prises pour des raisons commerciales ou de bon voisinage, comme la décision d'un centre sportif de givrer ses vitres à la demande de juifs hassidiques afin que les jeunes juifs fréquentant la synagogue voisine ne voient pas des femmes vêtues en tenues sportives.
19. On pense notamment à la loi du 15 mars 2004 sur l'application du principe de laïcité qui a interdit le port des signes religieux ostentatoires à l'école publique et qui paraît, aux yeux de certaines personnes, comme un instrument efficace de gestion de la diversité religieuse, mais en effaçant le plus possible les manifestations de celle-ci.

La laïcité ne surgit nulle part *ex nihilo*. Un long processus qui connaît des résistances, des avancées et parfois des reculs construit graduellement une figure particulière de la laïcité selon chaque contexte national. Qu'elle soit promue comme valeur, comme idéal normatif de la citoyenneté ou comme principe politique d'aménagement de la diversité, la laïcité demeure étroitement liée à la hiérarchisation des valeurs démocratiques privilégiées par chaque société. Le Québec, situé au confluent des influences françaises, américaines et britanniques a su, jusqu'à maintenant, à la fois perpétuer une tradition nationale de tolérance et innover en étant l'une des premières nations à garantir les libertés de conscience et de religion par l'adoption légale d'une charte des droits de la personne, inspirée de celle des Nations Unies. Il lui reste sans doute à passer d'une laïcité silencieuse à une laïcité plus explicite.

Bibliographie

BAUBÉROT Jean, *Histoire de la laïcité française*, Paris, PUF, coll. « Que sais-je ? », 2000, 127 p.

BELLAH Robert, « Civil Religion in America », *Deadalus*, no 96, 1967.

BOUCHARD Gérard, « Le Québec comme collectivité neuve. Le refus de l'américanité dans le discours de la survivance », dans Yvan Lamonde et Gérard Bouchard dir., *Québécois et Américains. La culture québécoise aux XIXᵉ et XXᵉ siècles*, Montréal, Fides, 1995, p. 15-60.

LAMONDE Yvan, *Histoire sociale des idées au Québec (1760-1896)*, Montréal, Fides, 2000, 718 p.

LEMIEUX Raymond et MONTMINY Jean-Paul, *Le catholicisme québécois*, Sainte-Foy, Presses de l'Université Laval et Institut québécois de recherche sur la culture, coll. « Diagnostic », 2000, 141 p.

MILOT Micheline, « École et religion au Québec. Une laïcité en tension », *Spirale – Revue de recherches en éducation*, Lille, no 39, 2007, p. 165-177.

MILOT Micheline, *Laïcité dans le Nouveau Monde. Le cas du Québec*, coll. Bibliothèque des Hautes Études / Sorbonne, Turnhout, Brepols Publishers, 2002, 181 p.

MOURGEON Jacques, *Les droits de l'homme*, Paris, PUF, coll. « Que sais-je ? », 1978, 126 p.

SCHNAPPER Dominique, *La démocratie providentielle. Essai sur l'égalité contemporaine*, Paris, NRF Essais, Gallimard, 2002, 318 p.

SYLVAIN Philippe, et VOISINE Nine, *Histoire du catholicisme québécois. Les XVIIIᵉ et XIXᵉ siècles*, t. II : *Réveil et consolidation (1840-1898)*, Montréal, Boréal, 1991, 450 p.

TOCQUEVILLE Alexis de, *De la démocratie en Amérique*, 2 t. Paris, Gallimard-Flammarion, [1835] 1981, 438 p.

WOEHRLING José, « L'obligation d'accommodement raisonnable et l'adaptation de la société à la diversité religieuse », *Revue de droit de McGill / McGill Law Journal*, 1998, vol. 43, p. 325-401.

Comment l'égalité entre les femmes et les hommes est devenue une « valeur fondamentale de la société québécoise »

Diane Lamoureux

Durant l'automne 2007, plusieurs personnes et groupes se sont présentés devant la Commission de consultation sur les pratiques d'accommodement reliées aux différences culturelles[1] raisonnables afin de souligner à quel point l'égalité entre les femmes et les hommes constitue une valeur fondamentale de la société québécoise. Quelques mois plus tôt, en pleine campagne électorale, l'Action démocratique du Québec (le parti qui présentait le moins de candidates), avait fustigé certaines pratiques d'accommodement reliées à la diversité ethnoculturelle en insistant sur le fait que l'égalité entre les femmes et les hommes constituait une valeur fondamentale de la société québécoise. En septembre 2007, le Conseil du statut de la femme déposait un avis recommandant au gouvernement du Québec d'amender la Charte des droits de la personne afin que l'égalité entre les femmes et les hommes ne puisse être compromise au nom de la liberté de religion. En octobre 2007, dans son projet de loi sur l'identité québécoise, Pauline Marois, la chef du Parti québécois, demandait également de modifier la Charte des droits pour faire prévaloir l'égalité entre les femmes et les hommes. En décembre 2007, le gouvernement du Parti libéral du Québec annonçait son intention de modifier la Charte des droits de la personne pour ajouter aux principes d'interprétation la prévalence de l'égalité entre les femmes et les hommes sur d'autres droits également reconnus par la Charte. Si cette série d'événements permet d'affirmer que l'égalité entre les femmes et les hommes est, en 2007, une valeur fondamentale de la société québécoise, il faut bien reconnaître qu'il n'en a pas toujours été ainsi.

---

1. Pour une définition et description de la notion « d'accommodements raisonnables », voir les textes de Micheline Labelle et plus particulièrement celui de Micheline Milot.

En fait, le statut juridique des femmes mariées a peu évolué pendant près d'un siècle, soit depuis 1866, alors que le Québec avait adopté un Code civil grandement inspiré de la version de 1804 du Code civil français : incapacité juridique ; obéissance au mari ; incapacité d'exercer l'autorité parentale ; régime matrimonial légal, la communauté de biens gérée par le chef de famille, donc le mari ; nécessité de recourir à un projet de loi privé devant le Parlement pour obtenir le divorce. Bref, inexistence juridique des femmes mariées et caractère quasi irrévocable du mariage. Les femmes n'avaient pas le droit de siéger à titre de juré. Le système d'enseignement public était largement ségrégué selon le sexe et le cursus scolaire des filles était différent de celui des garçons. Peu de femmes mariées travaillaient à l'extérieur du foyer et la contribution économique des femmes collaboratrices de leur mari dans l'entreprise familiale n'était pas reconnue. L'éventail des métiers ouverts aux femmes était extrêmement réduit : « infirmière, secrétaire, hôtesse de l'air » chantera une décennie plus tard Diane Dufresne, et l'on pourrait ajouter, vendeuse, serveuse, couturière, ouvrière ou institutrice. L'iniquité salariale était de mise, les salaires féminins semblant plafonner à 50 % des salaires masculins, y compris dans les entreprises syndiquées. La contraception et plus encore l'avortement relevaient de l'illégalité et de la clandestinité. Les seules femmes qui exerçaient des fonctions de direction au sein de la société québécoise masquaient leur féminité sous leur uniforme de religieuses et étaient formellement placées sous l'autorité d'un membre masculin du clergé.

Qu'est-ce qui permet de comprendre le passage d'une situation à l'autre ? L'évolution naturelle de la société ? La modernisation politique portée par la Révolution tranquille ? Que non ! Au début de la Révolution tranquille, en 1960, une « équipe du tonnerre » − entièrement masculine − accède au pouvoir au Québec. Les femmes ont le droit de vote depuis 1940 et pourtant aucune ne siège à l'Assemblée nationale. Pour trouver la réponse à cette question, mieux vaut chercher du côté des luttes des femmes et des mobilisations féministes. Nous allons donc synthétiser le terrain qu'ont parcouru les femmes québécoises au fil de leurs luttes au cours des cinquante dernières années.

L'égalité civile et politique

Les féministes radicales[2] du début des années soixante-dix avaient tendance à considérer que l'égalité des droits était derrière elles et que la tâche qui leur incombait était maintenant de transformer cette égalité de droit en égalité de fait. Leurs luttes allaient rapidement se charger de les détromper et de leur montrer que, même en droit, l'égalité relevait davantage de l'avenir que du passé. Les féministes plus modérées de l'Association féminine d'éducation et d'action sociale (AFÉAS), de l'Association des femmes diplômées des universités ou encore de la Fédération des femmes du Québec, dont les liens sont plus réels avec les mouvements pour l'égalité des droits dans l'entre-deux-guerres, y compris le droit de vote, ne s'y trompent pas. Dans le domaine de l'égalité civile, les revendications formulées en 1907 par Marie Gérin-Lajoie et la Fédération nationale Saint-Jean-Baptiste finiront par aboutir… en 1980. Durant cet intervalle, plus de cent fois sur le métier fut remis l'ouvrage.

À cet égard, l'élection d'une première femme à l'Assemblée législative en 1961 allait bientôt produire des effets. Claire Kirkland-Casgrain présente, en 1964, le projet de loi 16 qui constitue la première modification importante du Code civil concernant le statut des femmes mariées depuis près d'un siècle : celui-ci leur permet d'exercer une profession différente de celle de leur mari (ce qui, il faut bien l'admettre, existait déjà de fait), leur donnait la liberté de tester ou, pour le dire autrement, de faire leur testament. Encore fallait-il qu'elles aient quelque chose à tester, puisque le régime matrimonial légal était celui de la communauté de biens, administrée, il va sans dire, par l'époux, et ce, jusqu'en 1970. Ce régime leur permettait d'exercer la responsabilité paternelle de façon substitutive, c'est-à-dire en cas d'impossibilité d'être exercée par

---

2. Les féministes radicales se définissent comme telles parce qu'elles veulent aller à la racine des choses et éradiquer l'oppression des femmes, ce qui nécessite une modification en profondeur de l'ordre social existant. Elles se démarquent ainsi de celles qu'elles qualifient de réformistes ou de libérales qui revendiquent l'égalité entre les hommes et les femmes.

le mari et allégeait la puissance maritale, tout en la maintenant. En 1969, le régime matrimonial légal devient la « société d'acquêts »[3]. Ce n'est qu'avec l'adoption de la Charte des droits de la personne, en 1975, que les conjoints exercent ensemble l'autorité parentale et il faudra attendre 1977 pour que la puissance paternelle soit remplacée par l'autorité parentale. Par contre, il faudra attendre jusqu'en 1980 pour que l'égalité complète entre les conjoints soit établie, y compris quant à la possibilité pour la mère de transmettre son nom à son enfant. Quant au divorce, il sera grandement facilité par la modification de la loi fédérale en 1969.

Si ces diverses modifications se font sans trop de déploiement d'énergies militantes, du fait de l'ancienneté des demandes, des énergies déployées antérieurement et, il faut bien l'admettre, d'une certaine volonté de transformation législative au sein même de l'appareil gouvernemental, tous partis confondus, il n'en va pas de même pour ce qui est de la loi sur les jurés. Il faudra une action d'éclat du Front de libération des femmes, nouvellement formé, pour que les Québécoises aussi bien que toutes les Canadiennes (le Code criminel est de juridiction fédérale) puissent siéger à titre de membres d'un jury dans les procès criminels[4].

Par ailleurs, même si bien souvent on pensait que les droits politiques des Québécoises acquis pour toutes les Québécoises depuis qu'elles avaient arraché de haute lutte le droit de vote et d'éligibilité en 1940, ce n'était pas le cas. Il faudra attendre jusqu'en 1969 pour que, à la suite d'une mobilisation politique et juridique, les femmes (et les hommes) autochtones finissent par acquérir ces droits. De plus, si certains gouvernements ont pu se vanter d'avoir formé des conseils de

3. Les époux qui n'ont pas de contrat de mariage sont soumis par défaut au régime matrimonial de la « société d'acquêts ». Par ce régime, les biens de chaque époux seront divisés en deux catégories : les biens « propres », c'est-à dire ceux qui règle générale étaient possédés avant le mariage et les « acquêts », c'est-à-dire, ceux qui règle générale sont acquis durant le mariage. En cas de dissolution du mariage, les biens « propres » reviennent à celui qui les avaient avant le mariage alors que les « acquêts » sont partagés entre les deux époux.
4. Voir à ce sujet M. Péloquin, *En prison pour la cause des femmes*, Montréal, Remue-ménage, 2007.

ministres paritaires, l'égalité entre les femmes et les hommes dans la représentation politique est loin d'être acquise, et ce, malgré les luttes et les revendications des féministes dans le cadre des débats sur la réforme du mode de scrutin.

La reconnaissance des droits reliés à la reproduction

En ce qui concerne la contraception, force est de constater qu'il y a eu généralisation. Pourtant, jusqu'en 1969, toute publicité pour une méthode contraceptive était assimilée à de la pornographie par le Code criminel canadien. À la fin des années soixante, il fallait encore avoir recours aux adresses des « bons médecins » pour se faire prescrire des anovulants comme certaines magasinaient les « bons confesseurs » pour se faire absoudre du péché de contraception.

Quant à l'avortement, s'il n'est plus interdit par la loi, il reste encore d'un accès limité. Jusqu'en 1968, l'avortement est illégal au Canada. De 1968 à 1988, il est toléré à la condition de convaincre un comité thérapeutique que la vie ou la santé de la mère ou de l'enfant à naître est en danger et de trouver un médecin qui accepte de le pratiquer. Ce n'est qu'en 1988 que la Cour suprême a invalidé les articles du Code criminel concernant l'avortement. Depuis lors, aucun gouvernement n'a réussi à restreindre légalement sa pratique, même si dans les faits, tous l'ont fait en restreignant l'accès à du personnel compétent pour le pratiquer.

Au Québec, comme dans plusieurs autres parties du monde occidental, la lutte pour le droit à l'avortement a revêtu la même importance pour la deuxième vague féministe que la lutte pour le droit de vote pour la vague précédente. Dans ce domaine, la lutte féministe s'est employée à demander l'abrogation des lois en restreignant la pratique tout en offrant immédiatement aux femmes qui le désirent l'accès à des pratiques sécuritaires d'avortement[5].

---

5. Pour un compte rendu du mouvement pour le droit à l'avortement au Québec, voir L. Desmarais, *Mémoires d'une bataille inachevée*, Montréal, Trait-d'union, 1999.

C'est probablement sur la question de l'avortement qu'eurent lieu les plus importantes manifestations féministes des années soixante-dix. Des dizaines de milliers de femmes défilent dans les rues de Montréal à la fin des années soixante-dix, alors qu'en 1989, en pleines vacances estivales, plus de 10 000 femmes manifestent à Montréal pour empêcher la Cour suprême de revenir sur sa décision de l'année précédente en matière d'avortement[6].

En même temps, les féministes entreprendront de contourner la loi. Dès 1969, un service de référence organise des voyages dans l'État de New York, où la législation est plus libérale, ou fournit le nom de médecins québécois qui sont prêts à pratiquer des avortements dans l'illégalité. À la fin des années soixante-dix, profitant du fait que le gouvernement s'apprête à mettre en place des cliniques de planification familiale dans toutes les régions du Québec, les militantes féministes font en sorte que ces cliniques offrent également des services d'avortement.

Cependant, dans ce domaine, l'accessibilité effective à des services d'avortement est loin d'être acquise. À part les centres hospitaliers universitaires, peu d'hôpitaux québécois pratiquent des avortements, ce qui pose des problèmes d'accès aux femmes des régions éloignées et aux femmes autochtones. En fait, une bonne partie des avortements a donc lieu en cliniques privées, ce qui entraîne des coûts qui ne sont pas complètement remboursés[7].

6. En fait, sur le plan législatif, la situation se présentait de la manière suivante. En 1988, dans l'arrêt Morgantaler, la Cour suprême du Canada, par une décision majoritaire, invalide les articles du Code criminel régissant la pratique de l'avortement au motif qu'ils sont trop restrictifs puisque les autres actes médicaux ne requièrent pas de comité thérapeutique pour en déterminer la nécessité. Ce qui est donc reconnu par ce jugement, c'est le droit des médecins de pratiquer des avortements. Seul un avis dissident à l'intérieur du jugement majoritaire a invoqué le principe de la liberté de choix des femmes. En 1989, un ex-conjoint, après des premiers succès auprès de la Cour supérieure du Québec et de la Cour fédérale, voit sa cause portée en appel devant la Cour suprême par Chantal Daigle et des groupes féministes, puisqu'il invoquait ses droits de géniteur pour empêcher Chantal Daigle de se faire avorter. Finalement la Cour suprême ne reconnaîtra pas son droit de suite sur son sperme.
7. En 2006, une décision judiciaire a forcé la Régie de l'assurance-maladie du Québec à rembourser les femmes qui avaient dû recourir à des avortements en cliniques privées, mais il faut hésiter à s'en réjouir, car une telle décision s'inscrit dans le mouvement de privatisation d'une partie des services de santé au Québec.

L'accès à l'éducation

C'est probablement dans ce domaine que les transformations ont été les plus spectaculaires, à tel point que les groupes masculinistes insistent maintenant pour dire qu'il faut mettre en place des programmes spéciaux favorisant la poursuite des études pour les garçons[8]. En effet, les filles sont maintenant majoritaires à tous les paliers du système scolaire, sauf au niveau des études supérieures à l'université.

Un tel renversement de tendance est largement attribuable à la démocratisation de la fréquentation scolaire, tendance qui s'est répandue dans tous les pays occidentaux depuis les années soixante. La mixité scolaire et un cursus identique pour les garçons et les filles sont des acquis de la réforme de l'éducation amorcée à la suite du rapport Parent déposé en 1963. La question du sexisme des manuels scolaires fait également l'objet d'attention depuis le milieu des années soixante-dix.

Cependant, ces données globales ne doivent pas nous empêcher de voir des inégalités importantes entre les femmes et les hommes qui persistent dans le système scolaire. En effet, dès la fin du secondaire, les filles s'orientent davantage vers les disciplines relevant des soins aux personnes, alors que les garçons se dirigent plutôt vers les parcours scientifiques et techniques, qui sont généralement plus valorisés sur le marché du travail et mieux rémunérés. Plus on progresse dans les paliers scolaires (et dans les échelles salariales), moins il y a de femmes dans le personnel enseignant et celui de direction scolaire ; presque seules au niveau de la maternelle et du primaire, les femmes sont extrêmement minoritaires parmi le personnel enseignant des universités.

Mais là encore, ces transformations ne sont pas le fruit d'une modernisation de la société qui ne serait pas portée par des acteurs sociaux. Dès la fin du XIXe siècle, les féministes se lancent dans la bataille pour l'accès à l'éducation et aux professions ; dans l'entre-deux-guerres, elles se battent pour l'accès des femmes au cours classique, porte

---

8. Sans oublier la fusillade à l'École Polytechnique le 6 décembre 1989, ouvertement antiféministe, qui a coûté la vie à quatorze femmes.

d'entrée des études universitaires, de même que pour la scolarisation des filles dans les zones rurales. Leurs efforts commencent à porter fruit dans les années cinquante et les dimensions égalitaires de la réforme Parent doivent, entre autres, être imputées aux efforts des générations féministes antérieures.

L'accès à l'emploi

Si l'accès à l'avortement et à la contraception a modifié la carte démographique du Québec, l'autre domaine où il y a eu des transformations spectaculaires au cours des quarante dernières années, c'est probablement celui de l'emploi et plus particulièrement du taux d'activité des femmes mariées ou des mères[9] : l'exception est devenue la règle[10]. Certes, sur les fermes, dans les commerces ou les entreprises familiales, les femmes mariées travaillaient, mais sans contrepartie salariale[11].

Dans ce domaine, les efforts féministes ont pris trois directions principalement. D'abord, par des transformations des parcours scolaires et par la lutte contre les discriminations des ordres et corporations professionnelles, les efforts ont mené à l'élargissement de l'éventail des emplois ouverts aux femmes. Dans ce domaine, les groupes (à l'intérieur et à l'extérieur des syndicats) qui ont mis de l'avant des programmes d'accès à l'égalité, des programmes de formation interne favorisant la promotion des femmes à des postes d'encadrement et de direction, ainsi que l'accès à des emplois non traditionnels ont été nombreux. C'est à

9. Je distingue les deux situations du fait de la proportion très importante des naissances en dehors d'un mariage, ce qui ne signifie pas nécessairement que les mères ne vivent pas en couple.

10. Ceci procède également de changements au sein du système économique : d'une part, la généralisation au sein de tous les groupes sociaux de l'impératif de consommation favorise l'emploi féminin et, d'autre part, de la fragilité accrue des mariages (un sur deux se conclut par un divorce) qui n'en fait plus une alternative stable au travail rémunéré.

11. Ce n'est que durant les années quatre-vingt que le travail des femmes dans les entreprises familiales est reconnu et c'est avec la loi sur le partage du patrimoine familial en cas de divorce dans les années quatre-vingt-dix que leur droit égal aux gains ce ces entreprises leur est octroyé. L'AFÉAS sera très active dans ce domaine

leurs efforts qu'on doit la mise en place de nombreuses initiatives… qui ont parfois été relayées par des politiques publiques.

Ensuite, les féministes se sont engagées dans les luttes pour l'équité salariale[12]. Dans un premier temps, il fallait faire appliquer le principe, « à travail égal, salaire égal »[13]. Dans un second temps, étant donné la sexuation du marché du travail et la division sociale et sexuelle du travail, les efforts ont plutôt portés sur l'équité salariale proprement dite, c'est-à-dire le principe du « à travail équivalent, salaire égal ». En 1996, le gouvernement du Québec adoptait une loi à cet égard, à la suite des pressions des groupes féministes et des comités de condition féminine des syndicats, obligeant les entreprises de plus de 50 employés (ées) à se doter de programmes d'équité salariale. Cependant, ce n'est qu'en 2007 que le gouvernement du Québec entreprend de se conformer à sa propre législation en ce domaine et encore… en prenant comme prétexte l'équité salariale pour imposer un quasi-gel de salaires dans la fonction publique.

Enfin, les féministes se sont préoccupées des conditions qui permettent de concilier emploi et maternité. Ainsi, dès la fin des années soixante, des militantes du Front de libération des femmes mettent sur pied une des premières garderies autogérées, lointaine ancêtre des centres de la petite enfance que le gouvernement du Québec mettra sur pied à la fin des années quatre-vingt-dix. Ce sont également les féministes qui ont soulevé la question des congés de maternité, qui ont d'abord été reconnus dans certaines conventions de travail avant qu'ils ne soient inclus dans les normes minimales de travail et soient complétés par diverses formes de congés parentaux.

---

12. Même si des inégalités persistent. Alors qu'au début du XXe siècle, les salaires féminins étaient, en moyenne, à 56 % des salaires masculins, les dernières statistiques les considèrent à 71 % (pour les salariées à temps complet), ce qui relève d'une lenteur d'escargot, sans compter que cela ne prend pas en compte la surreprésentation des femmes dans les emplois à temps partiels, qui correspond rarement à du temps partiel choisi.

13. Même dans les entreprises syndiquées, un tel principe était loin de prévaloir puisque même dans les conventions collectives du secteur public, les salaires des aide-infirmiers, par exemple, étaient supérieurs à ceux des aide-infirmières, pour une description de tâche identique.

La présence accrue des femmes sur le marché du travail rémunéré ne s'est cependant pas accompagnée d'un investissement plus important des hommes dans le travail domestique. Celui-ci reste le plus souvent l'apanage des femmes, principalement en ce qui concerne l'entretien ménager.

Quant au harcèlement sexuel sur les lieux de travail - une façon parmi d'autres de « remettre les femmes à leur place » et de leur faire sentir qu'elles n'ont qu'à ne pas être là - il reste très présent, même s'il est difficile à évaluer, d'autant plus qu'il est assez facile à confondre avec d'autres rapports hiérarchiques. Il n'en demeure pas moins qu'une bonne partie des emplois occupés par les femmes impliquent de façon plus ou moins importante une forme de sexualisation féminine des corps qui vient rappeler que, même au travail, il est difficile d'échapper au rôle d'objet sexuel.

La lutte contre la violence à l'encontre des femmes

Le féminisme contemporain a aussi été très actif sur la question de la violence à l'encontre des femmes, même si les résultats sont encore loin d'être satisfaisants, ce qui permet de comprendre en partie pourquoi la violence et la pauvreté ont constitué les deux grands thèmes de la marche mondiale des femmes de l'an 2000[14]. Si la violence comme telle est loin d'avoir disparue, les mentalités commencent à changer, même si ces changements sont fragiles : la violence a tendance à être analysée comme une conséquence des rapports sociaux de sexe, plutôt que le résultat d'une dynamique psychologique entre victime et agresseur.

Sous la pression des féministes, l'État a reconnu du bout des lèvres que la violence conjugale fait partie du domaine public, même si on attend toujours des politiques publiques efficaces en ce domaine, autres que des campagnes publicitaires de sensibilisation. Ce sont essentiellement

---

14. Au Québec, le processus a été enclenché par la marche *Du pain et des roses* en 1995. Depuis la marche mondiale de l'an 2000, le groupe s'est pérennisé et a organisé des actions internationales en 2005.

les féministes qui assument la gestion des maisons d'hébergement pour femmes victimes de violence, devant jongler avec un financement précaire et aléatoire de la part de l'État. Quant aux thérapies pour hommes violents, elles ne font pas vraiment l'objet d'une véritable évaluation, même si elles découlent de décisions judiciaires.

Même timidité en ce qui concerne le viol. Certes, le Code criminel a été amendé pour reconnaître la possibilité du viol conjugal, mais, malgré des modifications législatives concernant ce qui est admissible comme preuve dans les procès pour viol, un observateur non prévenu aurait du mal à distinguer l'accusé de la plaignante, puisque le passé sexuel de la victime peut encore être invoqué à la décharge du prévenu.

En outre, avec l'accélération de la mondialisation, le trafic international des femmes, que ce soit à des fins de prostitution ou de service domestique, a connu une expansion fulgurante. La violence est intrinsèque à un tel trafic.

Égales, donc, les femmes ?

Que non ! Pour s'en convaincre, il n'y a qu'à regarder vers les sommets de la hiérarchie sociale. Nous retrouvons très peu de femmes parmi les gens à revenus élevés et parmi les chefs d'entreprise, aucune patronne de presse autre que féminine, aucune femme à la tête d'une institution financière, une seule rectrice d'université, 30 % de la députation, aucune femme première ministre, bref, une élite sociale qui demeure un club sélect pour hommes seulement. À l'inverse, au bas de l'échelle sociale, les femmes sont surreprésentées.

En même temps, si des progrès substantiels ont été accomplis depuis la Révolution tranquille, force est de constater que, d'une part, les femmes ont dû se mobiliser pour obtenir les transformations législatives et les changements sociaux qui ont transformé leur situation sociale et que, d'autre part, au cours des dernières années, il est possible de noter des reculs significatifs qui correspondent à la mise en place de politiques (néo)libérales.

L'autonomie personnelle et matérielle des femmes s'est considérablement accrue. Sur le plan personnel, l'éventail des possibilités s'est singulièrement élargi puisque le mariage, l'entrée dans une communauté religieuse ou le célibat assorti du soin des parents âgés ne sont plus les seuls choix de vie qui s'offrent aux femmes. Cependant, le prix à payer pour cette autonomie personnelle est souvent un dénuement matériel et financier, d'autant plus que ce sont encore majoritairement les mères qui sont responsables des jeunes enfants.

Cependant, au cours des dernières années, la précarisation et la flexibilisation du marché du travail, le désengagement de l'État de certains programmes sociaux, la privatisation de certains services publics ont contribué à la fragilisation de cette autonomie personnelle et matérielle puisque là où l'État se désengage, ce sont les « aidants naturels », principalement des femmes, qui prennent la relève.

On ne saurait passer sous silence le rôle qu'a joué le mouvement féministe dans la transformation de la vie des femmes. En effet, depuis le milieu des années soixante, on a assisté à une densification du tissu féministe dans la société québécoise : dans toutes les régions, dans la rue, dans les partis politiques, dans les coulisses du Parlement, les féministes (des plus radicales au plus libérales) sont à même d'exercer vigilance et pression pour concourir à la liberté et à l'égalité des femmes. Ce qui a changé, c'est que non seulement les femmes sont fortement impliquées dans l'activité politique et sociale, mais aussi qu'une grande partie de leurs énergies est tournée vers la transformation qu'elles espèrent positive des situations de vie des femmes.

Ceci explique pourquoi, à l'étranger, le Québec est souvent perçu comme se situant à l'avant-garde en ce qui concerne les politiques d'égalité entre les femmes et les hommes. S'il est vrai que, sur le plan de l'égalité civile et politique, le Québec a fait des pas énormes et que bien des femmes à travers le monde envient la situation des Québécoises, il n'en va pas de même en ce qui concerne les droits sociaux et la protection contre la violence conjugale, qui est encore très présente.

Plusieurs pays européens ont depuis plusieurs décennies des politiques publiques de prise en charge de la petite enfance beaucoup plus avantageuses que celles du Québec pour permettre aux femmes de concilier emploi rémunéré et responsabilités maternelles. Les congés de maternité et les congés parentaux des pays nordiques sont aussi souvent plus avantageux en permettant plus aisément aux pères de donner les soins aux jeunes enfants. Les droits sociaux en matière de santé et de services sociaux sont souvent plus avantageux dans les pays qui ont une tradition politique sociale-démocrate. L'Espagne s'est dotée récemment d'une politique de lutte contre la violence conjugale qui va bien au-delà des maisons d'hébergement où les Québécoises peuvent, le cas échéant, aller se réfugier. En ce qui concerne la présence des femmes dans les parlements, plusieurs pays en Europe, en Amérique latine et en Afrique ont adopté des quotas ou des mesures paritaires. Au Rwanda, les femmes ont même pratiquement atteint la parité en terme de représentation politique. Quant à la place des femmes dans les domaines scientifiques ou techniques, le Québec est devancé par plusieurs pays. Il faut donc se garder de tout triomphalisme en la matière. Il y a certes pire, mais les menaces qui pèsent sur les fragiles avancées des dernières décennies au Québec sont vécues comme des défaites par les femmes d'autres pays. Il y a aussi mieux et le Québec ne peut se reposer sur ses lauriers. Il aurait tout intérêt à s'inspirer des initiatives mentionnées ci-haut afin de poursuivre la lutte contre l'inégalité entre les hommes et les femmes.

Il y a lieu de se réjouir de la belle unanimité sociale autour de l'égalité entre les femmes et les hommes, tout en restant méfiante vis-à-vis de la possibilité d'instrumentalisation politique. Mais il y a loin de la coupe aux lèvres. Les générations féministes actuelles et futures ont encore du pain sur la planche.

Bibliographie

Collectif Clio, *L'histoire des femmes au Québec depuis quatre siècles*, Montréal, Le Jour éditeur, 1992, 649 p.

Desmarais Louise, *Mémoires d'une bataille inachevée*, Montréal, Trait-d'union, 1999, 441 p.

Lamoureux Diane, *L'amère patrie*, Montréal, Remue-ménage, 2001, 181 p.

Péloquin Marjolaine, *En prison pour la cause des femmes*, Montréal, Remue-ménage, 2007, 312 p.

Le « modèle québécois » de développement

Michel VENNE

Il y a des gens pour qui le modèle québécois n'existe pas. C'est peut-être parce qu'ils trébuchent sur la définition du mot « modèle ». Les concepts de « modèle de société », de modèle économique ou de modèle de gouvernance économique, revêtent souvent une dimension exemplaire. On dit modèle comme dans « élève modèle ». Ainsi a-t-on évoqué les modèles suédois ou japonais. Ces modèles exemplaires ont souvent la vie courte. Le cas du Japon est éloquent. D'une part, on constate que leur supériorité n'est pas toujours évidente dans les sociétés mêmes où ils ont été conçus. D'autre part, on s'aperçoit qu'ils ne sont pas toujours exportables.

La notion de modèle québécois est plus facile à admettre lorsqu'on considère qu'un modèle n'est ni une construction théorique préalable ni l'oeuvre d'un grand architecte, mais plutôt la présentation cohérente d'un ensemble de pratiques sociales, d'initiatives privées, de politiques et de programmes gouvernementaux qui s'articulent les uns avec les autres en fonction des caractéristiques d'une société, en fonction des préférences des citoyens et des exigences de la géographie, en fonction de la dynamique créée par les institutions politiques et selon les rapports de force qui existent au sein de cette société.

Les modèles, vus sous cet angle, sont capables d'évolution, au gré des conjonctures, en fonction des réalités sociales et politiques, mais aussi des aspirations qui changent d'une génération à l'autre. Ces modèles peuvent alors être vus comme des configurations, des adaptations pour chacune des sociétés de modalités de gouvernance empruntées ici et là. L'État providence n'est pas le même au Québec, en France, en Italie ou même en Ontario, même si l'assurance-hospitalisation, l'école publique, des programmes de développement régional et une forme ou une autre d'aide sociale et d'assurance s'y retrouvent.

Quatre caractéristiques

En 1998, le premier ministre du Québec, Lucien Bouchard, avait proposé une définition en quatre points de ce modèle québécois :

• Premièrement, la solidarité est une valeur centrale de notre vie collective ;

• Deuxièmement, la concertation reste un moyen privilégié pour fixer et atteindre des objectifs sociaux et économiques. Le taux de syndicalisation, plus élevé au Québec qu'ailleurs en Amérique, a conduit le patronat à s'organiser à son tour ce qui a favorisé ici plus qu'ailleurs la création de lieux de concertation que ce soit au sein même des entreprises, dans les régions ou sur le plan national, par exemple dans la gestion du marché du travail ;

• Troisièmement, l'État s'implique activement dans la promotion économique, et notre économie fait, comme nulle part ailleurs sur le continent, une large place au mouvement coopératif, à l'économie sociale et à l'investissement syndical ;

• Finalement, nous sommes le seul État francophone d'Amérique, et ça change tout.[1]

J'ajouterais que le Québec est une société de petite taille occupant un vaste territoire, ce qui y influence évidemment les modes de développement. Le Québec, dit l'ancien chef syndical Gérald Larose, « est une petite société latine toujours menacée par son environnement anglo-saxon. Ainsi, pour survivre et vivre dans un contexte homogénéisant, le Québec a toujours tablé sur le regroupement de ses forces, sur la solidarité de ses groupes et sur son habilité à convenir d'objectifs communs. »[2]

1. Discours du premier ministre Lucien Bouchard prononcé en 1998, cité par son conseiller spécial de l'époque, J-F Lisée, « Un mauvais procès au modèle québécois » dans M. Venne (dir.), *Justice, démocratie et prospérité. L'avenir du modèle québécois*, Montréal, Québec-Amérique, 2003, p. 43-44.
2. G. Larose, « Un modèle fondé sur la délibération. La souveraineté comme condition » dans M. Venne (dir.), *Justice, démocratie et prospérité. L'avenir du modèle québécois*, Montréal, Québec-Amérique, 2003, p. 188.

La définition que donnait Lucien Bouchard du modèle québécois tenait compte de l'évolution qu'il a connue au fil des ans. L'économie sociale et l'investissement syndical n'existaient pas dans les années soixante, du moins pas sous les formes actuelles. À cette époque où la Révolution tranquille battait son plein, l'État jouait un rôle beaucoup plus central dans la direction de la politique économique. Il nationalisait des secteurs entiers et prenait le contrôle d'entreprises. Aujourd'hui, lorsqu'il intervient, c'est généralement comme un partenaire parmi d'autres et, le plus souvent, il incite et soutient des entrepreneurs privés au lieu de se substituer à eux.

Le modèle n'est pas en vase clos

La solidarité est sans doute une caractéristique du modèle québécois. Mais l'économiste Diane-Gabrielle Tremblay a montré que celui-ci se rapproche davantage des modèles conservateurs comme ceux de la France, de l'Allemagne et des Pays-Bas[3]. Il n'est pas aussi libéral que ceux des pays anglo-saxons comme les États-Unis et la Grande-Bretagne sur le plan de la politique économique, sociale et de l'emploi, mais il ne peut non plus être associé aux modèles sociaux-démocrates, tant sur le plan de la politique de l'emploi (nettement plus active dans les pays scandinaves) que de la politique familiale (nettement plus interventionniste).

La concertation a historiquement pris plusieurs formes. Sous les gouvernements de René Lévesque, dans les années soixante-dix, et de Lucien Bouchard, dans les années quatre-vingt-dix, elle s'est matérialisée à l'occasion de la tenue de grands sommets socio-économiques réunissant les représentants du monde patronal, des syndicats et du gouvernement. Lors des derniers sommets de ce genre, en 1996, les représentants de ce qu'on appelle aujourd'hui la société civile, réunissant les organisations communautaires, les groupes de femmes, les écologistes, ont été invités à participer aux échanges.

---

3. D-G Temblay, « La nouvelle insécurité économique », dans M. Venne (dir.), *Justice, démocratie et prospérité. L'avenir du modèle québécois*, Montréal, Québec-Amérique, 2003, p 161-186.

La concertation a également pris la forme d'organismes de cogestion économique : la Caisse de dépôts et placements du Québec gère les caisses de retraite du secteur public avec un conseil d'administration formé de représentants du monde patronal et du monde syndical. Il existe une Commission des partenaires du marché du travail. La Commission de la santé et de la sécurité du travail est paritaire, donc patronale et syndicale. Les instances de développement régional ont, depuis les années soixante-dix, inclus des représentants de la société civile siégeant avec les élus. Au cours des plus récentes années, ces modalités de concertation ont toutefois été remises en question. Le développement régional est désormais confié aux Conférences régionales des élus. La participation de la société civile n'est plus obligée et la situation varie d'une région à l'autre.

Bien sûr, les modèles de développement sont influencés ou même parfois contraints par les courants qui parcourent la planète. Soixante pour cent de l'économie québécoise est tributaire du commerce extérieur. Les Québécois sont Occidentaux. Ils vivent en Amérique du Nord. Ils ne peuvent pas ignorer ces caractéristiques. Malgré cela, la fiscalité québécoise n'est pas identique à celle de nos voisins, notamment l'Ontario et les États-Unis. Des tâches que les autres provinces délèguent volontiers à l'État central du Canada ont été confiées à l'État du Québec. Le Québec s'est doté d'une politique familiale qui le distingue du reste de l'Amérique du Nord où de telles politiques n'existent pas ou sont embryonnaires. L'histoire d'un peuple influence inévitablement ses choix sociaux, économiques et politiques. Il y a quelques années à peine, le Québec formait une société où les bas salaires et le chômage élevé étaient monnaie courante pour la majorité de la population, les francophones. Les données économiques indiquent un rattrapage formidable au cours des quarante dernières années.

Il existe bel et bien un modèle québécois qui nous a permis de nous défaire d'un héritage de pauvreté et d'infériorité économique, de sortir d'une économie centrée sur les ressources naturelles pour créer une économie diversifiée, et de réduire l'écart de richesse qui nous sépare de nos voisins. Ce modèle s'appuie sur une société distincte par rapport au reste de l'Amérique du Nord, plus libérale et plus égalitaire, moins autoritaire, plus sympathique aux organisations collectives, plus sensible aux revendications des femmes, plus efficace à réduire les écarts entre riches et pauvres.

Un modèle contesté

Mais comme partout ailleurs, la société québécoise a changé. L'un des traits qui la caractérisent aujourd'hui est le pluralisme et la diversité des modes de vie, des identités et des appartenances, des formes d'organisation familiale ou du travail, et des formes d'engagement personnel et collectif.

Aux yeux des modernes que nous sommes, les mutations que vit le Québec apparaissent davantage comme l'expression d'une confusion. Les repères sont brouillés. Cette évolution n'est pas propre au Québec. Presque partout en Occident, les repères les plus fondamentaux sont remis en question, comme l'a montré le sociologue et historien Gérard Bouchard ; que ce soit par rapport à l'ordre symbolique (la tradition, les rituels, la mémoire, l'identité), à l'ordre social (la famille, la communauté, les classes sociales) ou à l'ordre politique avec le rôle croissant du pouvoir judiciaire et la désaffection des citoyens pour les institutions politiques[4].

L'ancien président du Mouvement Desjardins, Claude Béland, soutient que le changement le plus important apparu au Québec depuis quinze ans est la montée de l'individualité[5]. Le Québec, à cet égard, n'est pas différent des autres sociétés occidentales. Dans tous les domaines, l'individu cesse d'être un consommateur passif. Aujourd'hui, il fait face à d'innombrables choix et il prend plaisir à exercer ces choix en considérant la qualité, la diversité et le prix.

---

4. G. Bouchard, « En quête d'un nouvel idéal. Pour une pensée du lieu et du lien social », dans M. Venne, (dir.), *L'Annuaire du Québec 2004*, Montréal, Fides, p. 38.
5. C. Béland et Y. Leclerc (dir.), *La Voie citoyenne*, Montréal, Éditions Plurimedia, 2003, 299 p.

Ces changements ébranlent l'adhésion au modèle québécois et entraînent une montée, dans la société, d'une pensée plus conventionnelle, plus conservatrice sur les plans économique et fiscal. Au cours des quelque dernières années, la droite économique s'est organisée en *think tanks* comme l'Institut économique de Montréal et conteste le fameux modèle québécois en le présentant comme obsolète, malgré ses résultats remarquables, mais en niant aussi qu'il a changé depuis les années soixante. Des auteurs font désormais l'éloge de la richesse[6] (plutôt que celui de la solidarité) et déplorent ce qu'ils estiment être l'immobilisme du Québec[7].

Des résultats probants

Depuis vingt cinq ans, comme le démontrent les économistes Nicolas Marceau et Alain Guay[8], le Québec a comblé largement l'écart qui le distinguait de sa voisine l'Ontario sur le plan économique, et ce, malgré des impôts plus élevés, un taux de syndicalisation plus fort et un État d'une taille généralement plus grande. Depuis 1986, le taux moyen de croissance du PIB réel par habitant du Québec a été supérieur à celui du reste du Canada, l'écart entre les taux de chômage a diminué de 50 % en moins de douze ans, les investissements privés représentent au Québec environ la même proportion qu'en Ontario depuis plusieurs années, le taux de participation au marché du travail a presque rejoint celui de l'Ontario, les dépenses de recherche et de développement en proportion du PIB ont toujours été, depuis la fin des années quatre-vingt, supérieures au Québec qu'en Ontario et encore plus qu'en Alberta et le nombre de diplômés de l'école secondaire dépasse celui des principales provinces canadiennes, depuis 2003, chez les quinze

---

6. Lire à ce sujet : A. Dubuc, *L'éloge de la richesse*, Montréal, Éditions Voix parallèles, 2006, 335 p.
7. M. Venne, « Le mythe de l'immobilisme », dans *L'Annuaire du Québec 2007*. Le Québec en panne ou en marche, Montréal, Fides, 2006, p. 12.
8. N. Marceau et A. Guay, « Le Québec n'est pas le cancre économique qu'on dit », dans M. Venne (dir.), *L'Annuaire du Québec 2005*, Montréal, Fides, p. 66.

à quarante-quatre ans. De plus, l'emploi évolue positivement dans les secteurs d'avenir ; les emplois ont doublé en quinze ans dans les services professionnels, scientifiques et techniques et ont bondi de 60 % en vingt ans dans les domaines qui requièrent un savoir élevé. Enfin, en 2002, le Québec était au sixième rang au monde pour la proportion de son PIB investi dans les connaissances et septième pour le nombre de chercheurs par 1000 habitants.

Le sociologue Benoît Lévesque a décelé l'émergence d'un modèle québécois de deuxième génération[9] qui s'appuie sur diverses expérimentations économiques et sociales observées depuis le début des années quatre-vingt-dix. Dans ce modèle en émergence, l'État serait présent moins comme grand planificateur qu'à titre de partenaire avec les secteurs privés et d'économie sociale. L'État favoriserait les alliances entre partenaires économiques et non économiques afin de mobiliser les dynamismes sociaux, susciter la confiance, construire le capital social et favoriser l'apprentissage et l'innovation, la formation de la main-d'oeuvre et l'accès au financement, la recherche et l'éducation. Le modèle ne s'appuierait non pas sur une économie administrée, ni uniquement sur le libre marché, mais sur une économie mixte, plurielle, qui inclut l'économie marchande, l'économie publique (l'État) et l'économie sociale. Dans le domaine social, le rôle de la société civile s'accroît, l'équité remplace l'égalité, les politiques ciblées sont préférées au « mur à mur », les mesures actives aux mesures passives, la responsabilisation déloge la dépendance.

Dans ce modèle qui allie économie mixte et rôle accru de la société civile, deux scénarios restent toutefois possibles. Soit l'État arrime la protection sociale à la logique du marché et s'en remet à la société civile pour les perdants, aider les défavorisés, soit il fait appel à la société civile, mais pour favoriser l'habilitation des personnes et des collectivités et ainsi accroître leur autonomie et leurs responsabilités. Depuis les

---

9. B. Lévesque, « Vers un modèle québécois de seconde génération ? », dans M. Venne (dir.), *Justice, démocratie et prospérité. L'avenir du modèle québécois*, Montréal, Québec-Amérique, 2003, p. 57.

années quatre-vingt, le modèle québécois a d'ailleurs évolué, mais sans suivre une trajectoire univoque, obéissant durant quelques années à une conception du développement plus appuyée sur l'État et, durant quelques années ensuite, empruntant aux thèses néolibérales.

Un laboratoire de l'altermondialisme

Malgré la contestation dont est l'objet le modèle québécois, les idées qui sont à son fondement continuent d'être soutenues par de très vastes mouvements de citoyens. Entre autres, la création de l'Institut du Nouveau Monde est une illustration de la volonté de citoyens de continuer à se concerter pour établir ce qu'est le bien commun, et ce, sur une base non partisane.

La combinaison de nombreuses caractéristiques de la société québécoise en fait une sorte de laboratoire de ce que l'on appelle l'altermondialisation.

Sur le plan partisan, la droite québécoise a désormais un parti bien identifié, l'Action démocratique du Québec. La gauche et la mouvance écologique ont aussi les leurs avec Québec solidaire et le Parti vert qui ont récolté ensemble plus de 8 % des suffrages aux dernières élections[10].

Par ailleurs, le mouvement communautaire québécois fait, depuis une bonne trentaine d'années, la démonstration de sa puissance. Plus de six mille organismes répartis à travers tout le Québec offrent des services aux citoyens, développent des expertises, défendent sur la place publique les droits des plus démunis, des minorités, des femmes, des enfants, des Amérindiens, et réussissent, dans plusieurs situations, à bloquer ou à renverser des décisions prises ou annoncées qui auraient des effets désastreux pour ces populations.

Avec quelque 40 % de la main-d'œuvre syndiquée, le Québec est l'endroit en Amérique du Nord où les syndicats exercent la plus grande

---

10. P. Drouilly, « Une élection de réalignement ? », dans M. Venne (dir.), *L'Annuaire du Québec 2008. Le Québec vire-t-il à droite ?*, Montréal, Fides, 2007, p. 24.

influence. Les syndicats québécois sont aussi parmi les pionniers de la syndicalisation dans des secteurs difficiles et dans des entreprises réfractaires à l'action syndicale comme McDonald's et Wal-Mart. Non seulement le mouvement syndical et le mouvement communautaire sont-ils puissants, mais ils sont en plus innovateurs et contribuent à réinventer autant les politiques publiques que l'activité économique. C'est ainsi que le mouvement ouvrier mobilise l'épargne de ses membres dans des fonds d'investissement qui servent à créer ou à conserver des emplois. En 1983, la Fédération des travailleurs et travailleuses du Québec (FTQ), qui représente quelque 400 000 syndiqués au Québec, a créé le Fonds de solidarité des travailleurs du Québec. Ce fonds a connu une année record en 2006 pour l'investissement : 643 millions de dollars dans cent quarante vingt une entreprises. En 1996, la Confédération des syndicats nationaux créait à son tour sa propre fondation pour les mêmes fins.

Il y a dix ans, à la suite du Sommet socio-économique convoqué par le premier ministre Lucien Bouchard, le Chantier de l'économie sociale voyait le jour pour coordonner et structurer un secteur économique constitué de quelque 4 000 entreprises collectives à but non lucratif, qui s'ajoutent aux 3 200 coopératives et mutuelles du Québec. Environ 7 % des emplois québécois sont liés à l'existence de ces entreprises collectives. Certes, certains pays, dont les Pays-Bas où 16 % des emplois sont liés à ce genre d'entreprise font mieux que le Québec en cette matière. Toutefois, en comparaison avec l'Europe et à plus forte raison avec le reste de l'Amérique du Nord, la performance québécoise dans ce domaine.

On vient d'attribuer à Mohammad Yunus, le banquier des pauvres, qui a fondé des institutions de micro-crédit au Bengladesh, le prix Nobel de la paix (2006). Or au Québec, au début du siècle dernier, il y a une sorte de Yunus, qui s'appelait Alphonse Desjardins, qui avait fondé une institution aux mêmes fins et du même genre : une caisse populaire, sous la forme d'une coopérative. Aujourd'hui, la plus grande banque du Québec et l'un des principaux employeurs de la province est une coopérative, le Mouvement Desjardins qui gère la moitié (47 %) des actifs sous gestion coopérative au Canada (2003). La moitié des emplois créés par des coopératives au Canada le sont au Québec. Le mouvement coopératif dans son ensemble est en croissance constante : de 1996 à 2005, 1500 nouvelles coopératives ont vu le jour, ce qui signifie cent cinquante par année. Et ce, dans une multitude de secteurs qui vont de la finance à l'agriculture, à l'habitation, aux services funéraires.

Le Québec est l'une des provinces canadiennes où le taux de pauvreté est le plus bas. C'est l'endroit en Amérique du Nord où les écarts entre les riches et les pauvres est le moins grand. Le Québec est la province canadienne où le taux de criminalité est le plus faible. L'Assemblée nationale a adopté, en 2002, à l'unanimité, une loi sur l'élimination de la pauvreté et de l'exclusion sociale qui fixe des objectifs et crée des structures, auxquelles participe la société civile, pour réduire la pauvreté. Ces nouveaux mécanismes viennent d'être mis en œuvre.

Le Québec affiche la meilleure performance à l'égard des émissions de gaz à effet de serre au Canada. Cela s'explique largement par le choix de l'hydroélectricité et, plus récemment, de l'énergie éolienne, comme filière énergétique. À contrario, il faut le dire, le Québec est un endroit où l'on gaspille l'eau, où les transports en commun souffrent de lacunes sévères ; mais où la protection de l'environnement recueille malgré tout les plus forts appuis au Canada. Et, lorsqu'on leur en donne la possibilité, les citoyens sont prompts à utiliser les transports publics, comme l'illustre la hausse vertigineuse de l'utilisation des trains de banlieue au fur et à mesure que les gouvernements les mettent en service.

Par le fait même d'exister, le Québec français est un des symboles de la farouche résistance d'une minorité linguistique dans le giron du géant américain. Le Québec français, riche de ses productions culturelles désormais exportées aux quatre coins du monde (Céline Dion, le Cirque du Soleil, Michel Tremblay, Wajdi Mouhawad, Alain Lefebvre, etc), dans plusieurs langues, est un exemple de la capacité des petits peuples à résister à ce que l'on appelle l'uniformisation des cultures. La Charte de la langue française (Loi 101), modèle d'aménagement linguistique qui combine la protection de la langue d'une majorité régionale, minoritaire dans son pays (le Canada) et sur son continent, avec le respect des droits de la minorité de langue anglaise, inspire des législateurs ailleurs dans le monde.

Le Québec devient, sans trop de heurts, une société pluraliste, métissée, ouverte. Les politiques interculturelles du Québec sont efficaces. Le principe de l'accommodement raisonnable fonctionne, sauf dans de rares exceptions qui provoquent des débats publics animés, mais civilisés. Beaucoup de Québécois font un apprentissage tardif de la diversité et expriment parfois des craintes, mais ces discussions se font ouvertement et les institutions québécoises sont en mesure de proposer des solutions. À l'opposé, et grâce à la Loi 101 qui oblige les enfants d'immigrants qui vont à l'école publique à fréquenter l'école française, nos enfants ont des amis d'origines diverses. Le pluralisme et le métissage sont pour eux naturels.

Il y a lieu de souligner, enfin, la contribution irremplaçable du Québec, à l'adoption par l'UNESCO d'une convention sur la diversité des expressions culturelles[11].

La question nationale

À la fin d'un forum qui a été organisé en 2003 et qui portait précisément sur la capacité qu'avait le modèle québécois de se renouveler, le syndicaliste et président du Conseil de la souveraineté, Gérald Larose, a posé la question suivante : « Comment promouvoir le projet ambitieux d'un nouveau modèle québécois, d'une redéfinition du rôle de l'État québécois, lorsque celui-ci ne contrôle pas la moitié des ressources fiscales issues du Québec, le reste relevant d'Ottawa ? »[12]

La question du statut politique du Québec se pose d'autant plus que plusieurs tendances lourdes qui affectent la vie des nations se déterminent

11. Voir à ce sujet le texte de Gilbert Gagné.
12. G. Larose, *op cit.*

désormais dans des instances internationales. C'est le cas, notamment, dans le domaine de l'éducation, mais aussi dans ceux des politiques sociales et environnementales qui inévitablement peuvent être affectées par le libre-échange.

Pour faire évoluer le modèle québécois, la démocratie est une exigence. Or la démocratie s'exerce dans le cadre d'une communauté politique. À une certaine échelle. La démocratie n'a jamais connu de cadre d'exercice plus propice que le cadre national. Les nations constituent le fondement de la vie démocratique. Ce sont les nations qui donnent leur légitimité aux États. Cette légitimité vient de la population qui décide ensemble, démocratiquement, du bien commun. Comme l'a écrit le philosophe Charles Taylor, « pour décider ensemble, il faut aussi délibérer ensemble et il n'y a pas de délibération collective possible sans un accord de fond sur des principes, des buts et des valeurs clés. »[13] Bref, sans qu'il n'existe une conscience de former cette communauté.

Ce qui est le plus impérieux de protéger dans le modèle québécois, c'est la capacité d'innovation et la capacité d'évolution démocratique qui le caractérisent. Or notre appartenance à la fédération canadienne et la manière dont fonctionne cette fédération briment la capacité d'innovation du Québec et encadrent le développement de programmes sociaux en fonction de critères dictés par la politique à l'échelle du Canada, sans tenir compte des particularités québécoises. Ottawa use largement de son pouvoir de dépenser. Québec a adopté une loi sur la lutte contre la pauvreté et l'exclusion sociale de grande ambition. Pour mettre en oeuvre cette loi, il serait nécessaire de disposer de toutes les ressources publiques pour les utiliser de la manière la plus productive, fondre ensemble l'assurance-emploi et l'aide sociale et même l'aide financière aux étudiants, articuler des programmes de soutien au revenu et de protection sociale en tenant compte des transformations du marché du travail, etc.

---

13. C. Taylor, « Nation culturelle, nation politique », dans M. Venne (dir), *Penser la nation québécoise*, Montréal, Québec-Amérique, 2000, p. 37.

Actuellement, la séparation des moyens entre deux ordres de gouvernement dans le même domaine crée des distorsions et empêche l'élaboration d'une politique ambitieuse de développement social adaptée à la réalité du Québec.

Si l'on souhaite préserver notre capacité à façonner un modèle de gouverne et de développement qui convient à notre différence, le statut politique du Québec a de l'importance. Soit le Québec accroît son autonomie au sein du Canada, soit il devient un pays souverain. Pour l'heure, pourtant, la question ne semble plus faire courir les foules.

Bibliographie

BELLEMARE Diane et POULIN SIMON Lise, *Le plein emploi : pourquoi ?*, Montréal, Éditions Saint-Martin, 1986, 530 p.

BOURQUE Gilles L., *Le Modèle québécois de développement: de l'émergence au renouvellement*, Québec, Presses de l'Université du Québec, 2000, 235 p.

DUBUC Alain, *L'éloge de la richesse*, Montréal, Éditions Voix parallèles, 2006, 335 p.

FAVREAU Louis et LÉVESQUE Benoît, *Développement économique communautaire. Économie sociale et intervention*, Québec, Presses de l'Université du Québec, 1996, 230 p.

LANDRY Réjean, AMARA Nabil et LAMARI Moktar, « Capital social, innovation et politiques publiques », *ISUMA, Canadian Journal of Policy Research / Revue canadienne de recherche sur les politiques*, 2001, vol. 2, no 1, p. 63-71.

LANDRY Réjean, LAMARI Moktar et NIMIJEAN Richard, *Stimuler l'innovation par le développement de milieux créateurs : un examen des politiques et pratiques émergentes, réseaux du Québec pour la promotion des systèmes d'innovation (RQSI)*, rapport de veille présenté à l'Observatoire de développement économique du Canada, DEC, Montréal, 1999, 88 p.

LÉVESQUE Benoît, « Le Partenariat: une tendance lourde de la nouvelle gouvernance à l'ère de la mondialisation. Enjeux et défis pour les entreprises publiques et d'économie sociale », *in Annals of Public and Cooperative Economics / Annales de l'économie publique sociale et coopérative*, Oxford, Blackwell, 2001, vol. 72, no 3, p. 323-338.

LÉVESQUE Benoît, *Économie sociale et solidaire dans un contexte de mondialisation : pour une démocratie plurielle*, communication présentée a la 2ᵉ Rencontre internationale tenue à Québec du 9 au 12 octobre 2001 sur le thème « Globalisons la solidarité », Montréal, Cahier CRISES et Cahier ARUC en économie sociale, 2001, 22 p.

Lévesque Benoît, Bourque Gilles L. et Forgues Éric, *La Nouvelle Sociologie économique. Originalité et diversité des approches*, Paris, Desclée de Brouwer, 2001, 268 p.

Marcotte Joanne, *L'Illusion tranquille* (documentaire), 2007, 72 minutes.

Méthé Marie-Hélène, *Oser la solidarité ! L'innovation sociale au coeur de l'économie québécoise*, Montréal, Fides, 2008, 160 p.

Noël Alain, « Vers un nouvel État-providence ? Enjeux démocratiques », *Politique et Sociétés*, 1996, vol. 15, no 30, p. 1-28.

Paquet Gilles, *Oublier la Révolution tranquille. Pour une nouvelle socialité*, Montréal, Liber, 1999, 159 p.

Renaud Marc, « Santé : le sociologue au pays des merveilles », *Cahiers de recherche sociologique*, 1990, no 14, p. 171-179.

Savoie Donald, *Governing from the Centre : The Concentration of Power in Canadian Politics*, Toronto, University of Toronto Press, 1999, 440 p.

Stöhr Walter, « Changing Approaches to Local Restructuring and Development », paper prepared for the International Symposium Rendez-vous Montréal 2002, *Industrial Reconversion Initiatives Implemented by Actors in Civil Society*, 2002.

Thériault Joseph-Yvon, « De la critique de l'État-providence à la reviviscence de la soicété civile : le point de vue démocratique », *in* Sylvie Paquerot, *L'État aux orties ?*, Montréal, Les Éditions Écosociété, 1996, p. 141-150.

Tremblay Diane-Gabrielle, *L'emploi en devenir*, Québec, Institut québécois de recherche sur la culture, 1990, 121 p.

Tremblay Diane-Gabrielle et Fontan Jean-Marc,. *Le développement économique local ; la théorie, les pratiques, les expériences*, Québec, Presses de l'Université du Québec, 1994, 579 p.

Tremblay Diane-Gabrielle, *Concertation et performance économique : vers de nouveaux modèles ?*, Québec, Presses de l'Université du Québec, 1994, 350 p.

VAILLANCOURT Yves, « Tiers secteur et reconfiguration des politiques sociales », in *Nouvelles Pratiques Sociales*, 1999, vol. 11, no 2 et vol. 12, no 1, p. 21-39.

VAILLANCOURT Yves, « Sortir de l'alternative entre privatisation et étatisation dans la santé et les services sociaux », dans Bernard Eme, Jean-Louis Laville, Louis Favreau et Yves Vaillancourt, *Société civile, État et Économie plurielle*, Montréal, Hull et Paris, CRISES, Université du Québec et CNRS, 1996, p. 147-224.

VENNE Michel (dir), *Penser la nation québécoise*, Montréal, Québec-Amérique, 2000, 309 p.

VENNE Michel (dir), *Justice, démocratie et prospérité. L'avenir du modèle québécois*, Montréal, Québec-Amérique, 2003, 254 p.

VENNE Michel (dir), *L'Annuaire du Québec 2007. Le Québec en panne ou en marche ?*, Montréal, Fides, 2006, 456 p.

VENNE Michel (dir.), *L'Annuaire du Québec 2008. Le Québec vire-t-il à droite ?*, Montréal, Fides, 2007, 480 p.

La langue française au Québec face à ses défis

Jean-Claude CORBEIL

Le Québec contemporain est le principal foyer de langue française au coin nord-est de l'Amérique du Nord. Il est, avec l'Acadie, l'ultime héritier de la présence de la France dans le Nouveau Monde, qui, au XVIIe siècle, était partagée entre une implantation sur la façade atlantique, l'Acadie, avec la fondation, en 1605, de Port-Royal, et une autre dans la vallée du Saint-Laurent, le Canada, avec la fondation de Québec en 1608.

La langue française, au Québec comme en Acadie, garde dans son usage de nombreuses traces de la langue apportée en Nouvelle-France par des colons français d'origine sociale très diversifiée : paysans et ouvriers, militaires de tous rangs, haut et bas clergé, personnes de la noblesse qui deviendront les seigneurs de la nouvelle colonie, administrateurs représentants du Roy. La population n'était pas homogène du point de vue linguistique. Les uns étaient originaires de l'Île-de-France et des régions avoisinantes et parlaient le français du Roy (environ 25 %). D'autres parlaient le dialecte de leur région, mais connaissaient suffisamment le français de l'Île-de-France pour en faire usage (environ 30 %). Et finalement, les individus qui composaient le dernier groupe parlaient surtout leurs dialectes d'origine (environ 45 %).

En Nouvelle-France, tous ces gens se sont trouvés mêlés sur un étroit territoire dans une relation d'interdépendance pour leur propre survie. Par la force des choses, les différences linguistiques se sont fondues dans un certain usage du français du Roy, puisque c'était la langue des autorités politiques et religieuses de la colonie. Ces Français déracinés devaient, au jour le jour, nommer les réalités de leur nouvel environnement : faune, flore, climat, mœurs des premiers habitants du continent, les Amérindiens et les Inuits, avec lesquels ils étaient en contact permanent (beaucoup plus que maintenant). Ils l'ont fait soit en puisant dans leur propre lexique, langue du Roy et dialectes des provinces d'origine, soit en empruntant des mots aux langues amérindiennes et à l'inuktitut. Une variété de la langue française propre à la colonie s'est ainsi constituée et greffée sur le tronc commun de la langue.

La Nouvelle-France subsista jusqu'à la défaite des troupes françaises aux mains des Anglais sur les Plaines d'Abraham en 1759, confirmée en 1763 par le traité de Paris par lequel la France cédait à l'Angleterre tous ses territoires d'Amérique. La Nouvelle-France devenait une colonie britannique et le Canada, l'une des anciennes colonies de la Nouvelle-France, devenait « The Province of Quebec ». Cette conquête modifia en profondeur la composition de la population ainsi abandonnée à son sort et eut de sérieuses conséquences sur le français parlé sur ce territoire.

Après le traité de Paris, une partie de la population de la Nouvelle-France quitta le pays, notamment les administrateurs, les officiers et les militaires de la garnison, et, avec eux, tous ceux qui préféraient regagner la France plutôt que de vivre sous tutelle anglaise. Y restèrent environ 10 000 familles, quelques seigneurs, une partie du clergé, les marchands, les artisans et les paysans, soit plus de 65 000 personnes dont le plus grand nombre vivait de l'agriculture. Ces personnes, qu'on appelait les Canadiens[1], étaient trop liées au pays pour accepter d'en partir.

Du jour au lendemain, les relations avec la France furent interdites. Les marchands français se trouvèrent ainsi coupés de leurs créanciers et de leurs fournisseurs, donc ruinés. Les marchands anglais, des treize colonies

---

1. La manière de nommer les Français restés au Canada s'est modifiée avec le temps. Après la Conquête, ils étaient les *Canadiens* ou les *Français* par opposition aux *Anglais*. À partir de la Confédération de 1867, les deux peuples partenaires sont désignés sous les noms de *Canadiens français* et de *Canadiens anglais*. Par la suite, les Canadiens français du Québec préfèrent se dire *Québécois*, les Canadiens français des autres provinces devenant les *Francophones hors Québec*, qui se désignent soit comme *Acadiens*, soit comme *Francophones du Canada*. Au Québec, le terme Québécois lui-même est aujourd'hui devenu ambigu, désignant tantôt les *Québécois de souche*, les Québécois de langue française, tantôt tous les citoyens québécois, francophones, anglophones et allophones, donc tous ceux qui s'identifient au Québec. Ces diverses dénominations subsistent dans les textes d'une époque à l'autre.

américaines de l'époque envahirent la nouvelle colonie britannique et prirent le contrôle de l'économie et du commerce, et ce, bien entendu, en faisant l'usage de la langue anglaise. Par la suite, dans la mouvance de l'industrialisation qui prenait alors son essor en Angleterre et aux États-Unis, devenus indépendants depuis 1776, ils créèrent, au milieu du XIXe siècle, les premières entreprises du Canada. L'anglais devenait la langue de travail, imposée à la classe ouvrière naissante et majoritairement francophone.

L'Angleterre poursuivit dans sa nouvelle colonie la politique de peuplement qui lui avait si bien réussi dans les colonies américaines. Au départ, elle donna la priorité à des immigrants de langue anglaise et prit soin d'intéger ces nouveaux arrivants à la minorité de langue anglaise et de réduire ainsi le poids démographique des francophones qui représentaient déjà à l'époque plus de 80 % de la population vivant dans « The Province of Quebec ». Par la suite, au fur et à mesure que le Canada prenait en main son propre destin, la politique d'immigration se diversifia, tout en continuant à privilégier l'immigration de langue anglaise. Au début des années soixante-dix, le Québec négocia sa propre politique d'immigration avec le gouvernement fédéral et obtint de sélectionner une partie des immigrants qui venaient au Canada pour résider au Québec.

Ces événements historiques sont à la source des défis que doit actuellement relever le Québec pour assurer l'avenir de la langue française en terre d'Amérique : le défi de la concurrence de la langue anglaise et celui de la variation de la langue française au Québec par rapport au français de France.

Le défi de la concurrence de la langue anglaise

En conquérant la Nouvelle-France, l'Angleterre y a introduit sa conception de la démocratie fondée sur le parlementarisme et ses institutions politiques, notamment des procédures de résolution des conflits sociaux par la discussion. C'est là l'un des aspects positifs de la Conquête.

Par contre, sur le plan linguistique, les conséquences furent désastreuses. La langue française perdit de son prestige au sein de la population, même chez les francophones, à l'avantage de la langue anglaise, langue du pouvoir politique, langue du commerce et des affaires et langue de gestion et de travail des entreprises. En conséquence, les francophones se sont insidieusement anglicisés. Nous y reviendrons plus longuement au point suivant.

À partir de 1960, la prédominance de la langue anglaise est de plus en plus vigoureusement contestée par les Québécois francophones[2], autant au Québec dans tous les domaines de l'économie que dans les institutions politiques du Canada où l'usage de la langue anglaise était quasi exclusif. La crise linguistique s'accentue rapidement, au point que les partis politiques sont obligés d'en prendre acte. La crise devient politique.

Pour aborder une question aussi délicate que complexe, les gouvernements et les citoyens pouvaient avoir recours à deux procédures de consultation, héritage de la démocratie britannique. Le gouvernement, de sa propre initiative ou à la demande des citoyens pouvait créer une commission royale d'enquête publique à laquelle il confierait le soin de décrire objectivement tous les aspects du problème et recommander des solutions. Ou encore le gouvernement pouvait soumettre à la population, pour discussion, un *livre blanc*, c'est-à-dire un énoncé de la politique qu'il entendait soumettre à l'Assemblée nationale pour adoption. Ces procédures offrent un avantage double. Elles obligent les citoyens à faire valoir leurs points de vue devant la commission ou encore, dans le cas d'un livre blanc, de les faire valoir auprès du gouvernement. Grâce aux médias, le débat devient public plutôt que de se réduire à des tractations de coulisses, les opinions contradictoires se manifestent et l'opinion publique est mieux informée des diverses solutions proposées par les uns et les autres. De plus, autre avantage, une commission d'enquête a

---

2. Surtout par les intellectuels. K. Larose retrace les péripéties de cette contestation dans *La langue de papier, Spéculations linguistiques au Québec, 1957-1977*, Montréal, Les Presses de l'Université de Montréal, 2004, 454 p.

les moyens de confier à des experts le soin d'approfondir l'examen du problème sous ses différents aspects, culturel, linguistique, historique, démographique, économique, psychologique et, bien évidemment, politique. Le débat gagne ainsi en réalisme.

Pour que tous les citoyens prennent conscience de la situation de la langue française face à la langue anglaise au Québec, le gouvernement québécois créa en décembre 1968 la *Commission d'enquête sur la situation de la langue française et sur les droits linguistiques*. Le mandat de la Commission était « de faire enquête et rapport sur la situation du français comme langue d'usage au Québec et [de] recommander les mesures propres à assurer a) les droits linguistiques de la majorité aussi bien que la protection des droits de la minorité [anglophone], b) le plein épanouissement et la diffusion de la langue française au Québec dans tous les secteurs d'activité, à la fois sur les plans éducatif, culturel, social et économique ».

Pour mener à bien ce mandat, la Commission se dota d'un groupe de recherche multidisciplinaire chargé de décrire l'origine et les divers aspects de la concurrence entre le français et l'anglais. Ce groupe procéda à une analyse détaillée de la situation et produisit 28 études spécialisées qui servent aujourd'hui de référence pour évaluer le chemin parcouru depuis cette époque. De plus, la Commission organisa des audiences publiques à travers le Québec et donna ainsi aux citoyens, aux organismes sociaux et aux groupes de pression l'occasion de soumettre un mémoire présentant leurs points de vue. Les principales recommandations de la Commission furent de faire du français la langue commune du Québec, de déclarer le français langue officielle, d'imposer le français comme langue des communications internes des entreprises, d'assurer l'emploi du français dans le commerce et les affaires, de même que dans tous les services publics.

Entre 1969 et 1977, les trois différents partis politiques qui formèrent successivement le gouvernement du Québec, soit le parti de l'Union nationale, le Parti libéral et le Parti québécois, donnèrent suite à ces recommandations en proposant et en faisant adopter par l'Assemblée nationale, trois lois d'ordre linguistique : la première en 1969 (loi dite 63, *Loi pour promouvoir la langue française au Québec)*, la deuxième en 1974 (dite loi 22, *Loi sur la langue officielle*), la dernière en 1977 (dite Loi 101, la *Charte de la langue française)*. La proposition de cette *Charte* avait été précédée du dépôt d'un livre blanc intitulé *La politique québécoise de la langue française*, qui en annonçait les intentions et les principales dispositions et qui suscita un vif débat dans l'opinion publique.[3] Entre 1983 et 2002, cette *Charte* fut amendée à plusieurs reprises, et ce, surtout pour tenir compte des arrêts rendus par la Cour suprême du Canada à la suite de la contestation de certaines dispositions de la loi.

En somme, après toutes ces discussions, procès et débats parlementaires, le statut de la langue française au Québec s'est profondément amélioré. Le français a acquis une réelle motivation socioéconomique en devenant la principale langue de travail et la langue des services publics de tous ordres, ce qui encouragea les anglophones et les immigrants à apprendre le français. Le français est maintenant la langue publique commune de la majorité des citoyens. Enfin, les affrontements linguistiques ont cessé, personne ne conteste plus la prédominance du français au Québec ni la nécessité de la *Charte*. La cohabitation des nombreuses langues d'immigration est nettement plus harmonieuse. Le Québec connaît maintenant une certaine forme de paix linguistique qu'il entend maintenir. Cependant, la situation à Montréal demeure préoccupante. En effet, la division territoriale historique entre francophones à l'Est et anglophones à l'Ouest se maintient encore aujourd'hui. Sans compter que les immigrants se concentrent à Montréal alors que les francophones ont tendance à se déplacer vers la banlieue et que les mesures de francisation des immigrants sont peu efficaces. D'année en année, la proportion des francophones à Montréal diminue régulièrement.

---

3. Les principales dispositions de ces lois linguistiques, notamment de la Loi 101 sont d'imposer l'usage exclusif du français dans l'affichage public et la publicité commerciale ; d'étendre les programmes de francisation à toutes les entreprises employant 50 personnes ou plus ; de restreindre l'accès à l'école anglaise aux seuls enfants dont l'un des deux parents a reçu un enseignement primaire en anglais au Québec ; d'établir que seule la version française des lois est officielle.

Le défi de la variation du français

La variation du français au Québec est d'abord d'origine sociale. Comme il arrive dans toutes les langues, la manière d'utiliser le français varie selon l'origine sociale et le niveau d'instruction du locuteur, surtout à l'oral. Cette variation est beaucoup plus marquée au Québec qu'en France, ce qui surprend les visiteurs francophones ou francophiles. Ce sont surtout la prononciation et le lexique qui sont affectés. La variation est également géographique, en ce sens que l'usage du Québec est différent de celui de la France hexagonale et des autres pays membres de la francophonie.

Les raisons de cette variation sont multiples

Certains traits du français de la Nouvelle-France subsistent dans l'usage actuel, notamment dans la prononciation de certains mots dont ceux du groupe [wa] en [wé] ou en [wè] selon le bon usage du XVIIe siècle, comme dans *moé* (moi), *soér (soir), avoèr* (avoir). Ces traits subsistent surtout dans le lexique avec, par exemple, des mots comme *abrier* (couvrir), *bûcher* (du bois), *garrocher* (lancer), *tuque* (bonnet de laine), *achalandage* (clientèle), *creux* (profond).

De nombreux mots amérindiens et inuits d'usage courant servent à désigner des peuples (Attikameks), des lieux (Québec, Hochelaga, Natashquan), des réalités et coutumes de ces cultures (igloo, anorak, kayak, mocassin, squaw) ou encore à nommer des plantes (atoca, pimbina) et des animaux (maskinongé, carcajou, ouaouaron).

De plus, et c'est sans doute là la cause la plus importante du point de vue historique, le français du Québec a été profondément anglicisé à partir de la Conquête. Cette anglicisation a touché aussi bien la syntaxe que le vocabulaire de la langue commune (le lexique) et des langues de spécialité (les terminologies). Ce fut une profonde contamination, dont on a grand peine à sortir aujourd'hui, et qui se renouvelle de génération en génération. Il n'est pas toujours facile de faire le partage entre les mots anglais nécessaires (les emprunts), qui désignent souvent des institutions, par exemple *coroner, whip, common law*, et les mots anglais inutiles (les anglicismes) qui doublent les mots français correspondants, par exemple *laptop* (ordinateur portable ou portable), *software* (logiciel), *bumper* (pare-chocs), *balance* (solde), *breuvage* (boisson), *prendre pour acquis* (to take for granted, au lieu de « tenir pour acquis »), *garder la ligne* (to keep the line, au lieu de « rester en ligne, ne pas quitter »).

Une autre des raisons majeures de la variation du français au Québec est liée au fait que les Québécois sont de grands inventeurs de mots, spontanément ou délibérément, soit pour nommer des réalités nouvelles, soit en lieu et place de mots anglais, souvent en provenance des États-Unis voisins. D'après l'enquête menée par Marie-Éva de Villers[4], cette raison est la source la plus importante des différences observées entre le vocabulaire du journal Le Monde et celui du journal *Le Devoir*, celle qui est plus productive d'écarts que chacune des sources précédentes. Il peut s'agir de formes nouvelles qui sont créées en utilisant les procédés de formation des mots conformes à la morphologie de la grammaire française. Ainsi, « magasin » donne *magasiner, magasinage* pour « shopping » en anglais, « clavier (d'ordinateur) » donne *clavardage* pour « chat » en anglais, « pourvoir » donne *pourvoirie* pour désigner un établissement de service à des voyageurs amateurs de nature « courrier électronique » donne *courriel* pour « mail »; ou « e-mail », *motoneige* et *motomarine* servent à désigner un moyen de déplacement sur la neige ou sur l'eau qui se conduit comme une moto, *brigadier* désigne une personne qui assure la sécurité des écoliers sur le chemin de l'école, CÉGEP (collège d'enseignement général et professionnel) donne *cégépien*, tout comme PQ (Parti québécois) donne *péquiste*. Il peut également s'agir de sens nouveaux attribués à un mot du lexique français, par exemple, *dépanneur* (épicerie de proximité), *décrocher* (quitter prématurément l'école) d'où *décrocheur, babillard* (adjectif en français, substantif au Québec pour

---

4. Publiée sous le titre *Le Vif désir de durer, Illustration de la norme réelle du français québécois,* Montréal, Québec Amérique, 2005, 347 p. M-É de Villiers a comparé le vocabulaire des textes d'une année complète de chaque journal dans le but d'y identifier les mots proprement québécois, leur importance numérique et leur fréquence.

désigner un tableau d'affichage), *canot* (embarcation légère, canoë), d'où *canoter, canotage, aviron* et *avironner* (pagaie et pagayer). Plusieurs de ces néologismes québécois passent totalement inaperçus tant ils sont de facture française, comme c'est le cas, autres exemples, pour *terminologue, déneigeur, bilinguiser* et *bilinguisation, francophoniser* et *francophonisation.*

Dès le milieu du XIXᵉ siècle, les Canadiens français les plus instruits prirent conscience et s'inquiétèrent du fait que l'usage du français au Québec s'éloignait de plus en plus du « bon » français[5]. Leur première réaction fut de colliger et de dénoncer les écarts, surtout les anglicismes. Une kyrielle d'articles et de lexiques se mirent à paraître sur le thème « Dites … ne dites pas ». Ils lancèrent des campagnes de « bon parler français » qui faisaient appel à la fierté nationale, par exemple sous le slogan « Bien parler, c'est se respecter ». En réaction, d'autres mirent de l'avant l'idée que tout n'était pas condamnable, que bien des mots venaient du vieux fond français apporté en Nouvelle-France par nos ancêtres, que ces mots s'étaient perpétués de génération en génération par la tradition orale et que certains étaient toujours d'usage dans les provinces de France, même s'ils ne figuraient pas dans les dictionnaires publiés à Paris. Ils entreprirent la recherche des sources dialectales françaises des mots québécois et publièrent les résultats de cette enquête sous le titre *Glossaire du parler français au Canada*[6].

Mais la réaction la plus spectaculaire, la plus scandaleuse même, vint d'un groupe d'écrivains qui, vers 1960, choisirent d'écrire dans la langue populaire québécoise, dans la langue de ceux qui disaient *joual* à la place de *cheval*. Leur intention était d'illustrer la profonde aliénation du peuple québécois, sous-scolarisé, contraint de travailler en langue anglaise et méprisé par ceux des leurs qui avaient eu la chance d'aller à l'école et à l'université. En montrant le vrai visage de la langue populaire du Québec, ils espéraient provoquer des réactions, politiques au premier

---

5. L'ouvrage de C. Bouchard décrit bien cette réaction. Voir *La langue et le nombril, Histoire d'une obsession québécoise,* Montréal, Fides, 1998, 303 p.
6. Québec, Société du parler français au Canada, 1930, 709 p. Voir l'ouvrage de L. Mercier, *La Société du parler français au Canada et la mise en valeur du patrimoine linguistique québécois (1902-1962),* Québec, Presses de l'Université Laval, 2002, 507 p.

chef, mais aussi le désir chez les francophones d'une revitalisation de leur langue. La présentation au théâtre, en 1968, de la pièce de Michel Tremblay, *Les belles-sœurs*, fut le point fort de la querelle qui s'amorça alors, la querelle du joual, qui partage encore aujourd'hui les Québécois entre tenants de la langue populaire et partisans d'une normalisation du français québécois.

Les questions actuelles

Le débat sur chacun des défis précédents s'est resserré et transformé. Le défi de la variation du français se cristallise maintenant autour de deux questions fondamentales : la variation est-elle légitime et quelle est la norme du français standard au Québec ?

Le nombre des partisans d'un alignement pur et simple du français du Québec sur la norme française hexagonale, officielle et parisienne, diminue constamment et ils ont de moins en moins d'arguments pour soutenir leur position. Par contre, la plupart des linguistes, au Québec et ailleurs dans les autres pays francophones, y compris en France, répondent oui à la première question. Pour eux, la variation du français à travers le monde est non seulement légitime, mais elle est nécessaire et inévitable, puisque les francophones du monde n'ont ni le même environnement, ni la même histoire, ni le même imaginaire, en somme, la même culture. Toutes ces différences s'expriment dans les particularités de leurs langues respectives, qui sont autant de visages, de variétés de la langue française qu'ils ont tous en partage. D'ailleurs, autre argument de taille, toutes les langues du monde varient, ce qui est particulièrement vrai des langues européennes dont l'anglais, l'espagnol, le portugais et le français, qui se sont diffusées sur les cinq continents. Dès 1967[7], des linguistes québécois soutinrent publiquement que le français du Québec ne pouvait pas être rigoureusement identique à celui de France pour les motifs évoqués plus haut et que cette variation devait être

---

7. À Québec, lors de la deuxième biennale de la langue française.

contenue à l'essentiel et au nécessaire. Dans la francophonie naissante, les Québécois devinrent les champions de la variation du français.

La question de la norme est nettement plus complexe

On appelle norme l'idée que se font collectivement les locuteurs de la manière dont il convient de parler et d'écrire la langue. C'est, en somme, le modèle qui guide le comportement linguistique de chaque locuteur et le critère d'après lequel chacun juge de l'acceptabilité sociale d'une prononciation, d'une tournure de phrase ou d'un mot et évalue la langue d'un interlocuteur.

Le problème au Québec vient de ce que deux normes sociales se sont forgées au fil du temps, l'une chez les locuteurs instruits, très influencée par la langue écrite et la fréquentation des ouvrages de référence, l'autre chez les locuteurs moins scolarisés chez qui l'emploi de la langue est quasi uniquement oral. Ce partage de la population entre langue soutenue et langue populaire sur la base de la scolarité recoupe d'autres critères, notamment l'âge, le lieu de résidence et le revenu.

Ces deux normes cohabitent en relative harmonie. En fait, dans la vie quotidienne, le locuteur québécois s'inspire de l'une et de l'autre. Depuis la querelle du joual, chacune est illustrée par des textes littéraires. Le clivage n'est pas absolu. Par contre, la cohabitation a des limites. Il y a des moments où il faut choisir. On ne peut pas enseigner n'importe quelle langue, on ne peut pas parler de n'importe quelle manière à la radio ou à la télévision, les textes de l'Administration doivent être de bonne tenue, de même que les journaux, la publicité, les textes juridiques, etc. Dans les faits, il y a une norme qui est plus officielle que l'autre.

En principe, les Québécois acceptent l'idée d'une norme officielle commune, l'existence d'une langue standard. En pratique, ils ont beaucoup de mal à se mettre d'accord sur la description de cette norme, car, alors, il faut juger et exclure, ce qu'ils répugnent à faire.

Dernier point, le français continue à subir la concurrence de la langue anglaise, mais la source de la pression n'est plus la même.

À l'époque de la conception et de la rédaction de la Loi 22, en 1974, et quelques années plus tard, en 1977, de la *Charte de la langue française*, la source de pression était pour ainsi dire interne : elle découlait du fait que la langue anglaise avait acquis une motivation socioéconomique telle qu'elle était jugée par les francophones et les allophones plus essentielle que le français. Nous avons évoqué précédemment les causes de cette prédominance.

Depuis lors, l'application de la *Charte de la langue française* a substantiellement amélioré le statut économique de la langue française. La concurrence interne s'en est trouvé atténuée, mais pas au point de disparaître. En effet, autrefois, les communications d'une entreprise avec l'extérieur du Québec, avec des fournisseurs, des clients ou des actionnaires, étaient pour ainsi dire confiées à un groupe d'employés dont c'était la fonction spécifique et dont il était légitime d'exiger la connaissance de la langue anglaise. Maintenant, la généralisation d'Internet a totalement modifié la situation : aujourd'hui, n'importe quel employé d'une entreprise cherche sur le web les renseignements dont il a besoin et les trouve dans des sites le plus souvent de langue anglaise. Ainsi, la connaissance de l'anglais, à des niveaux de compétence très variables, est devenu utile à un plus grand nombre d'employés, avec la conséquence que les entreprises s'estiment en droit d'exiger la connaissance de la langue anglaise comme condition *sine qua non* d'embauche. Le Québec risque de revenir ainsi au point de départ, à l'époque où la langue la plus indispensable était l'anglais et non pas le français.

La pression vient maintenant de l'extérieur. Les sources principales en sont facilement identifiables. La communauté de langue française est très minoritaire sur le continent nord-américain et dans l'ensemble des trois Amériques. Mais surtout, la langue anglaise jouit du statut de langue commune universelle de la mondialisation des échanges économiques et exerce une forte pression sur la langue française et sur toutes les langues du monde. Dans cet univers commercial, les industries culturelles

américaines font preuve d'une si grande vitalité que leurs produits enva-
hissent tous les marchés nationaux, notamment du cinéma, de la musique
populaire, des jeux électroniques, au point de compromettre la vitalité et
la diffusion des œuvres des créateurs locaux. Ce phénomène s'observe
dans presque tous les pays. Pour pallier ce danger d'uniformisation culturelle universelle, le Québec, dès 1999, a pris l'initiative avec la France
de proposer l'adoption par l'UNESCO d'une convention pour protéger
l'identité linguistique et culturelle de tous les pays. Les pays membres de
la Francophonie ont entériné cette initiative lors du Sommet de Beyrouth,
en 2002. Le Québec n'étant pas un pays souverain, c'est le Canada qui
par la suite s'est fait, avec la France, l'un des principaux promoteurs de
ce projet devant l'UNESCO. Le 20 octobre 2005, l'Assemblée générale
de cet organisme a adopté, par cent quarante huit voix pour, vingt et une
contre et quatre abstentions, la *Convention pour la protection et la promotion de
la diversité des expressions culturelles*. La *Convention* a été, à ce jour, ratifiée par
soixante quinze États et par la Communauté européenne. Elle reconnaît
aux États le droit de mener des politiques culturelles et de prendre les
mesures propres à protéger et à promouvoir leur identité culturelle. Elle
donne valeur juridique au principe que les biens et les services culturels
ne sont pas de simples marchandises, soumises comme toutes les autres
aux règles de l'Organisation mondiale du commerce (OMC). Par contre,
pour arriver à faire voter la convention, ses promoteurs ont dû mettre
l'accent sur la protection culturelle et mettre en veilleuse la protection des
langues nationales ou régionales, question plus embarrassante pour bien
des pays membres de l'UNESCO.

On le voit, la langue française est bien vivante au Québec. Ses locuteurs
font preuve d'une créativité et d'une combativité qui ne se sont jamais
démenties depuis la Conquête anglaise.

Les Québécois francophones sont condamnés à vivre dangereusement.
Ils sont aussi condamnés à l'excellence, seule stratégie de distinction
possible. Et ils savent que, pour survivre, il leur faut s'appuyer sur tous
les autres francophones et francophiles et sur tous ceux qui ont à cœur
la diversité linguistique du monde.

Bibliographie

BOUCHARD Chantal, *La langue et le nombril, Histoire d'une obsession québécoise*, Montréal, Fides, 1998, 303 p.

Conseil de la langue française, *Le français au Québec, 400 ans d'histoire et de vie*, Montréal, Fides, Québec, Les Publications du Québec, 2000, 516 p.

CORBEIL Jean-Claude, *L'Embarras des langues, Origine, conception et évolution de la politique linguistique québécoise*, Montréal, Québec Amérique, 2007, 548 p.

LAROSE Karim, *La langue de papier, Spéculations linguistiques au Québec, 1957-1977*, Montréal, Les Presses de l'Université de Montréal, 2004, 454 p.

MERCIER Louis, *La Société du parler français au Canada et la mise en valeur du patrimoine linguistique québécois (1902-1962)*, Québec, Presses de l'Université Laval, 2002, 507 p.

Société du parler français au Canada, Québec, 1930, 709 p.

VILLIERS Marie-Éva, *Le Vif désir de durer, Illustration de la norme réelle du français québécois*, Montréal, Québec Amérique, 2005, 347 p.

Les fédéralistes, les autonomistes et les souverainistes au Québec
Visions plurielles et enjeux nationaux

Alain-G. Gagnon et Paul May

Issu des péripéties historiques de deux nations européennes implantées en Amérique du Nord, le Canada connaît depuis sa fondation des débats animés et récurrents quant à son identité nationale. Ces débats expriment en quelque sorte la résistance des deux grandes cultures qui composent le Canada et qui peuvent légitimement aspirer à une reconnaissance constitutionnelle.

L'adhésion du Québec à la Constitution canadienne de 1867 repose sur le principe de deux peuples fondateurs, l'un anglophone, l'autre francophone. Ce principe dualiste souligne l'apport historique des Canadiens français et des Canadiens anglais à la création de la Confédération canadienne.

La vie politique québécoise est constamment traversée par des débats au sujet de la nature de la relation qui devrait prévaloir entre le Québec et le Canada. À la polarisation entre la droite et la gauche que l'on retrouve généralement dans les démocraties occidentales, se superpose au Québec un clivage entre fédéralistes, autonomistes et souverainistes. L'observateur étranger sera parfois surpris de constater que les Québécois définissent leur position sur l'échiquier politique en rapport avec le projet de souveraineté du Québec, parfois plus même que sur les questions économiques et sociales. C'est que, au-delà des querelles constitutionnelles et des tribulations de la vie politique, deux conceptions du vivre-ensemble s'affrontent, mêlant étroitement les débats sur le droit des minorités et ceux sur la pérennité des communautés nationales. Autant d'enjeux d'actualité qui débordent largement le cadre canadien et qui intéresseront toute personne concernée par le devenir des minorités linguistiques et culturelles à l'heure de la mondialisation et de la redéfinition des structures d'accès au pouvoir politique.

L'objet du présent texte est de donner un aperçu des enjeux de ces débats, à travers la présentation des différentes options politiques envisagées pour le Québec : fédéralisme, autonomisme et souverainisme. Étant donné que ces options recoupent en grande partie les clivages politiques, il est sans doute utile, pour éclairer ces débats, de commencer par résumer la position adoptée par les principaux partis politiques présents sur la scène politique québécoise au sujet du partage des pouvoirs entre le gouvernement du Canada et celui du Québec, de même qu'au sujet de l'identité québécoise.

One State, One Nation

Avant de décrire la position adoptée par les principaux partis politiques du Québec au sujet du rapport qu'il devrait entretenir avec le Canada, il convient de préciser la configuration actuelle du régime constitutionnel canadien et notamment de la place qu'il réserve aux Québécois. En effet, c'est en fonction de ce dernier point que les partis politiques du Québec élaborent leurs programmes et leurs positions.

La constitution actuelle, celle qui a été rapatriée du Royaume-Uni en 1982, est inspirée de la notion du « *One state, One nation* » et elle privilégie l'option multiculturaliste. Cette nouvelle conception prend ses distances avec celle du dualisme canadien et de ses deux peuples fondateurs qui avaient prévalu au moment de la création du Canada en 1867. Selon le présent modèle du multiculturalisme, la culture québécoise, perçue comme l'une des nombreuses cultures qui composent le Canada, ne devrait bénéficier d'aucun traitement particulier pour parvenir à sa pleine expression. Ainsi, on cherche à faire abstraction de l'apport historique des Québécois à la construction de la fédération canadienne en tant qu'État multinational[1].

---

1. A-G. Gagnon, *La raison du plus fort : plaidoyer pour le fédéralisme multinational*, Montréal, Québec Amérique, Collection « Débats », 2008.

Cette vision du Canada s'est manifestée d'une façon toute particulière avec le rapatriement constitutionnel de 1982[2]. Sous la direction du premier ministre canadien de l'époque, Pierre Elliott Trudeau, les provinces anglophones et le gouvernement central s'entendirent pour reconsidérer les termes de la fédération sans l'assentiment du Québec. Dès lors, la nouvelle constitution s'écarte du bicéphalisme des deux peuples fondateurs qui prévalait, bien que parfois symboliquement, depuis 1867 et qui constituait pour beaucoup de Québécois le sens même de l'adhésion au fédéralisme canadien.

Dans les faits, depuis 1982, le gouvernement central d'Ottawa bénéficie d'un pouvoir accru et les différentes provinces sont mises sur un pied d'égalité quant aux pouvoirs et aux compétences qu'elles peuvent exercer. En règle générale, le Québec ne peut exercer plus de pouvoirs que les autres États membres de la fédération canadienne, ce qui entre en opposition avec l'idéal poursuivi par le Québec qui réclame une plus grande marge de manoeuvre et un fédéralisme asymétrique laissant plus de place à la reconnaissance des identités particulières. Pour les nationalistes, les autonomistes et de nombreux fédéralistes québécois, un tel choix a pour effet de noyer l'identité québécoise dans les autres identités culturelles qui composent le pays, dont celle de la culture anglo-saxonne et celles des cultures héritées de l'immigration.

Le fait qu'elle rende encore plus difficile toute modification qui permettrait d'accorder une plus grande reconnaissance aux spécificités du Québec contribue également à rendre impopulaire au Québec la Constitution canadienne de 1982. Aucun parti politique au Québec, qu'il

---

2. Le rapatriement constitutionnel de 1982, qu'on nomme aussi « Canada Bill », ramène à Ottawa la constitution qui se trouvait encore à Londres. Avec ce geste, un des derniers vestiges de l'époque coloniale s'efface et le Canada devient officiellement un état pleinement indépendant : la Grande-Bretagne n'aura plus à accorder son autorisation pour que la constitution soit modifiée. Désormais, la plupart des modifications nécessiteront un accord des deux tiers des provinces, représentant 50 % de la population canadienne. Certaines modifications exigeront l'unanimité ; d'autres pourront être convenues en accord mutuel entre un État membre et le gouvernement central.

soit fédéraliste, souverainiste ou autonomiste, ne s'est déclaré favorable à cette Constitution adoptée, faut-il le rappeler, sans l'assentiment du Québec. Cette insatisfaction générale quant à la teneur de l'actuelle constitution alimente les débats et les tensions entre les différents partis politiques, tant sur l'échiquier politique québécois que sur la scène politique canadienne.

Le fédéralisme modéré du Parti libéral du Québec

Créé en 1867, le Parti libéral du Québec (PLQ) puise son origine dans le Parti patriote qui, en 1837, avait appuyé la Rébellion au Bas-Canada qui s'est appelé le Québec, à partir de 1867. Ce parti est alors l'adversaire du Parti conservateur, perçu à l'époque comme hostile aux Canadiens français. Dès le XIXe siècle, le PLQ s'efforce de démocratiser les institutions québécoises et de lutter contre l'influence de l'Église. Après l'ère du gouvernement de Maurice Duplessis, qui a été au pouvoir de 1936 à 1939 puis de 1944 à 1959 alors qu'un vent conservateur souffle sur le Québec, 1960 amorce le retour au pouvoir du Parti libéral du Québec. Cette décennie correspond à ce qu'on appelle la Révolution tranquille qui se caractérise notamment, par la mise en place d'un État moderne qui intervient dans tous les domaines à travers des politiques progressistes, mais aussi par une certaine libéralisation des moeurs qu'on rapproche habituellement aux événements de mai 1968, en France, et à la contre-culture aux États-Unis. Or, il convient de rappeler ici que le PLQ a souvent été à l'avant-garde en matière de justice sociale et de défense des intérêts québécois en adoptant des politiques économiques, sociales et culturelles qui ont conduit, par exemple, à la nationalisation du secteur de l'hydro-électricité et à l'élargissement de la politique d'accès à l'éducation au cours des années soixante, puis pendant la première moitié des années soixante-dix, à la proclamation du français comme langue officielle (1974) ou encore à l'adoption de la charte québécoise des droits et libertés de la personne (1975).

Avec la création du Parti québécois (PQ) en 1968, le Parti libéral se verra toutefois déborder sur son aile gauche. Il se définira alors essentiellement en opposition avec ce dernier, notamment quant au projet de souveraineté du Québec et à son orientation sociale-démocrate.

Au cours des années quatre-vingt, inspiré par le modèle prôné par des économistes orthodoxes libéraux, le PLQ défend une position anti-interventionniste et avance un certain conservatisme et propose une forte réduction des dépenses publiques. Il cherche alors à entreprendre un plan de modernisation des services publics, de rationalisation des coûts de ces services et de déréglementation, ce qui renforce son opposition à un PQ résolument attaché à la préservation de l'État-providence. Toutefois, devant la pression populaire, le PLQ n'alla pas très loin avec son train de réformes.

Sur la question de la souveraineté du Québec, le PLQ s'oppose à ce projet. Lors des référendums de 1980 et de 1995, il mène une campagne en faveur du « non », bénéficiant de l'appui massif des électeurs non francophones et des minorités culturelles. Une telle prise de position ne signifie pas pour autant que le PLQ soit opposé au nationalisme québécois. Certains de ses membres sont favorables à un fédéralisme ouvert à la décentralisation des pouvoirs et à la reconnaissance constitutionnelle du peuple québécois[3], mais les chefs de file de ce parti considèrent que l'intérêt du peuple québécois réside d'abord et avant tout dans le maintien du Québec au sein de la fédération canadienne.

Tout en s'opposant à l'indépendance du Québec, le PLQ revendique néanmoins une plus grande autonomie pour le Québec à l'intérieur de

---

3. Notons ici que les nationalistes d'orientation fédéraliste qui souhaitent une reconnaissance constitutionnelle des spécificités québécoises au sein du système fédéral sont très proches de certains souverainistes modérés. À titre d'illustration, Lucien Bouchard, ancien ambassadeur du Québec à Paris, a subséquemment servi le gouvernement canadien en tant que ministre, avant de faire le saut en politique québécoise pour prendre le leadership des forces souverainistes au Québec lors du référendum de 1995. Au lendemain de la défaite référendaire et du retrait de Jacques Parizeau comme chef de gouvernement, Lucien Bouchard a pris quelque temps la direction du Parti québécois et a assumé les fonctions de premier ministre du Québec.

la fédération. À la suite de l'échec du référendum sur la souveraineté-association, en mai 1980, Robert Bourassa, qui dirigeait alors le PLQ, plaida auprès du gouvernement fédéral pour que le Québec soit constitutionnellement reconnu comme une société distincte au sein du Canada. Il lança un projet de réforme constitutionnelle, connu sous le nom de l'Accord du lac Meech[4], qui prévoyait entre autres choses l'attribution de pouvoirs accrus en matière d'immigration ainsi qu'une plus grande participation du Québec dans la gestion des affaires fédérales canadiennes. Ce projet d'accord, qui finalement n'aboutira pas, démontre l'effort fait par le PLQ pour défendre des positions autonomistes qui, bien sûr, restent bien en retrait par rapport aux revendications du Parti québécois.

Peu de temps après l'échec de l'Accord du lac Meech, dans un contexte particulièrement difficile, le PLQ finit par accepter, en 1992, un compromis qui, à la suite de nouvelles négociations constitutionnelles entre le gouvernement du Canada et ceux des provinces, avait fait l'objet de l'Accord de Charlottetown. En vertu de cet accord le Québec obtenait d'être reconnu comme société distincte au sein du Canada, mais la réforme du fédéralisme était beaucoup plus modeste que celle qui avait été négociée dans le cadre de l'accord du lac Meech. La plupart des Libéraux provinciaux accorderont néanmoins leur appui à l'Accord de Charlottetown. Une faction s'y opposa et quitta le PLQ pour fonder, en mars 1994, l'action démocratique du Québec (ADQ), dont les deux principaux dirigeants étaient Jean Allaire et Mario Dumont.

---

4. L'Accord du lac Meech n'a jamais été entériné par toutes les provinces du Canada dans les délais prescrits et n'a, par conséquent, pas été validé. Il prévoyait notamment des modifications à la Constitution canadienne :

- une reconnaissance du Québec comme société distincte et de l'existence des faits français et anglais,
- des pouvoirs provinciaux accrus dans la gestion de l'immigration,
- que les provinces disposent d'un droit de veto à l'égard de certains amendements importants à la Constitution,
- que les trois juges québécois de la Cour suprême du Canada soient nommés par le gouvernement fédéral sur proposition du gouvernement du Québec.

Le néo-nationalisme et le projet de souveraineté

Conscients que le Québec est composé de la plus importante minorité francophone au Canada et est en même temps la seule société majoritairement francophone en Amérique du Nord, les souverainistes québécois d'aujourd'hui revendiquent des pouvoirs permettant au gouvernement du Québec de préserver et de promouvoir l'identité québécoise, comme l'avaient fait avant eux les Patriotes, en 1837, ou plus récemment les Gens de l'Air en 1975[5]. Pour eux, l'indépendance est perçue comme une solution optimale dans la mesure où elle peut apporter les outils nécessaires pour assurer un développement économique, social et culturel propre aux Québécois.

Avant les années soixante, le nationalisme québécois se référait à un conservatisme social et aux valeurs de l'Ancien Régime. L'identité québécoise était alors étroitement liée au catholicisme, qui avait été un important marqueur identitaire distinguant les Canadiens français des Canadiens anglais, à l'exception des Irlandais. Le Québec proposait un type de nationalisme de survivance. Au cours de la Révolution tranquille, ce nationalisme traditionnel est délogé par un « néo-nationalisme » qui en rénove et en modernise la définition. On passe d'une conception ethniquement centré de la nation, axée sur les descendants des colons français, à une vision territoriale, englobant l'ensemble des habitants de la province de Québec, autrement dit à une conception civique de la nationalité[6]. Le Québec se sentait porteur d'une nouvelle mission au sein des Amériques, une mission qui n'était plus centrée sur la religion, mais bien sur la défense et la promotion de la langue française et de la culture d'expression française.

Le développement des moyens de communication de l'époque (radio, télévision) a aidé les Canadiens français à prendre conscience qu'ils

---

5. Créée en 1975 dans un contexte où il était interdit aux pilotes d'avion de communiquer en français avec les centres de contrôle, mais aussi entre eux dans les cabines de pilotage, y compris sur le territoire québécois, l'Association des gens de l'Air du Québec (AGAQ) a pour but de promouvoir l'avancement et la promotion socio-économique des francophones au sein de l'aviation civile sur les plans régional, national et international.

6. Sur ce point, le mouvement indépendantiste a dû s'affranchir de l'étiquette de nationalisme ethnique dont on l'a affublée, cherchant à proposer une définition plus inclusive.

formaient une société distincte. La progression de l'influence des médias dans leur quotidien a eu pour effet de leur ouvrir une fenêtre sur le monde extérieur et de les amener à s'approprier leurs spécificités, notamment linguistique[7]. Autant d'éléments fertiles à l'éclosion d'un néo-nationalisme vigoureux, porté par la mission historique de représenter la seule société majoritairement francophone d'Amérique du Nord.

Le Parti québécois puise ses racines à la fois dans cette nouvelle manière de concevoir le nationalisme et dans la nouvelle donne politique des années soixante. Fondé en 1968, ce parti est né de la fusion de deux formations politiques : le Mouvement souveraineté-association (MSA) et le Ralliement national (RN) auquel se joindront subséquemment plusieurs membres du Rassemblement pour l'indépendance nationale (RIN). Il y a lieu de souligner ici la diversité des traditions politiques qui servent de fondements à ce parti. Alors que le RN est situé clairement à droite de l'échiquier politique, le MSA est formé d'anciens cadres du Parti libéral, et le RIN s'inspire quant à lui des mouvements postcoloniaux de l'époque[8], recrutant ses sympathisants parmi la classe moyenne montante : professeurs, syndicalistes et fonctionnaires. Cette hétérogénéité, bien que donnant au parti des bases plus larges, constituera à n'en point douter une source d'instabilité compte tenu que les groupes qui sont à l'origine du PQ proposeront bien souvent des conceptions politiques et idéologiques très différentes, au risque de ne se rejoindre vraiment qu'au sujet de la question nationale[9].

7. Louis Balthazar, « La dynamique du nationalisme québécois » dans Gérard Bergeron et Réjean Pelletier, (dir.) *L'État du Québec en devenir*, Montréal, Les Éditions du Boréal, 1980, pp. 38-41.

8. Le mouvement postcolonial entend remettre en cause les modes de perception et les représentations péjoratives dont les colonisés ont été victimes. Il rencontre un écho particulièrement fort au Québec, notamment grâce aux écrits de Frantz Fanon. La revue *Parti Pris* y tirera une partie importante de son inspiration.

9. À cette hétérogénéité idéologique, s'ajoute selon Don Murray et Vera Murray une division entre « technocrates » et « participationnistes ». Pour les premiers, anciens membres du Parti libéral à l'instar de René Lévesque, le but du PQ doit être la modernisation et l'efficacité économique, ceci impliquant performance, centralisation des programmes gouvernementaux et des services, alors qu'une autre tendance à l'intérieur du parti, les « participationnistes », était plus concernée par l'aspect social du changement, prônant une plus grande décentralisation du processus de décision. À ce propos, voir « The Parti québécois, from Opposition to Power » dans Hugh G. Thorburn, (dir.), *Party Politics in Canada*, 4ᵉ édition, Scarborough, Prentice-Hall, 1979, pp. 243-254.

Le projet de souveraineté du Québec fait donc appel à différentes approches ou conceptions et pour parvenir à en saisir la portée, il est sans doute indiqué de fournir ici quelques explications au sujet du vocable employé et de la distinction entre les différentes variantes du souverainisme. Les indépendantistes sont en faveur de l'indépendance pure et simple du Québec et de son retrait du Canada. Quant aux partisans de la souveraineté-association,[10] ils estiment que la souveraineté doit être accompagnée d'un nouvel accord économique avec le Canada.[11] Au cours des années 1970, le mot « association » avait une importance plus grande qu'elle n'en a aujourd'hui. À l'époque, les barrières tarifaires avec les États-Unis, le principal client du Québec, étaient encore importantes et certains craignaient ou faisaient craindre qu'en cas de sécession du Québec, le Canada boycotte ses exportations, ce qui aurait pu lui faire vivre des lendemains économiques difficiles. Depuis la signature de l'Accord de libre-échange en 1989[12], la nécessité de l'association économique avec le Canada est devenue moins centrale dans le débat, dans la mesure où un Québec indépendant pourrait espérer pouvoir continuer à exporter ses produits ouvertement vers les États-Unis. Dès lors, la notion de « association » est graduellement tombé en désuétude, au profit de « souveraineté ».

Le rôle de l'État au cœur du projet souverainiste

Un des traits marquants de la pensée souverainiste qui se définit à compter de la fin des années soixante est le fait qu'elle attribue à l'État la

---

10. Le terme, qui apparaît pour la première fois dans le manifeste politique de René Lévesque, *Option Québec* (1968), est fréquemment employé au cours des années soixante-dix.

11. Le type d'association souhaité entre un Québec indépendant et le reste du Canada était décrit comme une union monétaire et douanière et comprenait également des institutions communes visant à administrer les relations entre les deux pays. La principale source d'inspiration de ce concept était la jeune Communauté européenne, créée en 1957 par le traité de Rome.

12. Signé en 1989, l'Accord de libre-échange entre le Canada et les États-Unis prévoit la suppression des obstacles au commerce. Il constitue le premier pas vers l'Accord de libre-échange nord-américain de 1994 (ALENA), qui inclura le Mexique.

mission d'assurer la modernisation sociale et l'épanouissement collectif du Québec. Plusieurs facteurs expliquent cette orientation.

D'un point de vue purement pragmatique, à compter des années soixante et en raison du rôle important que la Révolution tranquille accorde aux politiques publiques de développement social et culturel autant qu'économique, l'État est l'instrument auquel ont le plus facilement accès les Québécois francophones. Dominés économiquement, ces derniers peuvent désormais utiliser à leur profit une partie des leviers économiques dont ils avaient été largement exclus par les anglophones au cours des décennies précédentes.

Dans ce contexte de bouleversements entraînés par la Révolution tranquille où la sécularisation est croissante et où périclitent les référents traditionnels qu'étaient l'Église catholique et le mode de vie rural, l'État est perçu comme le principal moteur du changement, notamment dans les domaines de la santé, de l'aide sociale et de l'éducation, mais aussi dans celui de l'économie. Porté par les jeunes générations, le nationalisme a ainsi bénéficié de la place laissée vacante par l'Église en affirmant une identité collective laïque. Ce parti pris en faveur de l'État eut d'ailleurs un impact sur l'orientation sociale-démocrate et dirigiste du programme économique du Parti québécois.

Moins de dix après sa fondation, le Parti québécois obtient la majorité des sièges aux élections de 1976 et devient l'un des deux grands partis représentés à l'Assemblée nationale, prenant ainsi la place qu'occupait auparavant l'Union nationale. Cependant, en 1980, puis à nouveau en 1995, il essuie deux revers lors de référendums qui se sont tenus à son initiative et dont les résultats ont été extrêmement serrés la seconde fois[13]. Désavoué dans l'essence même de son objectif politique, le PQ est contraint de redéfinir pour un temps ses priorités.

---

13. Les résultats des référendums furent les suivants :
   • 1980 : 59,56 % pour le non et 40,44 % pour le oui.
   • 1995 : 50,59 % pour le non et 49,41 % pour le oui (pour un écart de 52 000 voix).

Au cours de la deuxième moitié des années quatre-vingt-dix, le Parti québécois a adopté une orientation plus centriste avec à sa tête Lucien Bouchard. Depuis le référendum de 1995, la direction du parti a généralement mis le projet de souveraineté en veilleuse, ce qui a provoqué l'irritation de certains de ses cadres et de ses membres dont quelques-uns ont quitté le parti pour fonder à l'automme 2007 le Parti Indépendantiste qui prône un renforcement de la *Loi 101* et l'accession à l'indépendance sans passer par un référendum. D'autres partisans, plus nombreux, en provenance du mouvement syndical, ont préféré demeurer actifs au sein du PQ en se structurant autour du club politique SPQ libre (Syndicalistes et progressistes pour un Québec libre).

Le PQ, fait d'un mélange de nationalisme et d'étatisme, a connu ces dernières années une décrue et subit aujourd'hui la concurrence électorale d'un jeune parti, l'ADQ, revendiquant pour lui seul le principe de l'autonomie.

La position autonomiste de l'Action démocratique du Québec

Les « Autonomistes » sont ceux qui désirent accroître la marge de manœuvre juridique et constitutionnelle du Québec dans l'espace politique canadien et qui, de ce fait, revendiquent un fédéralisme plus souple et plus respectueux de l'identité québécoise. Historiquement, de nombreux membres du PLQ ont défendu cette conception, à l'image d'Honoré Mercier qui, à la fin du XIXe siècle, réclamait une plus grande latitude provinciale, s'opposant parfois vivement sur ce point aux Conservateurs. Sous le régime de l'Union nationale, dirigée par Maurice Duplessis, on a pu noter également une forte volonté d'affirmation de l'autonomie provinciale. Plusieurs ténors du Parti libéral du Québec ont aussi fait leurs les revendications autonomistes du Québec, s'inspirant en cela du rapport de la Commission Tremblay (1953-1956) sur les problèmes constitutionnels au Canada.

Le concept a été repris plus récemment par l'Action démocratique du Québec, parti fondé en 1994 par un groupe de dissidents du PLQ qui considéraient les Libéraux trop timorés sur la question nationale. Les cadres de ce nouveau parti, Jean Allaire et Mario Dumont, appuyaient le rapport Allaire, un document prônant un accroissement des pouvoirs du gouvernement du Québec au sein de la fédération, une position que les Libéraux provinciaux avaient écarté au profit de l'entente de Charlottetown. Voici comment le décrivent quelques observateurs de la scène politique :

> Le programme de l'ADQ, comme celui de l'Union nationale, a un parti pris pour les régions plutôt que pour la métropole (le programme de l'ADQ est pratiquement muet au sujet du développement de Montréal), pour les intérêts des entrepreneurs locaux plutôt que pour les moins nantis, pour la famille comme centre de la vie collective plutôt que pour les groupes d'intérêts socioéconomiques, pour l'initiative individuelle plutôt que pour la solidarité. Au chapitre du discours, l'ADQ ne propose pas tant une nouvelle Révolution tranquille qu'une contre-Révolution tranquille renouant avec un certain populisme québécois, représenté entre autres dans les années soixante par le Crédit social. Ce parti s'était démarqué en se faisant le défenseur d'une prétendue majorité silencieuse – aujourd'hui, il s'agit pour l'ADQ de se faire le défenseur de la classe moyenne –pour dénoncer les groupes particuliers.[14]

Il est à rappeler que Mario Dumont a fait campagne pour le « Oui » lors du référendum de 1995, et ce, au nom de l'autonomie provinciale. Après l'échec de ce référendum, il proclame un moratoire sur la question nationale, ce qui lui vaut de se faire accuser de ne pas avoir de point de vue clair et tranché sur cette question. On perçoit dès lors une volonté nette de se démarquer des deux autres grands partis politiques québécois en proposant une « troisième voie » se situant entre les deux options habituelles : l'autonomie est alors présentée comme un juste milieu entre le fédéralisme incarné par les libéraux et la souveraineté prônée par le Parti québécois.

---

14. O. de Champlain, A-G. Gagnon et L. Turgeon, « L'Action démocratique du Québec : un tiers parti en quête de pouvoir », *Le Devoir*, 11 juillet 2002.

En matière économique, l'ADQ met en avant le « pragmatisme » et prône une politique de centre-droit, cherchant à réduire le nombre de fonctionnaires et à accroître la part du secteur privé dans les systèmes d'éducation et de santé. Depuis 2002, ce parti a vu sa popularité croître et il a effectué une percée remarquée lors des élections de mars 2007. Comme le note le politologue Vincent Lemieux, une partie de ce succès est attribuable au fait que, comme l'Union nationale de Maurice Duplessis ou le Parti québécois de René Lévesque, l'ADQ semble avoir le soutien d'une génération politique nouvelle. La question est de savoir si ce parti parviendra à s'inscrire dans la durée. Au cours des derniers mois, l'ADQ semble faire du surplace et éprouver des difficultés à s'imposer en tant que parti formant l'opposition officielle à l'Assemblée nationale du Québec.

Au terme de ce tour d'horizon, il apparaît clairement que le déficit de reconnaissance du Québec et sa mise à l'écart lors des négociations qui ont conduit au rapatriement de la Constitution canadienne en 1982 pèsent lourd dans l'insatisfaction générale au sujet du fédéralisme canadien. Cette insatisfaction se reflète dans les positions des partis politiques québécois qui, à des degrés divers, souhaitent tous une plus grande marge de manœuvre pour le Québec. Malgré les échecs des deux référendums de 1980 et de 1995, la question de la place constitutionnelle du Québec reste donc d'une brûlante actualité.

La montée des mouvements régionalistes et nationalistes à travers le monde, les bouleversements de l'économie et l'accélération des flux migratoires confèrent à la quête de souveraineté un caractère nouveau, la rendant plus prégnante encore qu'il y a quelques décennies.

En somme, le cas du Québec pose la délicate question de la formule constitutionnelle qu'il convient de retenir dans les États composés de différentes nations et de minorités nationales. La persistance de l'insatisfaction partagée par tous les partis politiques québécois au sujet du fonctionnement du fédéralisme canadien est sans doute de nature à s'interroger au sujet de la pertinence d'un modèle de fédéralisme asymétrique ou d'une formule multinationale qui pourrait répondre au défi de la pluralité des appartenances culturelles, linguistiques et religieuses au sein d'un même État.

Bibliographie

BALTHAZAR Louis, « La dynamique du nationalisme québécois » dans Gérard Bergeron et Réjean Pelletier dir., *L'État du Québec en devenir*, Montréal, Les Éditions du Boréal, 1980, 416 p.

BALTHAZAR Louis et HERO JR Alfred O., *Le Québec dans l'espace américain*, Montréal, Québec Amérique, Collection « Débats », 1999, 384 p.

BERGERON Gérard et PELLETIER Réjean (dir.), *L'État du Québec en devenir*, Montréal, Boréal Express, 1980, 416 p.

CHAMPLAIN Olivier de, GAGNON Alain-G. et TURGEON Luc, « L'Action démocratique du Québec : un tiers parti en quête de pouvoir », *Le Devoir*, 11 juillet 2002.

CROISAT Maurice, *Le Fédéralisme canadien et la question du Québec*, Paris, Anthropos, 1979, 397 p.

CROISAT Maurice, PETITEVILLE Franck et TOURNON Jean, *Le Canada, d'un référendum à l'autre : les relations politiques entre le Canada et le Québec : (1980-1992)*, Talence, Association française d'études canadiennes, 1992, 136 p.

GAGNON Alain-G., *La Raison du plus fort : plaidoyer pour le fédéralisme multinational*, Montréal, Québec Amérique, Collection « Débats », 2008.

GAGNON Alain-G. (dir.), *Le Fédéralisme canadien contemporain : fondements, traditions, institutions*, Montréal, Les Presses de l'Université de Montréal, 2006, 559 p.

GAGNON Alain-G. et MONTCALM Mary Beth, *Québec : au-delà de la Révolution tranquille*, Montréal, VLB Éditeur, 1992, 333 p.

LEMIEUX Vincent, *Le Parti libéral du Québec*, Sainte-Foy, Les Presses de l'Université Laval, 1993, 257 p.

MURRAY Don et MURRAY Vera, « The Parti québécois, from Opposition to Power » dans Hugh G. Thorburn dir., *Party Politics in Canada*, 4e édition, Scarborough, Prentice-Hall, 1979, pp. 243-254.

Troisième partie

L'exportation nécessaire
d'une culture spécifique et originale

Écritures au féminin / Écritures migrantes
Littérature québécoise / Littérature postnationale

Yannick Resch

L'effervescence culturelle produite par la Révolution tranquille a marqué profondément la littérature du Québec. Appelée dorénavant québécoise et non plus canadienne-française, la littérature va, en associant son nom à l'espace québécois, répondre au grand projet collectif de la fondation du territoire. La poésie en témoigne avec force à travers des recueils au titre éloquent tels *Recours au pays* (1961) de Jean-Guy Pilon, *Terre Québec* (1964) de Paul Chamberland, *Pays sans parole* (1967) d'Yves Préfontaine. Mais au-delà de la thématique du pays, de l'enracinement, de la fondation, les poètes prennent conscience de la situation d'aliénation coloniale dans laquelle se trouve plongée la société québécoise . Dans un immense et douloureux cri de révolte, Paul Chamberland clame sa volonté [d'] « effacer l'infamie que c'est d'être Canadien français »[1] A la différence de ceux de la génération précédente, le poète sera, comme l'écrit Gaston Miron, « sur la place publique avec les [s]iens »[2]. Parallèlement, la fiction s'engage dans cette vaste entreprise de décolonisation. Les romanciers, nourris à la pensée de Berque, Memmi et Sartre, au sein de la revue *Parti pris*, lancée en 1963, optent pour une langue-reflet et symbole de cette dépossession culturelle et sociale : le *joual*. En utilisant la langue populaire, les écrivains comme Jacques Renaud *(Le Cassé*, 1964), André Major (*La Chair de poule*, 1965) et au théâtre, Michel Tremblay (*Les Belles-sœurs*, 1968), ont grandement participé non seulement à susciter une prise de conscience de l'état de la langue, mais aussi à retourner celle-ci en revendication et en invention. La production littéraire des années soixante a contribué ainsi à la constitution d'une identité nationale.

1. P. Chamberland, *L'afficheur hurle*, éditions de l'Hexagone, 1964, repris dans *Terre Québec* suivi de *L'afficheur hurle* et de *L'Inavouable*, Typo, Montréal, 2003.
2. G. Miron, « Sur la place publique » dans *L'homme rapaillé*, Poésie / Gallimard, 1999, p. 100.

Après cette période, un renouvellement devient nécessaire pour les écrivains qui ne se retrouvent pas dans cette écriture consensuelle d'un « nous » québécois.

Deux champs d'écriture ont permis à la littérature québécoise de ne point se résumer à la seule mais pourtant sensible question nationale. C'est d'abord celui de l'écriture des femmes qui se développe au cours des années soixante-dix puis, dans les années quatre-vingt, celui d'une écriture migrante révélant la fécondité de voix venues d'ailleurs qui ont fait le choix ds'exprimer en français.

La parole des femmes

Dans les années soixante-dix, le Québec, comme les États-Unis et l'Europe, est traversé par un vaste mouvement de réflexion et d'engagement des femmes luttant pour leur émancipation et leur place sur la scène publique. Leur prise de parole, dans les premières revues féministes des années soixante-dix, apparaît d'autant plus remarquable que dans les revues d'idées de la décennie précédente, les collaborations féminines sont rares. On notera qu'il n'y en a aucune à *Parti pris*. C'est en groupe qu'elles vont faire entendre leurs voix, mais à la différence du Nous québécois, le Nous des féministes ne s'oppose pas nécessairement à l'Autre, même si elles prennent position contre l'oppression. Elles revendiquent surtout l'affirmation positive de soi en tant que sujet. Le Nous des féministes n'est pas le Nous nationaliste. Il est la somme de plusieurs individualités, de plusieurs « Je » qui affirment une identité différente et plurielle. Ce que concrétisera dans la décennie suivante, *La parole métèque* (1987), une revue qui donne la parole aux femmes immigrantes et participe ainsi de ce deuxième mouvement qui interroge la spécificité de la littérature québécoise, celui de l'interculturel.

La prise de conscience féministe se traduit notamment par la création en 1971 du « Front de libération des femmes » (1969-1971), du « Centre des femmes » (1972-1975) et du « Comité de lutte pour l'avortement libre et gratuit » (1974). Sur le plan de la pensée et de l'écriture, des auteures s'interrogent non seulement sur la situation des femmes à travers la langue et les idéologies, mais sur l'acte même d'écrire qui pour Nicole Brossard est aussi un acte politique : « écrire je suis une femme est plein de conséquences [3]». Sur le plan institutionnel, la création des Éditions de la Pleine Lune (1975), du Remue-ménage (1977) et l'ouverture de la première Librairie des femmes (1975) expriment les idées de ce nouveau féminisme et accompagnent la publication de nombreuses revues, *Québécoises debutte* (1969-1974) ; *Les Têtes de pioche* (1976-1979) ; *Des luttes et des rires de femmes* (1977-1981) ; *La Vie en rose* (1980-1987) où se cherche, sous forme de débats passionnés, un féminin du langage. À Montréal, sous le patronage de la revue *Liberté*, la rencontre internationale des écrivains, en 1975, a pour thème « La Femme et l'écriture », en écho au numéro préparé par Nicole Brossard, « Femme et langage », à *la Barre du jour*. Cette initiative sera poursuivie par *La Nouvelle Barre du jour* avec la publication de numéros tels que « Le corps, les mots, l'imaginaire », « La femme et la ville », « Femmes scandales », « Femmes de lettres »…

Le théâtre se positionne dans cette prise de parole féminine avec des créations qui feront salle comble : *La nef des sorcières*, pièce composée de monologues écrits par un collectif de femmes, en 1976, fait office de pionnière dans la dénonciation de l'oppression et la réhabilitation de l'homosexualité au féminin. *Les fées ont soif* (1978) de Denise Boucher, qui fait scandale et tombe sous le coup de la censure, vise, à travers les figures de la vierge, de la mère et de la prostituée, à faire éclater les stéréotypes qu'une idéologie cléricale et machiste les a forcées à endosser. Le texte-combat *Tryptique lesbien* (1980), de Jovette Marchessault, met en scène des femmes aux dimensions mythiques et affirme des valeurs puisées dans le lointain souvenir d'une époque d'adoration de la Déesse-Mère. D'autres formes théâtrales enrichissent ce théâtre féministe comme les pièces d'analyse psychologique de Marie Laberge, *Avec l'hiver qui s'en vient* ou le drame historique d'Anne Hébert, *l'Ile de la Demoiselle*.

La réflexion féministe s'exprime dans l'essai, *Retailles* (1977) de Denise Boucher et Madeleine Gagnon et dans *Cyprine* (1978) de Denise Boucher.

---

3. N. Brossard, *L'Amèr ou Le Chapitre effrité*, Montréal, Quinze, 1977, p. 43.

Dans les années quatre-vingt, *l'Échappée des discours de l'œil* (1982) de Madeleine Ouellette-Michalska, ou *La Lettre aérienne* (1985) de Nicole Brossard, ou encore *Toute écriture est amour* (1989) de Madeleine Gagnon, prolongent l'interrogation sur l'écriture au féminin.

Cette ébullition intellectuelle qui conduit les femmes à prendre collectivement la parole ne doit pas occulter, bien entendu, certaines romancières et poètes qui, comme Gabrielle Roy (*Bonheur d'occasion*, prix Femina en 1948) ou Anne Hébert (*Les chambres de bois* publié en 1958) ont œuvré, dans les décennies précédentes, pour dénoncer la dépossession, l'aliénation et la soumission de la femme. De même, c'est au tournant des années soixante que Marie-Claire Blais (prix Médicis pour *Une saison dans la vie d'Emmanuel* en 1965) impose une écriture extrêmement neuve en subvertissant les codes du roman réaliste et du roman du terroir pour offrir un texte carnavalesque où s'entremêlent enfer et paradis, vie et mort, sacré et profane.

Les années soixante-dix montrent avec force la vitalité de la création littéraire au féminin, la diversité des expériences, des pratiques et des questionnements qui prennent appui sur le marxisme, sur la psychanalyse ou sur le lesbianisme. L'écriture au féminin investit tous les genres littéraires, les pratique dans la mixité, explorant de nouveaux rapports entre théorie, fiction et autobiographie. Il s'agit de faire advenir une parole plurielle, collective, interchangeable. Il s'agit surtout de créer un nouveau langage pour ne plus se sentir étrangère à soi : les chefs de file, Nicole Brossard, cofondatrice des revues *La Barre du Jour* (1965), *Têtes de pioches*, puis de *La Nouvelle Barre du jour* (1977), France Théoret qui participe aussi à la fondation de *Spirale* (1979), Madeleine Gagnon, active dans des groupes féministes et marxistes, jouent un rôle de premier plan de par leurs implications éditoriales et leur engagement politique.

Nicole Brossard, très commentée et largement traduite à l'étranger, s'est rapidement imposée dans le panorama des lettres québécoises. Affirmant en politique un lesbianisme radical, qu'elle célébrera dans son œuvre, elle expérimente d'abord une recherche sur le plan formel en s'efforçant d'évincer la subjectivité ou du moins de la décomposer avec *Suite logique* et *Le Centre blanc*, en 1970. Ce trajet premier, qui ne peut conduire qu'au silence, se transformera en une recherche féministe où le sujet femme s'inscrit dans un espace textuel qui introduit une nouvelle conception de la poésie dans *Amantes* (1980). Louise Dupré, reprenant une image chère à Nicole Brossard et commentant son travail, , parle d'une « écriture du « cortex » favorisant la rencontre entre *corps* et *texte* »[4]. Parallèlement à l'œuvre poétique, Nicole Brossard poursuit une œuvre romanesque avec la publication de *Un livre* (1970), *French Kiss* (1974) et *L'Amèr ou le Chapitre effrité* (1977), où s'affirme une esthétique urbaine et baroque, partagée par une génération de romancières. Cette esthétique sera une des caractéristiques des années quatre-vingt.

S'éloignant du formalisme, France Théoret questionne aussi la langue et cherche à trouver « sa » langue, celle de la femme, au sein du langage masculin. Démarche tragique que le travail poétique permet de poursuivre à travers des œuvres comme *Bloody Mary* (1977), *Une voix pour Odile* (1978), *Vertiges* (1979) et *Nécessairement putain* (1980). Dans ces œuvres, des thèmes apparaissent de façon récurrente, dont ceux du corps et de la sexualité qui font ressortir, jusqu'au paroxysme, un féminin de la langue qui se libère par la violence ou la grossièreté : « L'engorgée la possédée l'enfirouâpée la plâtrée la trou d'cul l'odalisque la livrée la viarge succube fend la verge fend la langue serre les dents. Des passes, je me fais la passe, je suis ma propre maison de passe »[5].

Après une poésie de révolte et d'engagement, qui s'exprime dans *Pour les femmes et tous les autres* (1974) ou dans *Poélitique* (1975), Madeleine Gagnon s'attache à creuser un féminin plus intime. Son écriture exprime le besoin d'un dire qui se risque à « l'erreur et l'abandon », une voix du dedans, intense, irrépressible, qui tente de remonter à l'origine pour rejoindre la figure de la mère, ce sujet perdu. De la poésie à la fiction, l'écriture apparaît comme un antidote à l'absence, au manque tout en sachant

4. L. Dupré, *Stratégies du vertige, trois poètes, Nicole Brossard, Madeleine Gagnon, France Théoret*, Les Editions du remue-ménage, Montréal, 1989, p. 104.
5. F. Théoret, *Bloody Mary* [1977], Typo / poésie, Montréal, 1991, p. 26.

qu'elle n'est qu'approximation. Le lien se fait dans une longue traversée archéologique de *Lueur, roman archéologique* (1979), à *Antre*, (1978), puis à *La lettre infinie* où se dit le désir de « [s] 'écrire à l'infini »[6].

Chez des écrivaines comme Anne-Marie Alonzo, Denise Desautels ou Josée Yvon, on retrouve une thématique commune telle que le rapport au corps, à la mère, à l'oppression, à la folie, mais la recherche d'une identité-femme devient moins aiguë dans la décennie suivante. Si la narratrice de *Lettres d'une autre* , essai-fiction de Lise Gauvin, se demande « Comment peut-on être québécoise? »[7] la réponse à cette question, toujours fondamentale dans le Québec post-référendaire, s'aventure hors des chemins de la réflexion féministe développée au cours des années soixante-dix. Passée la période du féminisme radical, l'écriture au féminin explore, dans les années quatre-vingt, de nouvelles formes de la subjectivité. La référence au politique, comme le note Louise Dupré, se fait plus discrète. Les femmes se tournent plutôt du côté de l'intimité, de la mémoire, du quotidien, de la ville, du corps que l'on explore, que l'on désire. La réflexion lucide sur soi s'accompagne d'une réflexion sur les liens qu'entretiennent le moi avec autrui. C'est l'âge de la prose, qui brouille les frontières entre récit, poésie et fiction, et qui s'affirme notamment avec *La vie en prose (*1980) de Yolande Villemaire, *Maryse* (1983) de Francine Noël, *Encore une partie pour Berri* (1985) de Pauline Harvey, *Galatée* de Suzanne Jacob, *le Sexe des étoiles* (1987) de Monique Proulx ou encore *Copies conformes* (1989) de Monique LaRue.

Caractérisées par une thématique et une poétique postmodernes, ces écritures disent le plaisir de la parole, du bavardage, à travers l'hétérogénéité énonciative, le brouillage des genres, le recours à l'intertextualité et l'autoréférentialité. *La vie en prose* en est probablement le texte le plus emblématique. Dans ce roman circulent des voix de femmes qui tendent à brouiller leur identité individuelle en une seule voix collective. Elles s'approprient des sujets divers (littéraires, linguistiques, psychologiques, ésotériques, sociaux) ainsi que des pratiques d'écriture multiples (lettres,

---

6. M. Gagnon, *La Lettre infinie*, Montréal, VLB éditeur, 1984.

7. L. Gauvin, *Lettres d'une autre*, Montréal et Paris, l'Hexagone / le Castor astral,1984.

manuscrit, roman). Il s'agit là d'un texte ouvert, mouvant, qui s'ouvre par le biais des citations et des références, à une culture universelle sur un mode éminemment ludique. Si la quête d'une écriture spécifiquement féminine semble bien dépassée, le féminin reste présent dans ce roman par le choix des personnages, l'importance accordée au quotidien, à la conversation, aux jeux de mots à saveur féministe. L'humour a remplacé le sérieux du discours féministe des années soixante-dix. Sans défendre de thèse, c'est toujours une méditation sur les relations entre femmes, sur leur place dans la société, sur les rapports mère/enfant qu'offrent de nombreux écrits comme ceux de Nicole Houde, La *Maison du remous* (1986), de Lise Tremblay, *L'Hiver de pluie* (1990), d'Élise Turcotte, *Le bruit des choses vivantes* (1991) et de Louise Dupré, *La Memoria* (1996). On n'écrit plus *sur* le féminin, mais c'est encore *à partir* du féminin que plusieurs de ces poètes et romancières écrivent, pour tracer dans la langue comme le dit Louise Dupré à propos de son travail, « des territoires mémoriels inédits »[8].

Écritures migrantes

L'arrivée sur la scène littéraire dans les années quatre-vingt de nombreux textes d'écrivains venus d'ailleurs, a ouvert, tout comme les textes écrits par des femmes, une brèche dans l'affirmation d'une identité qui s'était voulue longtemps « tricotée serré ». En relativisant les appartenances par leurs parcours migratoires, ces écrivains transcendent le concept même d'une littérature québécoise « nationale », fondée sur les topiques de « quête d'identité » et d'une « langue à soi ». Le phénomène n'est pas nouveau. Des écrivains étrangers avaient émigré au Québec avant cette date. C'est le cas notamment de Naïm Kattan (Irakien d'origine juive), Alice Parizeau (Polonaise) ou Monique Bosco (Autrichienne) qui avaient émigré dans les années cinquante. C'est le cas également de certains écrivains haïtiens dont Anthony Phelps , Gérard Étienne, ou Émile Ollivier

---

8. L. Dupré, « Écriture et sexuation, l'identité en question », Allocution à l'Académie des lettres et sciences humaines de la Société Royale du Canada, novembre 2002.

qui eux avaient émigré dans les années soixante. Cependant, ces écrivains constituaient des cas isolés et comme le souligne l'essayiste Sherry Simon, le corpus littéraire provenant de l'immigration était plutôt d'origine juive et s'exprimait en anglais. Avec la nouvelle génération d'écrivains immigrants se pose le problème du partage de la mémoire, de la culture, de la langue. Leurs écrits façonnent un nouvel imaginaire et confèrent une nouvelle dimension à la littérature québécoise.

Les origines de ces écrivains sont multiples (États-Unis, Liban, Égypte, Chine, Brésil, Haïti) tout comme sont diverses leurs expériences de l'immigration. Certains ont fui leur pays pour des raisons politiques. C'est le cas des immigrants en provenance d'Haïti, entre 1968 et 1983, ou du Liban ou du Brésil, du temps de la dictature militaire et de la guerre. D'autres sont partis par goût d'épanouissement et de liberté, comme la Chinoise Ying Chen. D'autres, enfin, sont nés au Québec de parents immigrés. La pluralité culturelle s'impose comme une problématique littéraire en 1983 : une date-charnière qui s'explique par la publication du roman de Régine Robin, *La Québécoite*, et de la création de la revue trilingue italien, français et anglais *Vice Versa*. D'autres revues confortent cette problématique : *Dérives, la Parole métèque, la Tribune juive*. Fulvio Caccia et Antonio d'Alfonso rassemblent dans *Quêtes*, les textes de dix-huit auteurs italo-québécois. Un autre recueil, *Sous le signe du Phénix. Entretien avec quinze créateurs italo-québécois*, dirigé par Fulvio Caccia, suivra en 1985. Des pièces de théâtre ainsi que des romans traitent de la question de l'exil. Ce thème se retrouve par exemple dans *Gens du silence, Addorata* et *Déjà l'agonie*, une trilogie théâtrale de Marco Micone, dans *La Québécoite*, de Régine Robin, dans *Irpinia*, de Fulvio Caccia, dans *Passages* et *Mère-Solitude* d'Émile Ollivier, ou encore dans *Comment faire l'amour avec un nègre sans se fatiguer*, de Dany Laferrière. Il se retrouve également dans des essais dont celui de Jean Jonassaint, *Le pouvoir des mots, les maux du pouvoir*, qui est un recueil d'entretiens avec des romanciers haïtiens de l'exil.

Ces œuvres sont concomitantes, du côté des critiques, avec de nouvelles approches qui amorcent une relecture du texte québécois à travers les notions de cosmopolitisme, d'exil intérieur et de migrance. Pierre

Nepveu, dans *L'écologie du réel. Mort et naissance de la littérature québécoise* (1988), Simon Harel, dans *Voleur de parcours. Identité et cosmopolitisme dans la littérature québécoise contemporaine* (1989) et Sherry Simon, Alexis Nouss, Robert Schwartzwald et Pierre L'Hérault, dans *Fictions de l'identitaire au Québec* (1991) insistent sur l'importance de l'hybridité et du métissage. Une perspective historique sur ce phénomène en sera donné par Clément Moison et Renate Hildebrand, dans *Ces étrangers du dedans : une histoire de l'écriture migrante au Québec* (1937-1997), (2001). L'expression « écriture migrante », attribuée au poète d'origine haïtienne Robert Berrouët-Oriol, va connaître au Québec une grande fortune critique au point d'être à nouveau interrogée par Simon Harel dans *Les passages obligés de l'écriture migrante*[9], qui y voit le danger de réduire la problématique de la migrance à la problématique du seul étranger.

Il faut à ce sujet souligner que l'épithète « migrant » lorsqu'il est attribué à l'écrivain, est souvent source de malaise ou d'irritation pour celui-ci qui le perçoit comme une étiquette ethnocentrique. Ainsi, Émile Ollivier né en Haïti, Bianca Zagolin d'origine italienne, mais éduquée en Français, Abla Fahroud, née au Liban, mais arrivée à six ans au Québec ou Ying Ghen, née à Shanghaï, ont manifesté leur préoccupation de voir ainsi leur œuvre ramenée au seul contenu sociologique. Cet épithète ne peut exprimer qu'une période, un moment historique, comme le rappelle Naïm Kattan dans *l'Écrivain migrant* (2001). En revanche, il prendra tout son sens lorsqu'il renvoie à des enjeux esthétiques.

Le roman emblématique qui relance le débat sur les impasses de l'identité « pure laine » d'une collectivité qui ghettoïserait les étrangers est *La Québécoite* (1983), de Régine Robin, une écrivaine d'origine juive et polonaise, qui a fait ses études à Paris avant d'émigrer au Québec. Le roman expérimente et met en scène « l'inquiétante étrangeté » d'une narratrice doublement exilée par sa judéité et sa venue à Montréal, au sein d'une langue commune avec les Québécois, mais qu'elle ne peut partager, car il s'agit d'un autre imaginaire : « Quelle angoisse certains

---

9. S. Harel, *Les passages obligés de l'écriture migrante 1*, Montréal, XYZ éditeur (coll. « Théorie et littérature »), 2005.

après midi – québécité – québécitude – je suis autre. Je n'appartiens pas à ce Nous si fréquemment utilisé ici – Nous autres – Vous autres. Faut se parler. On est bien chez nous. – une autre Histoire – l'incontournable étrangeté.»[10] Elle tente bien de s'approprier l'espace de la ville en mentionnant avec précision le nom des rues, des quartiers, des magasins, mais d'autres espaces se mêlent à ses errances. Montréal active la remémoration, le souvenir des lieux quittés. Mais il y a une autre voie pour celle qui vient d'ailleurs que celle du clivage pathologique qui mène au dédoublement ou à la schizophrénie, elle se situera dans un « espace nomade, espace d'une écriture migrante […] qui ne soit ni celui de l'exil ni celui du déracinement. Espace ni majoritaire ni minoritaire, ni marginal, inscrivant la permanence de l'autre, de la perte, du manque, de la non-coïncidence […]Un espace de jeu qui interroge et déplace»[11], que Régine Robin appelle aussi « l'écriture du hors-lieu » . Même si l'expérience de l'émigration ou de l'exil suscite, comme dans *La Fortune du passager* (1989) de Naïm Kattan, un violent désir d'intégration, quitter le lieu d'origine implique le fait de ne jamais habiter tout à fait aucun pays. Telle est la perception de l'immigré tiraillé entre l'impossibilité d'oublier ses origines et la difficulté de devenir autre. Le narrateur du *Pavillon des miroirs* (1994), de Sergio Kokis qui vit à Montréal depuis une vingtaine d'années, est lui aussi incapable de s'adapter à son nouveau milieu. Il est toujours hanté par les images de son passé. Mais c'est ce passé qui lui permet par le biais de la création artistique, ses tableaux formant un réseau de souvenirs, de « retrouver la vie ».

Cette problématique se retrouve chez les écrivains haïtiens de la première génération qui écrivent l'exil, l'errance entre l'ici et l'ailleurs, parfois la double appartenance. L'œuvre d'Émile Ollivier (décédé en 2002), qui se disait être « Haïtien la nuit, Québécois le jour », exprime dans une écriture polyphonique la lutte entre la mémoire et l'oubli dans *Mère solitude* (1983), *La Discorde aux cent voix* (1986) ou *Passages* (1991).

10. R. Robin, *La Québécoite*, Montréal / Typo 1983, p. 54.
11. R. Robin, « Sortir de l'ethnicité » dans *Métamorphoses d'une utopie*, F. Caccia et J-M Lacroix (dir.), Paris, Presses de la Sorbonne Nouvelle et Montréal Éditions Trypti-que, 1992, p. 37-38.

La deuxième génération, en revanche, va chercher à se défaire de l'éternel clivage identité/différence. Dany Laferrière, dont la vie se déroule à partir de Petit-Goâve puis à Montréal, New York, Miami et Port-au-Prince, puis revient à Miami, et à Montréal, affirme vivre « en Amérique ». Il refuse de se laisser enfermer dans l'image de l'écrivain écartelé entre deux cultures. Le roman *Comment faire l'amour avec un nègre sans se fatiguer* (1985) offre une réjouissante libération de la thématique de l'exil, qui vise à l'absorption jusqu'à outrance des stéréotypes nord-américains à l'égard des Noirs et des Noirs à l'égard des Blancs.

La richesse et la variété des écritures migrantes ont sans aucun doute ouvert la littérature québécoise à inscrire en son sein l'hétérogénéité. Reste que l'on peut se demander comment rassembler sous une même expression les écritures baroques des écrivains haïtiens, tels Émile Ollivier ou Dany Laferrière, qui restent hantés par la sensualité luxuriante de leur île qu'ils inscrivent dans un ensemble de textes autobiographiques et l'itinéraire épuré de Ying Chen, profondément marquée par un exil intérieur plus que circonstanciel qui tend à l'abstraction et laisse parler une voix de plus en plus dégagée du poids de la réalité. Tous à leur manière veulent s'inscrire plus largement au sein d'une « littérature-monde ».

Bibliographie

BROSSARD Nicole, *L'Amèr ou Le Chapitre effrité*, Montréal, Quinze, 1977, 99 p.

CHAMBERLAND Paul, *L'afficheur hurle*, éditions de l'Hexagone, 1964, repris gans *Terre Québec* suivi de *L'afficheur hurle* et de *L'Inavouable*, Typo, Montréal, 2003, 299 p.

DUPRÉ Louise, « Écriture et sexuation, l'identité en question », Allocution à l'Académie des lettres et sciences humaines de la Société Royale du Canada, novembre 2002.

DUPRÉ Louise, *Stratégies du Vertige ; trois poètes : Nicole Brossard, Madeleine Gagnon, France Théoret*, Les Éditions du remue-ménage, Montréal, 1989, 265 p.

GAGNON Madeleine, *La Lettre infinie*, Montréal, VLB éditeur, 1984, 108 p.

GAUVIN Lise, *Lettres d'une autre*, Montréal et Paris, l'Hexagone / le Castor astral,1984, 125 p.

HAREL Simon, *Les passages obligés de l'écriture migrante 1*, Montréal, XYZ éditeur (coll. « Théorie et littérature »), 2005, 250 p.

MIRON Gaston, « Sur la place publique » dans *L'homme rapaillé,*, Poésie / Gallimard, 1999, p. 100.

ROBIN Régine, *La Québécoite*, Montréal / Typo 1983, 200 p.

ROBIN Régine, « Sortir de l'ethnicité » dans *Métamorphoses d'une utopie*, Fulvio Caccia et Jean-Michel Lacroix (dir.), Paris, Presses de la Sorbonne Nouvelle et Montréal Éditions Tryptique, 1992, p. 37-38.

SHERRY Simon *et al*, *Fictions de l'identitaire au Québec*, XYZ, 1991, 185 p.

THÉORET France, *Bloody Mary* [1977], Typo / poésie, Montréal, 1991. 24 p.

Le théâtre québécois
Un théâtre distinctif et universel

Louise Vigeant

Le théâtre québécois est joué sur toutes les scènes, invité par des festivals ou des théâtres à travers le monde; traduite en plusieurs langues, la dramaturgie québécoise fait partie de l'immense bassin dans lequel les metteurs en scène puisent pour offrir à leurs contemporains matière à miroir, à émotion, à réflexion ou à rire. Depuis de nombreuses années, plusieurs compagnies – les Deux Mondes, Le Carrousel, Ex Machina, Théâtre Ubu, et d'autres – sillonnent les routes du monde. Issu d'une contrée où le public est somme toute restreint, écrit dans une langue minoritaire sur son continent, le théâtre québécois a vite ressenti le besoin d'aller se faire connaître ailleurs… Et il semble qu'il ait été plutôt bien accueilli !

Les noms de Michel Tremblay, de Robert Lepage, de Denis Marleau, de Carole Fréchette, de Marie Laberge, de Normand Chaurette, de Michel Marc Bouchard, ou encore de Wajdi Mouawad, pour ne mentionner que ceux-là, sont bien connus dans le paysage théâtral contemporain. Diversifié, éclectique, le théâtre québécois est reconnu pour sa vitalité. On parle d'accessibilité, d'inventivité, d'acuité, parfois de fraîcheur… parfois aussi de pittoresque… ce, surtout en France, doit-on préciser, là où les commentateurs sont particulièrement sensibles aux accents québécois que prend la langue française, et qui ne parlent que de ça, dans certains cas, au risque d'en oublier d'autres aspects du spectacle. S'il nous faut bien parler de la question de la langue, tellement liée à l'identité québécoise, et centrale dans l'art théâtral – qui très souvent copie la langue parlée –, mais dont on a dit longtemps qu'elle était un obstacle à la compréhension de la dramaturgie québécoise, nous tâcherons surtout de montrer que cette dramaturgie, avec cette langue, possède sa spécificité et que cette spécificité même en fait non seulement sa richesse mais constitue aussi la base de son universalité.

Comment faire l'état des lieux ? Le Centre des auteurs dramatiques (CEAD[1]), un organisme qui œuvre à la promotion et à la diffusion de la dramaturgie québécoise depuis 1965, compte actuellement 240 membres. Cet exposé ne pourra donc évidemment pas prétendre à l'exhaustivité ; il dégagera quelques caractéristiques de la dramaturgie pour montrer comment elle a accompagné l'évolution de sa société et tentera d'illustrer sa spécificité – et son universalité – dans le but avoué de faire la démonstration qu'elle participe de la dramaturgie mondiale. À l'heure de la reconnaissance de l'importance de la diversité culturelle, la dramaturgie québécoise s'affirme. Certes est-il intéressant de la lire parce qu'elle est québécoise, cependant ce serait lui rendre une plus grande justice de la lire d'abord parce qu'elle est une dramaturgie à part entière.

Mais peut-on parler de la dramaturgie actuelle sans faire référence à l'histoire du théâtre sur le territoire où elle se manifeste ? Pour commencer, quelques remarques permettront de comprendre que les débuts du théâtre en terre française d'Amérique n'ont pas été faciles. Sans dire que la dramaturgie actuelle s'en ressent, force est de constater que la « tradition » est bien jeune. Ce qui peut être à la fois une mauvaise et une bonne chose : la mauvaise étant que les bases sur lesquelles construire sont minces (on pourrait aussi dire que le théâtre a mis du temps à trouver son public, les caractéristiques socioéconomiques de la population n'encourageant pas particulièrement le développement de cet art jugé élitiste); la bonne étant que le « poids » du passé, au Québec, n'est pas aussi lourd pour les créateurs qu'il peut l'être parfois dans d'autres cultures.

Influencés par le naturalisme qui prévaut dans le roman et par le théâtre américain qui accorde une grande place au langage parlé, les drames de la première moitié du XXᵉ siècle sont surtout réalistes ; en 1968, toutefois,

---

1. Le site du CEAD présente tous les auteurs membres et leurs œuvres : www.cead.qc.ca.

la pièce de Michel Tremblay, *Les Belles-sœurs*, se démarquera car, bien qu'elle dessine des personnages vraisemblables, ses astuces formelles révolutionneront l'écriture dramatique. Après avoir soupesé l'impact de cette pièce phare, nous dresserons succinctement le portrait de la pratique théâtrale pour faire ressortir les liens entre l'activité artistique et l'évolution de cette société qui, de canadienne-française, se désignera de plus en plus comme québécoise à partir de la Révolution tranquille des années soixante. Les créations collectives des années soixante-dix, contestataires et humoristiques, feront place aux innovations scéniques dans les années quatre-vingt ; puis, nourri de toutes parts, par les auteurs nés en dehors du Québec, par les contacts avec des cultures variées de plus en plus accessibles, par l'actualité mondiale et les transformations majeures tant sur le plan moral, économique, social que religieux, le théâtre québécois s'affirmera comme un véhicule puissant de toutes les interrogations, de tous les désirs, de toutes les peurs et désillusions, et parfois aussi de tous les espoirs.

Une histoire courte… en accéléré

L'histoire du théâtre en terre canadienne est courte. Si la toute première représentation théâtrale a eu lieu en 1606 à Port-Royal, en Nouvelle-Écosse (les membres de l'équipage d'un navire français ont donné *Le théâtre de Neptune en la Nouvelle-France* de Marc Lescarbot), les historiens nous apprennent que, sous le Régime français, donc de 1608 à 1760, il n'y aurait eu que trente représentations théâtrales, presque toutes dans la ville de Québec. Il faut attendre 1790 pour que soit joué à Montréal un premier texte dramatique écrit en français sur le territoire, et 1842 pour que soit publiée la première œuvre écrite par un auteur né au Québec. Ces débuts difficiles s'expliquent par l'opposition de l'Église catholique, qui craint les idées subversives et associe le théâtre aux mœurs légères, par des situations économiques (autant avant qu'après la Conquête) qui ne se prêtent pas bien à ce genre de divertissement, sans compter qu'il y a bien peu d'auteurs et de comédiens qui immigrent au Canada…

Le premier à croire à la possibilité qu'une pièce canadienne trouve son public est Louis Fréchette ; admirateur de Victor Hugo, cet homme politique libéral, aussi conteur et poète, écrira des drames historiques sur la Rébellion des Patriotes de 1837 : *Félix Poutré* (1862) et *Papineau* (1880). Un peu plus tard, en 1921, le théâtre canadien-français connaîtra son premier grand succès avec le mélodrame *Aurore l'enfant martyre*, le personnage d'Aurore, une fillette mal-aimée et victime de sévices, devenant le premier d'une longue liste d'avatars de la victime.

Il y a bien une activité théâtrale au tournant du siècle, mais les spectacles viennent surtout de l'étranger et très peu d'auteurs canadiens s'essaient à l'écriture dramatique[2]. De fait, le théâtre « sérieux » rencontre rapidement la forte concurrence du théâtre « populaire » présenté au Théâtre des Variétés, à Montréal, à partir de 1898. Le burlesque connaîtra de très belles heures dans les années trente et quarante. On peut d'ailleurs considérer que les nombreux monologuistes et comiques dont la popularité ne se dément pas de nos jours, tant dans les salles de spectacle qu'à la télévision, sont en quelque sorte les petits-enfants des vedettes de cette époque.

Déjà à ce moment-là, la question de la langue surgit au cœur des préoccupations. Commentateurs et spectateurs, au nom du « naturel » et du « vraisemblable » chers à l'esthétique réaliste, s'étonnent de plus en plus de l'accent français d'outremer qui s'entend sur les scènes et d'aucuns rejetteront catégoriquement la « prononciation à la française ». S'il doit y avoir une dramaturgie locale, pensent de nouveaux auteurs, Gratien Gélinas en tête, il faudra nécessairement qu'elle respecte le niveau de langue des personnages. Et voilà le débat lancé : jusqu'où peut-on aller dans l'usage de la langue parlée ? En écrivant dans une langue perçue comme régionaliste, ne risque-t-on pas de s'isoler, d'être incompris ? On s'inquiète déjà que cette dramaturgie encore à naître ne soit pas « exportable ».

---

2. « Selon [Jean-Marc] Larrue, sur 1899 titres répertoriés entre 1890 et 1900, on en compte seulement 17 qui sont écrits par des dramaturges locaux, francophones et anglophones confondus ; 65 % des oeuvres sont d'origine anglaise ou américaine et 29 % d'origine française. » in M. Biron, F. Dumont et É. Nardout-Lafarge, *Histoire de la littérature québécoise*, Boréal, Montréal, 2007, p. 213.

Défis et enjeux

Le premier défi de la dramaturgie québécoise a donc été de se trouver une langue. Pour attirer le public, pour développer une dramaturgie originale, il faut puiser dans la vie des gens les thèmes, les gestes et les mots. Pour que les gens s'intéressent au théâtre, il faut que les personnages leur ressemblent, croit-on. Ainsi est né le drame réaliste canadien-français ! Après avoir connu le succès avec des spectacles satiriques, ses revues annuelles de l'actualité dans lesquelles était mis en vedette son personnage de Fridolin, Gratien Gélinas délaissera peu à peu cette veine de la culture orale pour proposer à son public des pièces plus « écrites » où il traitera des thèmes graves de l'heure : la guerre, le pouvoir du clergé, le besoin de reconnaissance.

Avec *Tit-coq*, en 1948, Gratien Gélinas écrit un drame humain qui touchera des cordes sensibles : « Tit-Coq, anti-héros populaire issu de la tradition de la revue, incarne les souffrances, les rêves et les échecs d'un peuple tenu sous la férule de lois politiques et religieuses qui le maintiennent dans un état de dépendance et de soumission [3] », peut-on lire à son propos. Ce personnage sera un prototype de la dramaturgie québécoise. *Tit-Coq* et *Bousille et les justes* (1959), où Gratien Gélinas traite des conventions sociales et des intérêts individuels mesquins, sont deux drames que des metteurs en scène contemporains ont revisités, les inscrivant ainsi dans un répertoire en train de se constituer. En les faisant revivre, ces metteurs en scène ont témoigné d'un besoin de s'approprier des pièces du passé qui, à leurs yeux, méritaient de transcender leur époque : éclairant l'histoire sociale collective, elles sont demeurées significatives.

Pour cette première moitié du XXᵉ siècle, l'histoire retient aussi Marcel Dubé, auteur d'une œuvre considérable autant pour le théâtre que pour la télévision, qu'il a dominée de 1952 à 1968. Avec *Un simple soldat*, *Au retour des oies blanches*, puis *Florence*, Dubé a su parler des difficiles relations

---

3. L. Gauvin et G. Miron, *Écrivains contemporains du Québec – Anthologie*, L'Hexagone/Typo, 1998 (1989), p. 212.

familiales, de la souffrance d'êtres étouffant dans une société aux horizons bloqués (souvent des femmes). En outre, dans *Les Beaux dimanches*[4], il a mis en scène une petite bourgeoisie qui tente de se faire valoir, avec son argent et ses ambitions politiques, mais qui sombre dans l'ennui dans de belles maisons de banlieue. De nouveaux thèmes apparaissent : l'égocentrisme, l'adultère, l'alcoolisme, la vacuité de certaines existences. Du même auteur, *Zone*, qui date pourtant de 1953, est encore jouée tant la pièce parle aux jeunes qui s'identifient à ses jeunes héros délinquants au sort tragique. Cependant, si les thèmes sont bien en prise avec la société de l'époque, sur le plan formel, ces textes sont conventionnels. Il faudra attendre un Michel Tremblay pour que l'écriture dramatique s'affranchisse du naturalisme.

Michel Tremblay

Alors que la langue chez Gratien Gélinas et Marcel Dubé était choisie pour son degré de réalisme, chez Michel Tremblay, et c'est là une des causes du « tremblement de terre » que son œuvre a déclenché, elle acquerra une dimension nettement plus emblématique. En effet, chez le jeune auteur (il est dans la vingtaine quand sont créées *Les Belles-sœurs*), cette langue « pas très propre », plus qu'une sorte de garantie d'authenticité, devient le symbole d'une infériorité économique et culturelle ; son théâtre en devient politique.

Michel Tremblay est certes l'auteur québécois le plus traduit et le plus joué dans le monde. Son œuvre, omniprésente au Québec depuis quarante ans, compte près d'une trentaine de pièces de théâtre[5]. Il a créé une multitude de personnages[6], avec cette caractéristique qu'on

---

4. *Les Beaux Dimanches* était une émission de télévision diffusée à la télévision de Radio-Canada et qui présentait théâtre, récitals, spectacles de variétés, documentaires, films et galas, et ce, jusqu'en 1966.

5. Ajoutons que Michel Tremblay a écrit aussi plus d'une douzaine de romans, plusieurs récits autobiographiques, des chansons, des recueils de contes, des nouvelles, des scénarios de films, un livret d'opéra.

6. Dans son *Dictionnaire des personnages – L'univers de Michel Tremblay*, J-M Barrette en a dénombré, incluant les personnages fictifs, référentiels et autobiographiques, 2170 ! Comme ce livre est paru en 1996 (Presses de l'Université de Montréal) et que Michel Tremblay écrit toujours, ce nombre est aujourd'hui, en 2008, encore plus élevé.

retrouve souvent les mêmes d'une pièce à l'autre. Ces personnages vont se croiser, s'éclairer les uns les autres, prendre tour à tour le devant de la scène. À travers son œuvre, on découvre le Montréal des années quarante à aujourd'hui, suivant la mutation d'une société qui est passée rapidement, au moment de l'industrialisation, de la vie rurale (où les familles sont nombreuses, l'espace immense, la religion omniprésente) à la vie urbaine (où on s'entasse dans des logements pauvres, où le travail est aussi dur mais plus aliénant, où l'on apprend que l'économie est menée par l'Autre, l'Anglais, qu'on ne connaissait pas dans les campagnes). Michel Tremblay, né à Montréal en 1942, vit son enfance sur le Plateau Mont-Royal, un quartier populaire, est adolescent durant la Révolution tranquille, années marquées par des changements importants (augmentation de la scolarisation, prise en charge de nouveaux leviers de développement économique et culturel, ouverture sur le monde avec l'Exposition universelle de 1967, etc). Jeune adulte, il participe pleinement à l'éclosion de la culture québécoise. Et, ce faisant, il deviendra l'auteur majeur qu'il est aujourd'hui.

Nous devons à Michel Tremblay d'avoir fait accéder au statut de personnages à part entière des ouvriers, des mères de familles, des danseuses « à gogo », des travestis. Indigné de leur sort, il aura écrit la tragédie ouvrière du XXe siècle alors que très longtemps les pauvres n'étaient souvent présents, au théâtre, que dans les mélodrames. Ce sont leurs conditions de vie, leurs frustrations, leurs peines, si bien décrites, qui toucheront tous les publics, dans tous les pays. Œuvre de dénonciation, le théâtre de Michel Tremblay évite le piège du misérabilisme par le respect et, disons-le, l'amour que l'auteur a toujours su porter à ses personnages[7]. L'acuité de son regard est telle que plusieurs n'hésitent pas à parler de chefs d'oeuvre devant des pièces comme À toi, pour toujours, ta Marie-Lou et Albertine, en cinq temps.

---

7. À Pierre Lavoie qui l'interrogeait sur la différence entre l'écriture romanesque et l'écriture dramatique, Michel Tremblay a répondu : « J'écris des pièces quand j'ai envie de crier des bêtises au monde et j'écris des romans quand j'ai envie de leur dire que je les aime. » dans Les Cahiers de théâtre Jeu, numéro 47, 1988.2, p. 63.

Outre la justesse des portraits et l'émotion que suscitent ses pièces, d'autres raisons expliquent la grande influence que Michel Tremblay a eue dans le paysage théâtral. Arrivant à point nommé, l'auteur a canalisé les préoccupations autour de la langue. Alors que d'aucuns voulaient cacher une langue abâtardie par des années d'ignorance et de contact avec l'anglais, d'autres défendaient l'idée qu'il valait mieux mal parler que se taire. Michel Tremblay, lui, a fait la parfaite démonstration qu'une langue populaire recèle tous les atouts pour dire la condition humaine. Il n'a jamais défendu l'utilisation du « joual » comme langue d'usage pour tous mais a donné la parole à des personnages pour qui cette langue était la seule disponible.

De plus, et c'est fondamental dans l'évolution d'une dramaturgie, Michel Tremblay a innové sur le plan formel. En effet, dès le début, Michel Tremblay a pris ses distances par rapport au naturalisme en ayant recours à des procédés de théâtralisation qui ont contribué à modifier le regard sur les réalités représentées. Ainsi dans *Les Belles-Sœurs* écrit-il un chœur pour ces femmes dont la vie monotone, décevante, pauvre encore plus sur le plan émotif que matériel, par ce biais, prend une valeur archétypale[8]. Ce passage est devenu une pièce d'anthologie et plusieurs traducteurs y ont décelé les échos d'une réalité quotidienne universelle[9].

---

8. Voici comment Michel Tremblay raconte sa découverte du pouvoir du chœur : « […] le jour où j'ai compris qu'un choeur de treize personnes qui sortent de la ville de Thèbes et qui s'adressent au public à la première personne, peuvent représenter toute la ville, a été un jour de grande découverte. J'ai compris qu'au théâtre les voix, au lieu de s'additionner, se multipliaient. Une femme qui raconte son malheur, c'est une femme qui raconte son malheur, mais le même texte dans la bouche de cinq femmes... Elles ne sont plus cinq ! J'ai trouvé ça tout seul quand j'avais quinze ans, en lisant *Agamemnon*, ma première pièce grecque […] Je ne comprenais pas tout, j'étais adolescent, mais le choeur fut une révélation. » Entretien « Par la porte d'en avant... », dans *Les Cahiers de théâtre Jeu*, 47, 1982.2, p. 64-65. Michel Tremblay raconte cela aussi dans *Un ange cornu avec des ailes de tôle*, Leméac/Actes Sud, 1994, p. 173ss.

9. Il faut entendre à ce titre les propos du traducteur écossais de Michel Tremblay dans le film d'A. Willis, *Entre les mains de Michel Tremblay / In the hands of Michel Tremblay*, une production DVD de Ciné Qua Non Média, en association avec Gestion Michel Tremblay Inc. et Leméac Éditeur et avec le soutien financier de la Sodec, 2007.

Humour et contestation

Dans les années soixante-dix, juste après le choc des *Belles-sœurs* qui a forcé tout un chacun à se positionner par rapport à la question de la langue au théâtre et, parallèlement, à la place accordée à la réalité sociale et politique, le paysage théâtral est bouleversé aussi par des mouvements qui mobilisent les jeunes partout, en France ou en Californie, qui n'ont de cesse de réclamer plus de liberté. Dans l'agitation générale, les écoles de théâtre verront leurs élèves contester un enseignement académique qui n'en avait que pour la grande littérature française et la bonne diction. Les jeunes intellectuels lisent Artaud, Brecht et Grotowski, ou s'imaginent faisant partie du scandaleux Living Theatre. Ils veulent un théâtre « total » qui n'accorde plus la première place au texte et à l'auteur ; ils rêvent de toucher à tout ! Ainsi naîtra le phénomène des créations collectives.

Avec beaucoup d'humour, les troupes s'attaqueront à tous les sujets susceptibles de provoquer des remous : revendication d'une plus grande liberté sexuelle, rejet de l'autorité parentale, rébellion contre la morale religieuse, appel à la création d'un Québec indépendant, affirmation de la femme, etc., tout cela, bien sûr, dans la langue familière. On en a contre ce que l'on appelle les impérialismes, qu'ils soient économiques (américain et canadien-anglais) ou culturels (français, bourgeois, mâle). On veut d'un théâtre moins « littéraire », moins conventionnel[10].

Parallèlement, se développe le théâtre pour enfants. Le travail de La Marmaille, fondée en 1973 (plus tard Les deux Mondes), est alors fondamental pour donner une direction moins paternaliste à ce créneau qui, au Québec, a obtenu au fil des ans la pleine reconnaissance et a acquis une grande renommée au plan international.

En 1976, le Parti québécois, que beaucoup de jeunes, d'artistes, d'intellectuels appuyaient, prend le pouvoir ; le gouvernement de ce parti, à la fois indépendantiste et de gauche, fera adopter des lois qui modifieront considérablement la société québécoise, dont la

---

10. Pour mesurer l'ampleur du phénomène, mentionnons qu'entre 1965 et 1974 seulement, on a dénombré 415 créations collectives au Québec.

loi 101 sur la langue. En 1980, il organise un référendum sur l'avenir politique mais la population lui refuse le mandat de négocier un nouveau statut pour le Québec (59,1% non / 40,9% oui). Le rêve indépendantiste a alors pris une douche froide. Plusieurs sont sortis déçus et amers de cette expérience Et la scène culturelle, où la question nationale avait été si présente depuis plusieurs années, tant dans le théâtre que dans la poésie et la chanson, s'en ressentira. On assistera à un virage sur le plan thématique (pendant près de dix ans, ce sera le silence presque total sur la question nationale) et aussi sur le plan formel.

Nouveaux moyens et retour du texte

Indéniablement, les années quatre-vingt seront celles d'un renouveau scénique qui passera par l'exploration de toutes les dimensions « spectaculaires » du langage théâtral. Espace, objets, jeu se verront accorder une plus grande attention que jamais. Denis Marleau, par exemple, fera preuve d'une telle créativité dans la direction de ses acteurs et d'une telle rigueur dans son approche des textes qu'il influencera les méthodes de travail de plus d'un. Gilles Maheu, dont la formation de mime prédispose à un travail intense sur le corps, sera parmi les premiers représentants de la danse-théâtre. Robert Lepage, à son tour, fera éclater les limites en proposant son théâtre d'images et deviendra le maître de la polyvalence des objets. En même temps, la scénographique se fera plus stylisée, picturalement plus sophistiquée, nettement plus élaborée.

Sur le plan de la littérature dramatique, si la question politique a été mise sous le boisseau, le thème de l'identité n'est pas disparu pour autant. Un glissement s'est toutefois effectué du social vers le privé. À vrai dire, les dramaturges ont continué à étudier les cas d'identité « inachevée », se concentrant sur des personnages en quête de reconnaissance : les femmes, les artistes et les homosexuels. Les pièces de Michel Marc Bouchard (*Les Feluettes ou la répétition d'un drame romantique, les Muses orphelines*) sont exemplaires à cet égard.

En effet, les « désordres privés », pour reprendre l'excellente expression de Diane Pavlovic[11], ont occupé alors le devant de la scène. À cela s'ajoute que les auteurs de cette génération, Normand Chaurette, Larry Tremblay, Carole Fréchette et, plus tard, Daniel Danis renouent avec le caractère littéraire du texte dramatique. D'une part, la structure des textes se complexifie (mises en abyme, fragmentation, éclatement temporel et spatial), d'autre part, le spectre langagier s'élargit : de la langue parlée à une langue plus poétique et lyrique, on assume et explore dorénavant tous les registres.

Ainsi, en vingt ans, des années quatre-vingt au début du XXI⁰ siècle, la langue dramatique québécoise atteindra-t-elle sa pleine maturité. Il existe toujours des drames réalistes centrés sur la famille comme *L'Homme gris* et *Oublier* de Marie Laberge. L'œuvre de Michel Tremblay se poursuit avec des pièces aussi percutantes que *Encore une fois si vous permettez*. On compte des émules de Tremblay comme Serge Boucher (*Nature morte*, *Motel Hélène*). Cependant, la thématique s'est élargie, l'écriture s'est diversifiée, la langue s'est démultipliée.

Les exemples abondent. Daniel Danis invente une langue « rugueuse » pour proposer des récits qui prennent des allures mythiques comme dans *Celle-là*, *Cendres de cailloux* et *« E »*, *un roman-dit*. Dans ces pièces, la quête d'identité s'opère avec l'œil rivé au rétroviseur. Carole Fréchette, puisant à son expérience personnelle de mère, de femme amante, et de citoyenne, propose une oeuvre à multiples visages dans différentes pièces dont *Baby Blues*, *Les sept jours de Simon Labrosse*, *Jean et Béatrice* et *le Collier d'Hélène*. Évelyne de la Chenelière prend la relève avec des textes aux accents tantôt familiers, pour tâcher de redessiner les contours de l'amour, un sentiment bien malmené depuis la révolution sexuelle des années soixante (*Des fraises en janvier*, *Henri et Margaux*), tantôt plus poétiques, pour laisser parler de vieilles personnes en perte de repères (*Au bout du fil*).

---

11. Diane Pavlovic a travaillé pendant plusieurs années comme conseillère à la drama-turgie au CEAD et a aussi écrit de très nombreux articles dans des revues spécialisées, entre autres dans les *Cahiers de théâtre Jeu* ; elle dirige depuis 2001 le programme d'Écriture dramatique à l'École nationale de théâtre à Montréal.

Aujourd'hui, le théâtre québécois est multiple. Ses personnages sont à la fois émotifs – nombre de pièces traitent des relations amoureuses, de solitude, d'instabilité – et préoccupés par les grands bouleversements qui débordent des frontières du Québec : la maladie (sida), la pollution, la dépersonnalisation due aux conditions de travail, au stress, à la surconsommation, etc. De plus, plusieurs auteurs, souvent nés ailleurs, forcent le regard à se poser sur des réalités inconnues ou presque : la guerre, l'exil, l'écartèlement entre des cultures, les défis de l'intégration. Wajdi Mouawad, né au Liban, mais ayant fait ses études en théâtre au Québec, s'est imposé, après les Marco Micone (*Addolorata*) et Abla Farhoud (*Les filles du 5, 10, 15 ¢*), avec des spectacles très imaginatifs, souvent allégoriques, comme *Willy Protagoras enfermé dans les toilettes*, *Littoral*, *Forêts*, *Incendies*. Tous ces auteurs témoignent chacun à leur manière de cette quête d'identité aussi vitale que jamais, d'autant plus qu'elle se vit aujourd'hui dans un monde où la perte du sens menace. La bonne réception de la dramaturgie québécoise actuelle s'explique sûrement par le fait que ces préoccupations, intimes et sociales, en rejoignent de fort semblables dans bien des pays.

Depuis toujours, le théâtre québécois parle de la famille, qu'elle soit de classe populaire ou bourgeoise, rurale ou urbaine. Depuis toujours, il parle de rapports affectifs, de déchirures et d'incompréhensions, donc d'émotions. Depuis toujours, il parle de quête d'identité.

Qu'il le fasse aujourd'hui par le biais d'une écriture simple, franche, spontanée ou qu'il le fasse dans une langue dramatique plus recherchée, c'est sûrement, en partie, grâce à l'omniprésence de cette émotivité que le théâtre québécois touche les spectateurs, à travers le monde, entraînés à se reconnaître dans ses propos. Combien de femmes, écossaises, italiennes, même japonaises ont déclaré, après avoir assisté à *Albertine, en cinq temps* de Michel Tremblay, s'être vues dans cette femme qui, à la fin de sa vie, en évoque de grands pans et revit ses frustrations et ses peines[12]. Le théâtre québécois serait donc souvent un théâtre conduisant à une certaine identification. Cela ne l'empêche toutefois pas d'être humoristique, poétique et parfois fantasmagorique (de plus en plus d'ailleurs, quand on pense à Daniel Danis, Sébastien Harrisson, Geneviève Billette).

Pour décrire en quelques mots ce qui caractérise le théâtre québécois – ses propos demeurant bien actuels – il est sans doute utile de rappeler ce que Diane Pavlovic, alors au CEAD, répondait en 2000 à la question : Qu'est-ce qu'un texte québécois ?

> On a souvent parlé de la dramaturgie québécoise comme d'une dramaturgie au carrefour de plusieurs influences : européenne par sa complexité formelle, américaine par son sens de l'action et du présent, idéaliste par sa jeune histoire, colorée par sa langue. [...] Une certaine qualité d'émotion, une vitalité triomphante, une belle désinvolture à l'égard de la tradition et de sa lourdeur, en un mot, un souffle de sensualité et de liberté, voilà ce qui revient souvent, et depuis des années, dans les propos de ceux qui sont invités régulièrement à expliquer ce qui les séduit dans le théâtre qui s'écrit ici.[13]

En fait, pour que universalité ne veuille pas dire uniformisation, ni gommage du particulier, le théâtre québécois ne doit pas biffer ses singularités et, surtout, le spectateur doit choisir de le lire et de le comprendre autant dans ce qu'il a de distinctif que dans ce qu'il peut receler d'universel[14]. Ainsi l'art théâtral atteindra-t-il son objectif : faire

---

12. *Op. cit.* le très beau film d'A. Willis, *Entre les mains de Michel Tremblay / In the hands of Michel Tremblay*, une production DVD de Ciné Qua Non Média, en association avec Gestion Michel Tremblay Inc. et Leméac Éditeur et avec le soutien financier de la Sodec, 2007.

13. D. Pavlovic, « Les mouvances d'une dramaturgie : au-delà du statut de curiosité », *L'Annuaire Théâtral*, numéro 27, printemps 2000, « Circulations du théâtre québécois : reflets changeant », p. 53.

14. L'universalité n'est pas une panacée, comme le faisait remarquer Jean-Pierre Ryngaert dans une mise en garde contre une lecture trop « ouverte » des différentes dramaturgies, la québécoise en particulier : « Le passage à l'universel est commode, car il permet de ne pas se soucier de ce qui se passe vraiment localement. », in « Le Québec comme réserve d'émotion et territoire de l'âme pour les Français : Michel Tremblay et Daniel Danis à Paris », *L'Annuaire théâtral*, numéro 27, printemps 2000, p. 152.

que les uns et les autres non pas tellement se reconnaissent mais se connaissent mieux.

L'éditeur belge Émile Lansman, dont le riche catalogue compte de nombreux textes québécois[15], résume cela en parlant d'un « rapport complexe d'assimilation-accomodation ». Selon lui, « cette attitude [sa subjectivité en action dans ses choix éditoriaux] doit sans doute s'apparenter au type de comportement de pas mal d'individus dans leur rapport à l'altérité, à tous les niveaux, y compris celui du public face à une œuvre théâtrale venue d'ailleurs : d'abord essayer de ramener à soi (ses connaissances, ses expériences, ses émotions répertoriées), en tentant de décoder l'autre à travers ses propres grilles, avant d'accepter – dans le meilleur des cas et parce que la première méthode ne donne rien – de se laisser transformer par l'autre et par son œuvre[16] ». Sans être parfaitement en accord avec Émile Lansman quand il dit que « ramener à soi » « ne donne rien », on peut néanmoins envisager de le suivre sur cette piste quand il invite à une réelle écoute et rencontre, bref, à des rencontres qui, lorsqu'elles touchent à l'essentiel, peuvent contribuer à changer les êtres. N'est-ce pas à cela que tout art tend ?

---

15. Larry Tremblay, Abla Farhoud, Marie-Line Laplante, Lise Vaillancourt, René Gingras, Emma Haché., Jean-Rock Gaudreault, Dominick Parenteau-Leboeuf, Carole Fréchette, Nathalie Boisvert.

16. É. Lansman, « Éditer des dramaturges de la francophonie : le « cas » du Québec », *L'Annuaire Théâtral*, numéro 27, printemps 2000, « Circulations du théâtre québécois : reflets changeant », p. 89.

Bibliographie

Sites internet

Association québécoise des auteurs dramatiques : www.aqad.qc.ca

Bibliothèque et archives nationales du Québec : www.banq.qc.ca

Bibliothèque Gaston-Miron de la Délégation générale du Québec à Paris : www.quebec.fr

Cahiers de théâtre Jeu : www.revuejeu.org

Centre des auteurs dramatiques : www.cead.qc.ca

Librairie du Québec à Paris : www.librairieduquebec.fr

Ouvrages et articles

BARRETTE Jean-Marc, *Dictionnaire des personnages − L'univers de Michel Tremblay*, Montréal, Presses de l'Université de Montréal, 1996, 544 p.

BIRON Michel, DUMONT François et NARDOUT-LAFARGE Élisabeth, *Histoire de la littérature québécoise*, Boréal, Montréal, 2007, 700 p.

Entretien « Par la porte d'en avant... », dans *Les Cahiers de théâtre Jeu*, 47, 1982.2, p. 64-65.

GAUVIN Lise et MIRON Gaston, *Écrivains contemporains du Québec − Anthologie*, L'Hexagone/Typo, 1998 (1989), 595 p.

LANSMAN Émile, « Éditer des dramaturges de la francophonie : le « cas » du Québec », *L'Annuaire Théâtral*, numéro 27, printemps 2000, « Circulations du théâtre québécois : reflets changeant », p. 89.

LAVOIE Pierre, entretien avec Michel TREMBLAY dans *Les Cahiers de théâtre Jeu*, numéro 47, 1988.2, p. 63.

PAVLOVIC Diane, « Les mouvances d'une dramaturgie : au-delà du statut de curiosité », *L'Annuaire Théâtral*, numéro 27, printemps 2000, « Circulations du théâtre québécois : reflets changeant », p. 53.

RYNGAERT Jean-Pierre, « Le Québec comme réserve d'émotion et territoire de l'âme pour les Français : Michel Tremblay et Daniel Danis à Paris », *L'Annuaire théâtral*, numéro 27, printemps 2000, p. 152.

TREMBLAY Michel, *Un ange cornu avec des ailes de tôle*, Leméac/Actes Sud, 1994, 245 p.

Film

WILLIS Adrian, *Entre les mains de Michel Tremblay / In the hands of Michel Tremblay*, une production DVD de Ciné Qua Non Média, en association avec Gestion Michel Tremblay Inc. et Leméac Éditeur et avec le soutien financier de la Sodec, 2007.

Céline, Isabelle, Lynda, Pierre et … les autres ?

Les raisons du succès international
d'une certaine chanson québécoise

Cécile Prévost-Thomas

Pour revenir à la question : «Pour qui il se prend, celui-là ?», ma réponse est que je me prends pour un citoyen d'un pays, le seul à ce que je sache, à avoir donné à une autoroute le nom d'un auteur de chanson (la A40 s'appelle l'autoroute Félix-Leclerc). Ça doit signifier quelque chose, non? Comme l'importance des chansons dans la construction de ce que nous sommes, peut-être?

Stéphane Venne,
Le frisson des chansons,
Outremont (Québec),
Stanké, 2006, p. 37.

Si l'expression chanson québécoise a une signification évidente outre-Atlantique, en France, les médias de masse ont tôt fait de nous persuader qu'il n'existe que des *chanteuses* et des *chanteurs* québécois, à moins que remportant tous les suffrages, l'expression nébuleuse de « voix québécoises »[1] s'impose, de telle sorte qu'elle finisse par représenter, à travers le prisme médiatique des ondes françaises, la seule réalité de la vie artistique de la Belle Province. Telle était la situation dans les années deux-mille, période au cours de laquelle le phénomène *Notre-Dame de Paris*, dans la continuité des années *Starmania*, s'imposait sur toutes les antennes de l'Hexagone. Ainsi, c'est principalement à travers

---

1. C. Rudent, « La télévision française et les "voix québécoises" populaires : le trompe-l'œil d'un étiquetage médiatique », *Intersections. Canadian Journal of Music / Revue canadienne de musique*, n° 27-1, 2006, p. 75-99.

les interprètes qui ont participé à ces comédies musicales[2] que les Français ont pu, au cours des trente dernières années, découvrir la chanson québécoise. Bien sûr, si l'on devait sonder plus largement ce public sur ses connaissances en la matière, d'autres noms pourraient être évoqués : Félix Leclerc, Gilles Vigneault, Robert Charlebois chez les plus anciens, Roch Voisine, Céline Dion et Lynda Lemay chez les plus jeunes. Mais si, pour chaque interprète susnommé, on demandait à nos concitoyens de citer au moins trois titres de chansons, les résultats obtenus témoigneraient incontestablement d'une méconnaissance du répertoire québécois par le public hexagonal. Si l'hypothèse se révélait fausse, la connaissance des œuvres et des artistes québécois qui ont percé en France ne suffirait pas à représenter la réalité artistique qui tisse le paysage musical québécois dans le domaine de la chanson.

Puisque cet ouvrage collectif se donne pour ambition de présenter aux lecteurs français, les enjeux culturels et sociaux de la modernité de la société québécoise sur les trente dernières années, je propose à la fois, de présenter un tour d'horizon de la diversité et de la vitalité de la chanson québécoise contemporaine et d'évoquer les raisons pour lesquelles elle reste particulièrement méconnue en France. Enfin, je souhaite présenter brièvement une série d'initiatives récentes qui tente de remédier à cette situation en proposant de nouvelles collaborations artistiques entre la France et le Québec et qui, souhaitons-le, permettra de susciter la curiosité du public ici et là.

Les précurseurs de la chanson québécoise

Afin de comprendre ce qui nourrit le dynamisme de la chanson québécoise contemporaine, il me semble néanmoins utile de

---

2. Pour Starmania : Fabienne Thibault, Diane Dufresne (1ère version 1978), Isabelle Boulay, Bruno Pelletier (3e version, 1993). Pour Notre Dame de Paris : Garou, Daniel Lavoie, Natasha St Pier (1998).

convoquer la mémoire des principaux acteurs qui ont fondé son histoire. Si l'on s'en tient au siècle dernier, on retiendra à titre de précurseurs, les noms de Mary Travers, dite La Bolduc (1894-1941), et de Félix Leclerc (1916-1988). Si la première décrit de façon réaliste les difficiles conditions de vie de ses concitoyens au lendemain de la dépression économique qui touche l'Amérique du Nord dans les années trente, elle insuffle, à travers son interprétation de titres tels « Ça va v'nir, découragez-vous pas... », tant d'énergie et tant d'espoir au peuple québécois, à la fois sur disque, mais aussi à travers de longues tournées que « pour la première fois dans l'histoire de la chanson québécoise, un phénomène de profonde identification survient entre un artiste et son public »[3]. Au-delà des mots, c'est aussi la spécificité de ses compositions qui la rend populaire. S'inspirant du folklore anglo-saxon importé par ses aînés, elle accompagne ses textes de *reel*[4] et de gigues, ponctués de turlute[5] et de musique à bouche (harmonica), style qui sera ensuite adopté par plusieurs générations d'artistes, depuis Gilles Vigneault jusqu'aux plus récents groupes tels que Mes Aïeux ou les Cowboys Fringants. Rentré d'un voyage en Amérique, Charles Trenet rend hommage à La Bolduc en 1950, avec sa chanson « Dans les rues de Québec » dans laquelle il tentera, à son tour, de turluter entre deux couplets. Cette même année, la chanson francophone[6] confirme son acte de naissance avec la découverte de Félix Leclerc (1914-1988) par Jacques Canetti[7] :

---

3. R. Léger, *La chanson québécoise en question*, Montréal, Québec Amérique, 2003, p. 30.

4. Le *reel* est une danse traditionnelle écossaise et irlandaise ainsi que le nom de la musique accompagnant cette danse.

5. « Dans la tradition écossaise du *mouth music*, onomatopées chantées par l'interprète pour imiter le son d'un instrument », dans R. Léger, *op. cit.*

6. Telle que je l'entends ici, la chanson francophone désigne majoritairement celle des productions françaises et québécoises et des échanges que suscitent l'ensemble ou une partie de ces productions.

7. Directeur artistique de renom qui découvrit de très nombreux futurs talents dont Brel, Brassens, Ferré, Vian, Higelin, etc.

C'est à Montréal que se fait la rencontre. Venu au Canada en compagnie de [...] Maurice Chevalier pour qui il organise des tournées, Jacques Canetti demande au chansonnier Jacques Normand s'il connaît un «vrai chanteur canadien». Au début des années cinquante, les artistes québécois cherchent encore à copier les vedettes françaises et, mises à part quelques gloires locales comme Mme Bolduc, pas un chanteur n'a revendiqué vraiment son identité culturelle. Jacques Normand appelle, à Vaudreuil où il vit, un chanteur dont personne ne veut, mais qui chante très «couleur locale». Un rendez-vous est fixé le lendemain matin pour une audition. Il débute par *Moi, mes souliers* et enchaîne avec *Le P'tit Bonheur*. Canetti lui propose immédiatement d'enregistrer douze titres [...] et lui offre cinq ans d'exclusivité et huit faces de disque par an; le lendemain, il repart pour Paris avec la bande [sonore]. L'ascension de Félix Leclerc est fulgurante. [En 1951, il reçoit à l'unanimité le Grand Prix du Disque de l'Académie Charles Cros]. Son passage aux *Trois baudets* [dirigé par Canetti] et le succès de son disque lui ouvrent les portes d'une carrière éblouissante. Son pays le reconnaît enfin, et en quelques mois, il devient un héros national, ayant prouvé que l'échange entre la France et le Québec peut se faire dans les deux sens[8].

Félix Leclerc, qui inspira Georges Brassens et Jacques Brel dans le choix de s'accompagner à la guitare, demeure aujourd'hui, vingt ans après sa disparition, le père incontesté de la chanson québécoise. Depuis 1979, le gala de l'ADISQ[9] décerne ses trophées « Félix »[10] aux artistes les plus méritants. La Fondation Félix Leclerc, gérée par sa fille Nathalie, remet depuis 1996, simultanément à un jeune artiste québécois et à un jeune artiste français, le prix Félix Leclerc de la Chanson, et participe ainsi au dynamisme des échanges artistiques entre les deux continents.

---

8. A. Poulanges, J. Marc-Pezet, *Le théâtre des 3 baudets*, Paris, Du May, 1994, p. 39.
9. « Fondée en 1978 pour défendre les intérêts de ses membres et favoriser le développement de l'industrie de la musique au Québec, l'Association québécoise de l'industrie du disque, du spectacle et de la vidéo (ADISQ) est une association professionnelle sans but lucratif ». Voir http://www.adisq.com/assoc-profil.html
10. L'équivalent des Victoires de la Musique en France.

Les récipiendaires du prix Félix Leclerc

	Québécois	Français
2007	Thomas Hellman	Mell
2006	Karkwa	Agnès Bihl
2005	Vincent Vallières	Nicolas Jules
2004	Pierre Lapointe	Amélie-les-crayons
2003	Yann Perreau	Fred
2002	Stefie Shock	Bertrand Louis
2001	Loco Locass	Miro
2000	Daniel Boucher	Mickey 3D
1999	Mara Tremblay	Rachel Desbois
1998	Lili fatale	M (Mathieu Chédid)
1997	Sylvie Paquette	Clarika
1996	Marie-Jo Thério	Pascal Mathieu

De plus, de très nombreux artistes lui ont rendu hommage en chansons parmi lesquels Jean Lapointe en 1975 (« C'est dans les chansons »), Jean-Pierre Ferland en 1980 (« Chanson pour Félix ») et Yves Duteil en 1985 (« La langue de chez nous »). D'autres ont interprété son œuvre comme Claude Gauthier[11] (« Notre sentier »), Marie-Michèle Desrosiers[12] (« J'inviterais l'enfance »), Sabrina Bisson (« Hymne au printemps ») et Daniel Boucher[13] (« Chant d'un patriote ») avec le

---

11. Auteur de la chanson « Le plus beau voyage » écrite en 1972, « classique incontournable dans lequel Gauthier invite à un survol social, historique et géographique du pays québécois » en concluant « Je suis Québec mort ou vivant », dans le livret de *Je me souviens, Coffret commémoratif de la chanson québécoise*, Disque 3, titre n°7, GSI Musique, Sodec, Musicor, 1998, p. 46.
12. Membre du groupe Beau Dommage.
13. Il est actuellement l'un des artistes québécois les plus influents. Voir C. Prévost-Thomas, « «Daniel Boucher : le vouleur de changeage» », dans *Spirale*, (Arts, Lettres, Sciences Humaines), Lise Bizzoni, Dominique Garand, Bertrand Rouby, (dir.), « La chanson sa critique », Montréal, n° 217, novembre-décembre 2007, p. 32-33.

spectacle hommage *Le 08-08-88 à 8h08*[14]. La compilation *Chapeau !* *Félix* des éditions la Montagne Secrète, parue en 2006, à destination du jeune public est aussi à souligner; elle regroupe des interprétations de chanteuses québécoises de la jeune génération telles Catherine Durand, DobaCaraCol, Mara Tremblay et Jorane. En France, entre autres éditions, on retiendra les albums récents de François Béranger « 19 chansons de Félix » paru en 2003 et « Hugues Aufray chante Félix Leclerc » paru deux ans plus tard.

Sur les traces de Félix Leclerc, Raymond Lévesque tente sa chance à Paris en 1954. Deux ans plus tard, il y écrira « Quand les hommes vivront d'amour », inspiré par la guerre d'Algérie. Enregistrée pour la première fois par Eddie Constantine au cours de cette même année, une quarantaine d'artistes français et québécois l'ont depuis, interprétée tant sur disque que sur scène, depuis la version la plus classique de Cora Vaucaire en 1957 jusqu'à la plus moderne d'Annie Major-Matte et LMDS, groupe de hip hop, en 2000. Mais l'interprétation phare de cette chanson est sans conteste celle qui clôture le concert à trois voix *J'ai vu le loup, le renard, le lion* de Félix Leclerc, Gilles Vigneault et Robert Charlebois offert comme spectacle d'ouverture à la Superfrancofête (Festival international de la jeunesse francophone), qui eut lieu à Québec le 13 août 1974, sur les plaines d'Abraham, devant plus de 120 000 personnes. Avec cet hymne d'amour et de paix, Raymond Lévesque posait donc, sans le savoir, une deuxième pierre à l'édifice de la chanson québécoise, qui plus est, francophone. Pour rendre hommage à Félix Leclerc et à sa chanson « Bozo », Raymond Lévesque s'associa ensuite à Clémence DesRochers, Jean-Pierre Ferland, Hervé Brousseau et Claude Léveillée – remplacé par la suite par Jacques Blanchet – pour former, en 1959, un premier groupe de chansonniers[15], Les Bozos, qui se produira

14. « Le 8 août 1988, une nouvelle plongeait le Québec en pleine consternation. [...] Félix Leclerc était retrouvé sans vie à 8H08. C'est en quelque sorte pour nous rappeler à quel point Félix a occupé et occupe toujours une place particulière dans nos cœurs que le titre du spectacle, Le 08-08-88 à 08h08, a été choisi, spectacle dont un enregistrement a été fait au printemps 1999 », extrait du livret du CD Le 08-08-88 à 08h08, Spectacle en hommage à Félix Leclerc, GSI Musique, 1999.

15. Au Québec, cette appellation est synonyme d'auteur-compositeur-interprète.

dans la première boîte à chansons de Montréal, *Chez Bozo*, l'équivalent des cabarets parisiens de la Rive Gauche. *Chez Bozo* fera de nombreux émules à Montréal, comme *Le Chat noir* et *Le Patriote*, à Québec, comme *La Boîte à chansons*, mais aussi en province, comme *La Butte à Mathieu* de Val David, dans les Laurentides.

Les promoteurs de l'identité et de la langue québécoises

Pendant une décennie, ces lieux inaugurèrent les rassemblements publics autour de la prise de parole en chansons tant prisée des Québécois. Avec la Révolution tranquille, le temps de se nommer est en effet venu. Outre Les Bozos et les grandes voix féminines de Renée Claude, Monique Leyrac et Pauline Julien, l'artiste qui symbolise le mieux ce réveil identitaire demeure toujours, près d'un demi-siècle plus tard, Gilles Vigneault. Par centaines, ses chansons s'appliquent à définir, à nommer avec le plus grand soin et la plus grande maîtrise poétique, les mille et une facettes du temps et de l'espace habités par les gens de son pays à qui il rend le plus beau des hommages dès 1964 : « Il n'est coin de la terre, Où je ne vous entende, Il n'est coin de ma vie, À l'abri de vos bruits, Il n'est chanson de moi, Qui ne soit toute faite, Avec vos mots vos pas, Avec votre musique ». Véritable déclaration d'amour, « Les gens de mon pays » inaugure une vie de poésies et de chansons consacrée à l'éloge de la langue française et à la reconnaissance du peuple québécois. Parmi ses plus grands succès, suivront « Mon pays » (1965), « Il me reste un pays » (1971), et « Gens du pays », qui est, plus de trente ans après sa création (1975), toujours considéré comme un hymne par les Québécois. Loin d'un repli sur soi, la posture adoptée par des artistes, tel Gilles Vigneault, revendique explicitement l'ouverture aux autres (« De mon grand pays solitaire, Je crie avant que de me taire, À tous les hommes de la terre, Ma maison c'est votre maison »[16]). Rappelant qu'« on est toujours l'étranger de quelqu'un », Pauline Julien confirme ces valeurs en écrivant, en 1972, le texte de la chanson « L'étranger », comme un hymne universel d'amour et de tolérance.

---

16. Extrait de « Mon pays » de Gilles Vigneault, 1965.

De retour de Californie, après l'exposition universelle de Montréal en 1967, c'est pourtant Robert Charlebois qui donnera le souffle qui manquait à la chanson québécoise pour qu'elle dépasse ses propres frontières esthétiques et qu'elle devienne désormais capable de toutes les audaces. Avec Yvon Deschamps, Louise Forestier, Mouffe et le Quatuor jazz libre de Québec, il crée, en mai 1968, un « anti-spectacle » : l'Osstidcho[17] qui, influencé par les *happening* et le rock psychédélique de la côte ouest, propose un spectacle improvisé et éloigné des conventions admises jusque-là. En sortiront des titres légendaires comme « California », « La marche du président » et « Lindberg » en duo avec Louise Forestier. Au-delà de la liberté de ses compositions musicales, Charlebois, s'entourant de grandes plumes québécoises du moment pour composer ses chansons (Réjean Ducharme, Claude Péloquin ou encore Marcel Sabourin), participera au mouvement de revendication d'une langue spécifiquement québécoise, capable de contribuer à la définition identitaire du pays. Issu de l'expression orale des classes populaires francophones rurales nouvellement confrontées, en raison de leur exode, au patronat anglophone du bassin montréalais, le *joual* s'est développé dès le début du XXᵉ siècle. Langue marginalisée par les élites qui ont toujours privilégié le français lettré, sa reconnaissance, par certains intellectuels, tels André Major ou Michel Tremblay, offrait, du point de vue de la langue et des valeurs qu'elle véhiculait (émancipation vis-à-vis du clergé et de la colonisation), des clés de discernement à l'affirmation d'une identité culturelle québécoise, distincte de celles des sociétés française et américaine (ou canadienne anglaise). Qui, mieux que la chanson, bénéficiant d'une diffusion à grande échelle permise par les nouveaux médias de masse et du développement du spectacle vivant, pouvait en effet autoriser les siens à prendre la parole pour se nommer. En 1969, Pierre Duceppe, alors Commissaire aux loisirs et à la

---

17. « Le titre proviendrait d'une répartie un peu vive de Paul Buissonneau, directeur du Quat'sous (théâtre de Montréal), qui, excédé par la nonchalance des participants lors des répétitions aurait dit : « Mettez-vous le dans l'c... vot'hostie de show ! », dans Robert Léger, *op. cit.*, p. 68. « Hostie », le plus souvent écrit « ostie » est un sacre québécois qui peut correspondre au juron français « putain ».

jeunesse du gouvernement de Québec, préfaçait un ouvrage, consacré à Jean-Pierre Ferland, en ces termes :

> Parce qu'ils ont été et sont encore la voix d'une grande partie de la jeunesse, les «chansonniers québécois» ont fait plus pour le Québec d'aujourd'hui que toute la somme de travail réunie des conférences provinciales-fédérales depuis belle lurette. Les Ferland, Vigneault et autres sont en train de faire comprendre aux Québécois qu'ils ont une personnalité, une culture, des valeurs qui leur sont propres.[18]

Depuis cette époque, la question linguistique réside particulièrement au cœur des préoccupations du pays et la chanson en demeure l'une de ses meilleures ambassadrices. Rien d'étonnant alors que, loin des considérations françaises où la chanson est le plus souvent synonyme d'industrie ou de divertissement, elle soit, au Québec, perçu comme un art légitime. Ce que les historiens appellent l'âge d'or de la chanson québécoise correspond donc à cette époque des années soixante-dix, où nombre d'auteurs, compositeurs, interprètes et groupes émergents investissent le terrain social et culturel en imposant des textes en français qui revendiquent clairement ou symboliquement leur fierté nationale[19]. En ce qui concerne l'aspect musical, les compositions s'inspirent majoritairement des courants états-uniens et anglais du folk, du rock puis de la pop. Cet équilibre entre textes en français novateurs[20] et musiques américaines progressives trouve, dans la continuité des œuvres de Charlebois, un écho chez Jean-Pierre Ferland qui, avec son album *Jaune*, rend possible, dès 1970, le décloisonnement des frontières esthétiques entre les styles et les générations. Dans la foulée, s'épanouiront des interprètes comme Louise Forestier et Diane Dufresne dont le talent vocal et les performances scéniques sont encore à ce jour toujours remarquables. L'éclosion de groupes tels Harmonium, Beau Dommage, Marie-Claire et Richard Séguin entre 1972 et 1977 marque

---

18. J-P Ferland, *Chansons*, coll. « Mes chansons, mon pays », Ottawa, Leméac, 1969, p. 12-13.
19. Même si le Québec demeure une province du Canada.
20. Tant du point de vue lexical que métrique.

également profondément l'actualité culturelle de ces années. Outre des productions d'albums très abouties comme l'*Heptade* d'Harmonium, on assiste sur scène, à de très grands rassemblements autour de la chanson. Dans la continuité de la Superfrancofête, déjà citée, la Fête nationale du Québec (fête de la Saint-Jean-Baptiste du 24 juin) réunit chaque année de nombreux artistes sur les scènes de plusieurs villes au Québec. En 1976, à Montréal, les festivités durent plusieurs jours et deux spectacles, *Une fois cinq* (Charlebois, Deschamps, Ferland, Léveillée, Vigneault) et *O.K. nous v'là !* (Raoul Duguay, Octobre, Harmonium, Beau Dommage et Contraction) attirent plus de 400 000 personnes sur le Mont-Royal, formulant ainsi, en mots et en musique, le rêve commun d'un Québec indépendant.

Quelques mois plus tard, le Parti québécois prend le pouvoir et son premier ministre, René Lévesque, fait du respect de la langue française sa première mission politique. Avec l'adoption de la Loi 101[21], le français devient officiellement « langue de l'État et de la Loi aussi bien que la langue normale et habituelle du travail, de l'enseignement, des communications, du commerce et des affaires »[22]. Or, à la suite de l'échec référendaire de 1980 et avec la récession économique que subit par ricochet l'industrie du disque, la création et l'enthousiasme collectif s'essoufflent. C'est pourtant du côté du marché indépendant et de la production de disques québécois, encouragés par une politique volontariste de promotion en amont (concours, galas, prix) et de diffusion (radio et télévision locales), que la chanson québécoise va non seulement renforcer son identité, mais également révéler à travers la pluralité de ses créations, les traits de la société québécoise contemporaine au reste du monde. Parmi d'autres, les maisons de disques, GSI Musique[23] fondée en 1983 et Audiogram[24] l'année suivante, offrent en effet, vingt-cinq ans après leur création, une vitrine toujours renouvelée de

---

21. « Charte de la langue française », 1977.
22. F. Têtu de Labsade, *Le Québec, un pays, une culture*, Montréal, Éd. Boréal, 1989, p. 104-105.
23. http://www.gsimusique.com
24. http://www.audiogram.com

la production chansonnière québécoise. À titre d'exemple, le catalogue d'Audiogram, qui se distinguait encore à l'hiver 2008 par le nombre de sorties d'albums d'artistes québécois sur le marché canadien[25], trame précisément la vitalité de la chanson québécoise contemporaine. En développant la carrière d'artistes comme Paul Piché (*Intégral*, 1986; *Sur le chemin des incendies*, 1988) et Michel Rivard (*Un trou dans les nuages*, *Sauvage*, 1987, *Michel Rivard*, 1989) dans les années quatre-vingt, celles de Jean Leloup (*Menteur*, 1989; *L'amour est sans pitié*, 1990) et Daniel Bélanger (*Les insomniaques s'amusent*, 1992 ; *Quatre saisons dans le désordre*, 1996) au cours des années quatre-vingt-dix, en révélant les rappeurs du groupe Loco Locass (*Manifestif*) et l'Acadienne Marie-Jo Thério (*La Maline*) au tournant des années deux-mille ainsi que les plus récents Ariane Moffatt (*Aquanaute*, 2002; *Le cœur dans la tête*, 2005) et Pierre Lapointe (*Pierre Lapointe*, 2004, *La forêt des mal-aimés*, 2006), Audiogram, riche d'un catalogue de plus de 50 artistes, a fortement participé à la consolidation d'une identité culturelle québécoise[26].

La méconnaissance de la chanson québécoise en France

Pour autant, à part Pierre Lapointe, qui semble ces derniers temps séduire en France une partie de la profession et d'un public avide de spectacles consacrés à la chanson, quels autres artistes cités ici ont conquis le cœur des français ? Aucun ! Enfin, presque. Avec son titre, « 1990 », Jean Leloup a, en 1992, envahi les ondes et les discothèques. Puis, plus rien : ses albums suivants, le *Dôme* (1996), *Les fourmis* (1998) et la *Vallée des réputations* (2002), disques phares au Québec, n'ont suscité du côté des producteurs et programmateurs aucune curiosité en France. Alors pourquoi « 1990 » a-t-il, a contrario, provoqué un tel enthousiasme ? Il me

---

25. S. Cormier, « Disques – La rentrée Audiogram... et le reste ! », *Le Devoir*, Édition du samedi 19 et du dimanche 20 janvier 2008.

26. C. Prévost-Thomas, « Chanson francophone contemporaine et pratiques émancipatoires : une dynamique de survie au cœur de la mondialisation », dans Anne Robineau et Marcel Fournier (dir.), *Musique, enjeux sociaux et défis méthodologiques, Perspectives comparées Québec, France, Cuba*, Paris, L'Harmattan, Logiques sociales, 2006, p. 57-76.

semble que les raisons peuvent peut-être venir du côté de la composition musicale de ce morceau plutôt que de ses paroles. Dix ans plus tôt en effet, en 1982, les mêmes radios et pistes de danse proposaient en boucle le tube disco du groupe new-yorkais Indeep « Last night a DJ save my life ». La dérision adoptée par Jean Leloup, reprenant à son compte le rythme et la mélodie de ce titre pour dénoncer la médiatisation de la guerre du Golfe à l'heure de la mondialisation, eut comme seul effet de faire se trémousser la France le temps d'un été. Il faut dire qu'ici, beaucoup plus qu'au Québec, le tube – ou avec un peu de chance, les tubes, qui se comptent le plus souvent, pour chaque interprète sur les doigts d'une main – suffit à circonscrire, à cataloguer, à oublier ou (au mieux ?) à « ressortir » à des fins purement commerciales un artiste. Rappelons-nous combien les succès d'« Ils s'aiment » de Daniel Lavoie en 1984 et d'« Hélène » de Rock Voisine en 1990 ont, comme pour Jean Leloup, étouffé le reste de leur création. Dans le même esprit, Charlebois ne peut franchir un plateau de télévision française sans devoir interpréter exclusivement « Lindberg », « Ordinaire » ou « Je reviendrai à Montréal ». Comment le grand public peut-il alors découvrir le reste de son œuvre ? Autre exemple : en 1992, les stations de radio diffusaient à outrance « Quand j'aime une fois j'aime pour toujours » sans jamais mentionner que son auteur n'était pas Francis Cabrel, mais Richard Desjardins qui venait de sortir outre-Atlantique l'album *Tu m'aimes-tu* comprenant, en plus de la chanson du même nom, les superbes « Nataq » et « Va-t'en pas ». Quinze ans plus tard, trop rares sont ceux qui ont découvert l'immense talent de ce poète et de cet homme engagé[27], considéré par la majorité de ses concitoyens comme l'une des figures les plus emblématiques du moment. Parmi les artistes

27. À travers sa démarche artistique, Richard Desjardins a toujours milité pour la défense de l'environnement, et plus précisément il lutte depuis plus de dix ans contre la déforestation de l'Abitibi (région du Québec dont il est originaire). Son dernier disque *Kanasuta*, paru au Québec sous le label Foukinic en novembre 2003, porte le nom d'une de ces forêts qui est en réel danger. La réalisation de cet album n'est qu'une nouvelle étape sur le chemin de ces dénonciations puisqu'il avait, dans un autre genre artistique, déjà réalisé en 1999 un documentaire de 68 minutes intitulé « L'erreur boréale ». En 2007, son documentaire « Le peuple invisible » rend hommage au peuple amérindien des Algonquins.

du catalogue Audiogram, qui sait, en France, que Michel Rivard fut l'un des membres fondateurs du groupe Beau Dommage et qu'il est, en parrainant de nombreux événements, au-delà de ses propres créations (11 albums à ce jour), un acteur culturel majeur de la défense de la langue française dans son pays comme l'exprime très bien le texte de sa chanson « Dans le cœur de ma vie », écrite en 1989 : « C'est une langue de France aux accents d'Amérique, Elle déjoue le silence à grands coups de musique, C'est la langue de mon cœur et le cœur de ma vie, Que jamais elle ne meure, que jamais on ne l'oublie ». On pourrait encore multiplier les exemples pour comprendre qu'en France, la connaissance des artistes québécois, et plus encore de leurs œuvres, ne reflète pas du tout la réalité de la vie culturelle de la Belle Province. Quant à la prise de conscience des enjeux linguistiques, depuis notre territoire jusqu'à l'échelle planétaire, elle effleure encore trop peu nos concitoyens et nos institutions, toujours plus fascinés par la culture anglophone et le mythe américain ou recentrés sur les valeurs franco-françaises qui, à première vue, ne semblent nullement être menacées par l'hégémonie de la langue anglaise. Dans ce contexte, on ne s'étonnera alors pas que les artistes québécois qui ont remporté le plus de succès en France ces trente dernières années aient adopté un profil plus français ou plus américain que québécois. L'examen n'est pas nouveau, il reste seulement trop confidentiel. En 2003, alors qu'un vent québécois semblait souffler sur l'Hexagone, Sylvain Cormier, journaliste « chanson » du quotidien *Le Devoir* à Montréal écrivait déjà : « est-ce bien le Québec qui triomphe en France ? [...] Constatons : c'est Pascal Obispo qui a fabriqué de toutes pièces *L'Instant d'après*, actuel album à succès de Natasha St-Pier. *Reviens*, le nouveau Garou, contient certes son quota de Plamondon, mais aussi de Goldman. Lequel Jean-Jacques est aussi l'un des quatre types d'*Une fille et quatre types*, le nouveau Céline[28], en compagnie des Gildas Arzel et autres potes à Johnny (Hallyday). Pareillement, les derniers

---

28. Il s'agit de Céline Dion qui, avec 200 millions d'albums vendus en 25 ans de carrière, reste à ce jour l'interprète la plus populaire au Québec.

disques d'Isabelle Boulay et France D'Amour étaient littéralement des produits *made in France*, avec le Québec comme marché secondaire. Et quand ce n'est pas dans la fabrication, c'est dans la mise en marché que le *showbiz* français impose le Québec en France. Lynda Lemay, faut-il le rappeler, bénéficie du puissant parrainage de Charles Aznavour : les heures d'antenne récemment allouées à la promotion de l'album *Les Secrets des oiseaux* par Michel Drucker n'y sont pas étrangères »[29]. Si l'on se rapproche un peu plus près des motivations premières qui ont encouragé ces artistes à s'épanouir dans ce métier, il est intéressant de constater qu'elles sont très souvent inscrites dans une tradition française (texte et voix) et / ou américaine (voix et musique). L'exemple de Céline Dion est à ce titre très révélateur :

> Malgré [son] succès sans précédent, certains se questionnent sur l'image que Céline Dion projette de l'âme québécoise : que reste-t-il de notre spécificité écrite pour la plupart par des créateurs américains ou européens ? Que faut-il déduire de l'exemple de cette artiste d'ici, qui, pour triompher outre-frontière, a dû adopter un langage esthétique plus proche de Las Vegas que de son Charlemagne natal ?[30]

Si Lynda Lemay a, de son côté, été beaucoup plus influencée par les chanteurs français que par le répertoire québécois au cours de sa jeunesse, elle n'évince pas pour autant la question de son identité et de ses origines. Ses échanges privilégiés avec la France lui ont d'ailleurs inspiré en 2000, « les maudits Français », chanson qui permettait, dans une certaine mesure, de remettre les pendules françaises, empreintes de clichés toujours tenaces, à l'heure de la réalité québécoise : « Quand ils parlent de venir chez nous, c'est pour l'hiver ou les indiens, les longues promenades en skidoo ou encore en traîneau à chien [...] Quand leur séjour touche à sa fin, Ils ont compris qu'ils ont plus le droit, De nous appeler les Canadiens, Alors que l'on est Québécois ».

---

29. S. Cormier, « Québec sur Seine – La déferlante québécoise en France, vue du Québec », http://www.rfimusique.com/musiquefr/articles/060/article_14793.asp
30. R. Léger, *op. cit.*, p. 122-123.

L'éveil de la curiosité de nouveaux publics

Cette quête de reconnaissance identitaire, connaît cependant un meilleur écho chez plusieurs artistes de la génération montante qui, non seulement sensibles à la sauvegarde de la langue québécoise, proposent de réinterroger les valeurs de leurs concitoyens dans des domaines comme l'écologie (Les Cowboys Fringants) la famille (Mes Aïeux), l'indépendance du pays (Loco Locass). D'autres, tels Ariane Moffatt, Malajube ou Tomas Jensen, dans l'héritage de ceux qui ont si bien chanté la métropole montréalaise (comme Beau Dommage), ou les espaces environnants (de Gilles Vigneault à Jean Leloup), aspirent aussi à nommer le cadre dans lequel évolue leur créativité. Mais au-delà des textes et de leurs climats, les choix musicaux de cette nouvelle génération d'artistes témoignent de l'éclectisme toujours renouvelé de la scène québécoise. Entre réappropriation du folklore dans la lignée de la Bottine Souriante (Les Cowboys fringants, Mes Aïeux) et expérimentations pop, rock et électro (Ariane Moffatt, Marc Déry, Daniel Boucher), on assiste a un véritable foisonnement musical. Plus encore, le décloisonnement des frontières esthétiques entre monde populaire et savant, déjà bien amorcé au cours des générations précédentes, semble prendre un virage intéressant : à l'occasion de festivals, tels les *Francofolies de Montréal* ou *Coup de Cœur francophone*, de nombreux artistes sont accompagnés d'orchestres symphoniques. Parmi ceux-ci, retenons la performance réalisée par le groupe de rap Loco Locass accompagné d'une formation symphonique à l'occasion du spectacle d'ouverture des *Francofolies de Montréal* 2007 et la nouvelle version de *Starmania* interprétée par des artistes lyriques au printemps 2008 à l'Opéra de Québec. Plus encore, avec la grand-messe qu'il compose cette année dans le cadre du Festival des musiques sacrées, du Sommet de la Francophonie et du 400e anniversaire de la fondation de Québec, Gilles Vigneault, du haut de ses 80 ans, réalise un vieux rêve pour célébrer « la foi dans les humains »[31]. Encore insolites en France, ces expériences artistiques pourraient peut-être franchir un jour l'Atlantique si l'on observe de plus près les nouveaux partenariats qui sont en train de se tisser entre maisons de disques, distributeurs et tourneurs français et québécois : si Les Cowboys Fringants dès 2004, Ariane Moffatt en 2006 et Mes Aïeux en 2008 se sont produits sur quelques scènes françaises, c'est bien en fonction de la volonté bipartite de nouveaux acteurs du monde musical. L'apparition des nouveaux médias, de leurs offres de contenus (presse[32] et radios[33] en ligne, sites d'artistes et de maisons de disque) et des nouvelles communautés virtuelles (*Les cousins fringants*[34], *My Space*[35]) remplissent également un rôle non négligeable dans la possibilité des nouveaux échanges sociaux et culturels entre chanson française et québécoise et leurs amateurs respectifs. Mais pour que l'appréciation de la chanson québécoise s'élargisse au grand public, par le biais des médias de masse, il faudrait surtout que la France adopte une politique volontariste vis-à-vis des œuvres et des artistes qui défendent à juste titre leur langue, leur identité et leur ouverture aux autres.

Au fond, ce constat proposé ici au sujet du Québec pourrait être élargi aux autres cultures francophones s'épanouissant hors de l'Hexagone. Dans ce sens, un réexamen de la notion de Francophonie et de sa prise en compte par ceux qui nous gouvernent et ceux

---

31. I. Portier, « Vigneault prépare enfin sa grand-messe », *Le Devoir*, 22 février 2008, http://www.ledevoir.com/2008/02/27/177961.html

32. Voir en particulier le site du magazine français *Longueurs d'ondes* sur : http://www.longueurdondes.com

33. Visiter et écouter en ligne les chaînes du groupe Radio Canada sur : http://www.radio-canada.ca/radio

34. Association « constituée d'amoureux du Québec qui sont plus ou moins connaisseurs de la culture québécoise et amateurs de la chanson populaire actuelle du Québec, dont les Cowboys Fringants sont les représentants les plus en vue actuellement » sur : http://www.cousinsfringants.asso.fr

35. Site d'hébergement de pages personnelles pour chaque artiste comprenant des informations sur l'actualité, des chansons en ligne, des liens sur les « amis » artistes, etc. sur http://www.myspace.com

qui nous éclairent me semble indispensable. Je laisserai à ce sujet le dernier mot au secrétaire général de la Francophonie, Abdou Diouf, qui déclarait dans une lettre ouverte du journal *Le Monde* en 2007 : « Les Français ne savent pas encore assez tout ce qu'ils peuvent offrir à la Francophonie, et surtout tout ce qu'elle peut leur offrir. J'espère que viendra bientôt le jour où il sera évident pour un Français de se présenter en se disant normand, français, européen et francophone, sans crainte d'apparaître «réac» ou ringard ! »[36]. À suivre donc.

36. A. Diouf, « La Francophonie, une réalité oubliée », *Le Monde*, 19 mars 2007.

Bibliographie

Sites internet

Site de l'Association québécoise de l'industrie du disque, du spectacle et de la vidéo : http://www.adisq.com/assoc-profil.html

Site de l'Association les Cousins Fringants : http://www.cousinsfringants.asso.fr/

Site d'hébergement de pages personnelles pour chaque artiste : http://www.myspace.com

Site de la Société Gestion son et Image : http://www.gsimusique.com

Site de la maison de disque Audiogram : http://www.audiogram.com

Site du magazine français Longueurs d'ondes sur : http://www.longueurdondes.com

Site du groupe Radio Canada : http://www.radio-canada.ca/radio

CORMIER Sylvain, « Québec sur Seine – La déferlante québécoise en France, vue du Québec » : http://www.rfimusique.com/musiquefr/articles/060/article_14793.asp

PORTIER Isabelle, « Vigneault prépare enfin sa grand-messe », Le Devoir, 22 février 2008 : http://www.ledevoir.com/2008/02/27/177961.html

Ouvrages et articles

BIZZONI Lise et PRÉVOST-THOMAS Cécile (dir.), *La chanson francophone contemporaine et engagée*, Montréal, Triptyque, 2008.

Charte de la langue française, 1977.

CD *Le 08-08-88 à 08h08*, Spectacle en hommage à Félix Leclerc, GSI Musique, 1999.

CORMIER Sylvain, « Disques – La rentrée Audiogram... et le reste ! », *Le Devoir*, Édition du samedi 19 et du dimanche 20 janvier 2008.

DESJARDINS Richard, *L'erreur boréale*, Montréal, Office national du film du Canada, 1999, 68 minutes.

DESJARDINS Richard, *Le peuple invisible*, Montréal, Office national du film du Canada, 2007, 90 minutes.

DIOUF Abdou, « La Francophonie, une réalité oubliée », *Le Monde*, 19 mars 2007.

FERLAND Jean-Pierre, *Chansons*, coll. « Mes chansons, mon pays », Ottawa, Leméac, 1969, p. 12-13.

GAUTHIER Claude, dans le livret de *Je me souviens*, Coffret commémoratif de la chanson québécoise, Disque 3, titre n°7, GSI Musique, Sodec, Musicor, 1998, p. 46.

LÉGER Robert, *La Chanson québécoise en question*, Montréal, Québec Amérique, 2003, 141 p.

POULANGES Alain, MARC-PEZET Janine, *Le théâtre des 3 baudets*, Paris, Du May, 1994, 95 p.

PRÉVOST-THOMAS Cécile, « Chanson francophone contemporaine et pratiques émancipatoires : une dynamique de survie au cœur de la mondialisation », dans Anne Robineau et Marcel Fournier dir., *Musique, enjeux sociaux et défis méthodologiques, Perspectives comparées Québec*, France, Cuba, Paris, L'Harmattan, Logiques sociales, 2006, p. 57-76.

PRÉVOST-THOMAS Cécile, « «Daniel Boucher : le vouleur de changeage» », dans *Spirale, (Arts, Lettres, Sciences Humaines)*, Lise Bizzoni, Dominique Garand, Bertrand Rouby dir., « La chanson sa critique », Montréal, n°217, novembre-décembre 2007, p. 32-33.

RUDENT Catherine, « La télévision française et les "voix québécoises" populaires : le trompe-l'œil d'un étiquetage médiatique », *Intersections. Canadian Journal of Music / Revue canadienne de musique*, n° 27-1, 2006, p. 75-99.

TÊTU DE LABSADE Françoise, *Le Québec, un pays, une culture*, Montréal, Éd. Boréal, 1989, 458 p.

THÉRIEN Robert et D'AMOURS Isabelle, *Dictionnaire de la musique populaire au Québec, 1955-1992*, Québec, Institut Québécois de Recherche sur la Culture (IQRC), 1994, 580 p.

Le cinéma québécois

Un cinéma qui cherche ses marques aux yeux du monde

Pierre Véronneau

À l'échelle internationale, le cinéma québécois est une petite cinématographie qui ne s'est jamais imposée sur aucun marché, sauf le sien. Comme toute cinématographie périphérique, le cinéma québécois a toujours eu de la difficulté à se faire reconnaître et diffuser à l'étranger. Rares sont les films qui aboutissent en salle, sauf ceux destinés expressément au marché commercial et qui sont la plupart du temps tournés en anglais. Ce ne sera pas de ces films anglophones dont traitera le présent texte. Par contre, dans le circuit des festivals, dans le milieu des cinéphiles, la situation est meilleure. Le cinéma québécois peut en fasciner certains par son esthétique et d'autres par son contenu.

L'intérêt accordé au cinéma québécois à l'étranger

Ainsi, depuis la fin des années cinquante, l'esthétique du cinéma direct, qui prend source et se développe à l'Office national du film, attire l'attention des documentaristes français et étatsuniens. Ils apprécient les innovations technologiques et stylistiques auxquelles ont recours les cinéastes, mais c'est surtout leur attitude qui séduit, cette volonté, comme le dit le documentariste québécois Pierre Perrault, d'apprivoiser le réel. Les documentaristes et cinéphiles étrangers apprécient ces Québécois qui ne se contentent plus d'être que des enregistreurs d'images et de sons, mais veulent désormais traduire leur réalité, en saisir les images et les paroles. Dans cette reconnaissance initiale, les noms de Michel Brault et de Pierre Perrault apparaissent à l'avant-plan, grâce surtout à *Pour la suite du monde* (1963) où ils font tandem. Présenté à Cannes, le film étonne et séduit ceux qui sont à la recherche d'un documentaire renouvelé. Dès lors, Perrault se construit un groupe d'admirateurs, au nombre desquels se trouvent d'importants critiques de cinéma comme Louis Marcorelles et Guy Gauthier. Dire qu'il est l'objet d'un culte serait exagéré, mais les Français lui consacrent plus de textes, de colloques et d'émissions de radio que les Québécois eux-mêmes. Dans le jeu des miroirs à deux faces, Perrault leur rend la pareille en allant tourner en France, comme dans *C'était un Québécois en Bretagne, madame* (1977), *Les voiles bas et en travers* (1983) et *La grande allure* (1986), en faisant surgir leur propre parole tout en l'entrelaçant à la nôtre.

Découvert à Cannes en même temps qu'un film étudiant plein d'audace, *Seul ou avec d'autres* (Denys Arcand, Denis Héroux, Stéphane Venne, 1963), *Pour la suite du monde* inaugure le mouvement de reconnaissance dont va bénéficier le cinéma québécois. Outre Brault et Perrault, Gilles Groulx, Claude Jutra, Jean Pierre Lefebvre, Gilles Carle et Denys Arcand sont remarqués, surtout en France, par ceux qui conjuguent, en ces années 1960-70, amour du Québec et curiosité cinéphilique. On n'a qu'à penser au *Chat dans le sac* (Groulx, 1964) et *La vie heureuse de Léopold Z* (Carle, 1965) Naturellement, l'accent déroute parfois, mais tous apprécient la liberté des cinéastes, leur sensibilité, leur poésie, leur inventivité esthétique (sauf quand elle est trop expérimentale comme chez Lefebvre). Le cinéma québécois est à la fois déroutant et familier, et cette dimension fascine le public français. Il fait découvrir un pays, il sensibilise à une réalité et à un combat, il se meut dans l'univers du préjugé favorable. Ce sont principalement Carle et Arcand qui gagne l'intérêt de la critique, mais seul Carle connaît un certain succès public à l'époque, notamment grâce à ce petit bijou qu'est *La vraie nature de Bernadette* (1972). La majorité de ses films est diffusée en salles. Son humour séduit, son côté rabelaisien également. On apprécie la façon tout imaginaire qu'il a d'aborder la réalité et la distanciation qui en découle, la liberté sexuelle de ses personnages. D'ailleurs, Carle sait jouer sur le vedettariat et c'est grâce à lui que Carole Laure séduira la France. Cependant, les années soixante-dix mettront un frein sur ces connivences. Le pittoresque québécois ne fait plus recette et pour un *Les Ordres* qui obtient le prix de la meilleure réalisation à Cannes en

1975, on dénombre plusieurs titres qui passent inaperçus. La situation ne s'améliorera pas dans les années quatre-vingt. La presse se fait plus silencieuse, les grands festivals ferment un peu leurs portes au cinéma québécois. Denys Arcand constitue la seule exception, dont *Le Déclin de l'empire américain* (1986) et *Jésus de Montréal* (1989) seront primés à Cannes. La façon dont il traite de la sexualité, du couple, de la religion, de la société de consommation, de la crise des valeurs lui vaut la faveur du public. Nous y reviendrons.

La diffusion du cinéma québécois à l'étranger

Les producteurs québécois et les institutions qui les appuient misent très tôt dans l'histoire du cinéma québécois sur la diffusion du cinéma québécois à l'étranger. Ils y voient autant leur intérêt économique que la nécessité d'assurer le rayonnement culturel du Québec. Pour ce faire, ils adoptent trois stratégies. D'abord, celle de la production d'œuvres très commerciales qui comptent rarement parmi les fleurons du cinéma québécois mais peuvent faire leurs frais : on pense ici aux films de genre, d'action, de « sexploitation », d'horreur, etc. réalisés bien souvent en anglais. Puis, celle de la présence dans les festivals et concours internationaux en espérant qu'il en résulte des prix, sinon une reconnaissance critique. Outre la fiction, les documentaires et les films d'animation s'inscrivent dans cette démarche. Et finalement, troisième stratégie pour les producteurs québécois, celle de la vente pour des salles et des télévisions étrangères. Arcand est un des seuls qui a bénéficié de vrais succès dans les manifestations majeures (Cannes, Césars, Oscars). Or, plusieurs se sont fait remarquer dans des festivals plus ciblés (Venise, Berlin, Créteil, Namur, Annecy) ou dans des sections cinéphiliques (au Festival de Cannes, à la Quinzaine des réalisateurs ou à la Semaine de la critique). Ce sont souvent les seuls créneaux où peuvent être appréciés les films d'auteur, les films d'art et essai, à petit budget, qui ne trouvent toutefois aucun débouché public hors de ces circuits. Hormis les festivals réguliers, ainsi que les rétrospectives internationales de films d'animation qui comptent toujours à leur programme des animateurs québécois (Co Hoedeman, Frédéric Back, Pierre Hébert, Michèle Cournoyer, Caroline Leaf, Jacques Drouin), le Québec a tenté au cours des vingt dernières années plusieurs approches pour manifester sa présence à l'étranger. L'une des plus originales fut de soutenir la tenue du Festival du cinéma québécois de Blois dont la première édition remonte à 1991. Créée grâce à l'appui du maire de Blois et ministre de la Culture Jack Lang, la manifestation reposait sur le pari suivant : puisque les festivals n'accordent pas de place véritable au cinéma québécois, mettons sur pied un événement récurrent, créons une habitude dans le public local et tentons, par Blois, de percer l'ensemble du marché français. Après cinq ans d'effort, le Québec a établi un bilan négatif de l'expérience et s'en remet maintenant à une manifestation annuelle qui se tient dans la capitale, la Semaine du cinéma du Québec à Paris. On pense ainsi rejoindre la critique et les revues de cinéma qui ont toutes pignon sur rue à Paris, mais les résultats ne semblent pas être à la hauteur des espérances, la « semaine » s'avérant quasi-confidentielle. Le cinéma québécois a toujours de la difficulté à pénétrer les marchés étrangers et à susciter des attentes cinéphiliques.

À cette stratégie s'en ajoute une autre : le recours à la coproduction. Plusieurs producteurs et représentants des diverses institutions cinématographiques, comme l'Office national du film, la Société de développement des entreprises culturelles et Téléfilm Canada, vantent périodiquement les mérites de la coproduction comme unique stratégie de pénétration des films québécois sur les marchés étrangers. Les promoteurs de cette approche privilégient, pour ce qui est du film en français, l'idée de coproduire avec la France. Ils croient en retour que le cinéma français va avoir une influence bénéfique sur une partie du cinéma québécois, plus précisément sur la fiction. Plus qu'une influence, une symbiose. Du côté français, on considérera cette approche avec moins d'états d'âme et on souhaitera surtout qu'elle permette de trouver des partenaires qui partagent les mêmes vues sur le plan économique. Le premier accord avec la France est signé en 1963 et vise autant la coproduction que l'amélioration des échanges de films entre les deux pays. Le rapprochement avec la France présente même, aux yeux des signataires canadiens, un avantage en ce qu'il pourrait renforcer l'identité canadienne puisque se dégageant un tout petit peu de l'impérialisme américain. Pour plusieurs Québécois de l'époque, l'enjeu global – dans lequel le cinéma n'occupe qu'une place réduite – est à la fois plus clair et plus simple : on veut résister à l'envahissement des États-Unis et à terme on espère se libérer de son emprise culturelle. La revendication d'une loi sur le cinéma – qui sera promulguée en 1975 – constitue un élément dans cette préoccupation générale. On souhaite se donner tous les moyens possibles pour que la production cinématographique progresse. Dans ce cadre, l'accord de coproduction va tenir une toute petite place. D'ailleurs, trois films seulement voient le jour dans les années soixante, dont deux, particulièrement banals, du Français Claude Pierson dans lesquels le Québec occupe une place minoritaire.

En 1968, le gouvernement canadien crée la Société de développement de l'industrie cinématographique canadienne responsable de l'application des ententes de coproduction. Le nombre annuel de films canadiens augmente pour atteindre une moyenne de 20 pour les premières années soixante-dix. Le nombre de coproductions croît également. Il s'agit la plupart du temps de films sans grand intérêt, à connotation sexuelle ou à composante comique. D'ailleurs, le genre érotico-comique semble correspondre à ce qu'on attend d'une production commerciale qui soit populaire des deux côtés de l'Atlantique. Le succès est parfois au rendez-vous. Plusieurs coproductions tiennent peu compte du pays destinataire et sont le fait de réalisateurs mineurs dont l'apport au cinéma ne laissera pas beaucoup de traces. Elles s'attirent, tant de la critique québécoise que française, le plus total mépris. Elles confirment, aux yeux des détracteurs de la coproduction, l'échec de cette stratégie en ce qui concerne la diffusion de la culture québécoise.

Mais toutes les coproductions ne s'annoncent pas comme étant aussi mercantiles et indigentes, surtout quand leurs réalisateurs bénéficient déjà d'une certaine notoriété. Parmi celles-ci, certaines visent expressément un cinéma plus personnel, d'autres un cinéma commercial de meilleure tenue, de « qualité française » pourrions-nous dire. Dans cette dernière catégorie, où la participation québécoise est minoritaire, on retrouve des films comme *La Menace* (Alain Corneau, 1977), *À nous deux* (Claude Lelouch, 1979), *L'Homme en colère* (Claude Pinoteau, 1979), *Violette Nozière* (Claude Chabrol, 1977) et *Blood Relatives* (Claude Chabrol, 1978). Aucun de ces films ne procure un quelconque rayonnement à la culture québécoise. Souvent, la vie au Québec ne joue aucun rôle véritable dans le récit. On la neutralise, on l'aseptise, on la maintient à la limite de la caricature et sans souci de vraisemblance. Dans ce contexte, Montréal n'est souvent qu'une ville nord-américaine archétypale dont on ne se préoccupe pas de désigner la localisation. Par ailleurs, quand on sort de l'espace urbain, un autre archétype surgit : le Québec comme grand espace, comme sauvagerie, comme nature, une représentation folklorique qui plaît aux Français. On le voit, qu'il soit rural ou urbain, le Québec n'offre que son décor à des films commerciaux bien français et sans beaucoup d'ambition, comme s'il n'y avait que ces clichés qui puissent attirer le regard étranger. La critique québécoise se montre de son côté particulièrement sévère pour ces réalisations, malgré leur qualité cinématographique relative.

Le rayonnement plutôt que la commercialisation du cinéma québécois

Le rayonnement de la culture québécoise serait-il mieux assuré avec des coproductions plus personnelles, qui d'un côté comme de l'autre de l'Atlantique cherchent à se dégager des modèles culturels dominants ? L'intérêt commercial de ce cinéma est moins établi, mais les visées culturelles figurent au premier plan des objectifs qu'il déclare. La première réalisation de cet ordre remonte à 1972 lorsque le Français Alain Périsson adapte le roman du Québécois Réjean Ducharme, *Le Nez qui voque*. Sous le titre *Le Grand Sabordage*, ce film se présente comme une vision française d'un sujet québécois et la critique française se montre sensible à l'atmosphère qui s'en dégage. Au contraire, certains critiques québécois – ceux qui ne conspirent pas contre le film par leur silence – se demandent de quoi se mêlent ces Français qui viennent s'attaquer à un fleuron de la littérature québécoise[1]. Cette réaction presque épidermique fait voir la complexité des relations qui unissent le Québec à la France, oscillant entre l'attirance et le rejet. L'année suivante, Claude Jutra, le cinéaste de fiction le plus prestigieux de l'heure au Québec à cause du triomphe de *Mon oncle Antoine*[2], se lance dans une entreprise autrement ambitieuse : l'adaptation de *Kamouraska*, « best seller » d'une des plus grandes romancières québécoises actuelles, Anne Hébert, dont la renommée en France (elle est éditée au Seuil et habite Paris) laisse par ailleurs y espérer un succès. Au tandem Hébert-Jutra, on adjoint la crème du cinéma québécois, de la « star » Geneviève Bujold au grand directeur photo Michel Brault. Il s'agit d'un film d'époque bénéficiant d'un budget de près d'un million de dollars canadiens, du jamais vu. Voici les ingrédients d'un film programmé pour réussir à faire rayonner la culture québécoise. Plus hautes sont les espérances, plus amer est l'échec. L'accueil tout à fait mitigé dont bénéficie le film au Québec autant auprès de la critique que du public constitue, aux yeux de plusieurs, la preuve que la coproduction ne peut engendrer que des fruits contre nature et que le cinéma québécois perd son âme en voulant s'acoquiner au cinéma français. Jutra estimera d'ailleurs que les contraintes de la coproduction l'ont obligé à dénaturer son projet et refera en 1983 une version vidéo du film qui fait 173 minutes, au lieu de 124. Un autre roman d'Anne Hébert, *Les fous de Bassan* (Yves Simoneau, 1986) fera l'objet d'une adaptation, sans plus de succès d'ailleurs. Dès lors, on met fin à cette idée d'adapter des œuvres littéraires québécoises comme moyen d'assurer notre rayonnement culturel.

Il faut quand même ouvrir une petite parenthèse pour les films de Gilles Carle. Dans les années soixante-dix, comme il jouit d'une faveur critique

---

1. On trouve aussi en 1972 un autre film français qui adapte un roman québécois de Marie-Claire Blais. Or, *Une saison dans la vie d'Emmanuel* (Claude Weisz) n'est pas une coproduction. Son accueil au Québec ne vaut guère mieux que celui réservé à Périsson.
2. Consacré « meilleur film canadien de tous les temps » depuis.

et cinéphilique exceptionnelle en France, Carle va sembler être le candidat tout désigné pour la coproduction. C'est ainsi que deviennent des films franco-canadiens *Les Corps célestes* (1973), *Fantastica* (1979), *Maria Chapdelaine* (1983) et quelques téléfilms réalisés au début des années quatre-vingt-dix. Tourné sous le mode réaliste, bien que comique, le premier mise sur le pittoresque québécois tout en ménageant une dimension française au récit en transplantant dans l'Abitibi des années trente le personnage d'un ex-missionnaire français devenu tenancier de bordel. Quant au second film, même s'il mise totalement sur la fantaisie d'une comédie musicale, il ne peut faire l'économie d'une manipulation diégétique avec un Serge Reggiani en vieil écolo vivant dans son paradis artificiel. Seul *Maria Chapdelaine* semble convenir à la coproduction. Ces films ont été passablement éreintés par la critique. Si le cinéma de Carle pouvait accrocher lorsqu'il traitait du Québec contemporain, il détourne le regard quand il plonge dans le passé ou l'imaginaire. Seul le présent québécois permet un certain rayonnement de notre cinéma. L'échec de Jutra tout comme celui de Carle en sont un bon indice. Il faut toutefois mentionner que ces films correspondent à la période Carole Laure dans l'œuvre de Carle et que cette dernière, s'établissant en France, jouera un rôle dans la diffusion de la culture québécoise, de la chanson et du cinéma. Laure deviendra d'ailleurs réalisatrice et réalisera en coproduction trois longs métrages qui lui vaudront un certain succès d'estime et progressivement l'établiront comme une auteure. Il s'agit de *Le fils de Marie* (2002), *CQ2 – Seek You Too* (2004) et *La capture* (2007).

Le cas de Carle constitue un bon exemple de cette réception qui met en jeu l'authenticité nationale d'une œuvre. On ne laisse pas aux réalisateurs une grande marge de manœuvre. En fait, un des enjeux de l'évaluation des coproductions consiste à faire intervenir les critères de l'identité et de la pertinence culturelles des œuvres et de voir si l'on réussit ainsi à fasciner l'étranger ou à le détourner de la culture québécoise surtout lorsque les films adoptent une approche plus apatride, plus internationale, et tournent le dos aux marqueurs identitaires nationaux. La mise en jeu dans les films d'un certain nombre de mécanismes de figuration produit des effets de décalage et de rupture dans la mesure où le reflet de l'altérité est rejeté par le spectateur quand il s'agit d'une représentation qui lui semble altérante.

Tel n'est pas le cas de Jean Pierre Lefebvre qui pose d'emblée son sujet sur le terrain socio-culturel dans *Le vieux pays où Rimbaud est mort* (1977). Selon lui, puisque le Québec et les Québécois en sont à discuter de leur identité, cette démarche ne peut ignorer les racines et les liens historiques et culturels du Québec avec la France. Rappelons que dans les années soixante-dix, Lefebvre est un des cinéastes québécois défendus par la revue *Cinéma*, publiée par la Fédération française des ciné-clubs. Il entretient des liens personnels avec leurs directeurs Gaston Haustrate et Mireille Amiel. C'est cette dernière qui rédige le scénario du *Vieux pays où Rimbaud est mort* à partir des idées de Lefebvre. Il s'agit du retour d'un Québécois au pays de ses ancêtres, pays qu'il imagine davantage qu'il ne connaît, et de sa rencontre avec une jeune ouvrière puis avec une juge d'enfants qui lui feront voir une France réelle, aimante et souffrante. La dimension franco-québécoise est donc prise en compte dès la conception de l'œuvre. Pour Lefebvre, les questions que pose le film sont fondamentales « au moment où le Québec se réveille lentement d'une longue hibernation politique et culturelle, et au moment, par ailleurs, où la France prend conscience des immenses richesses de sa très ancienne colonie[3]. » Le scénario du film regorge d'indices de mise en scène et de jeu qui pointent le sujet du film, à commencer par ces slogans, écrits sur tableau noir qui parsèment le film, un peu comme dans le cinéma de Godard, et les notations qui soulignent le contraste des accents entre Abel et les Français.

Sans jamais remarquer qu'il s'agit d'une coproduction, les Français parlent du film comme d'un regard québécois sur leur pays qui leur révèle une image différente d'eux-mêmes. Certains dénoncent cette caricature de France, cette France « carte postale » que le film propose. D'autres, de leur côté, en vantent la poésie, la douceur et apprécient que Lefebvre réussisse à exprimer la condition québécoise à travers le miroir français.

---

3. Avant-propos du scénario, 1975.

Par contre, la réception critique au Québec souligne l'ambiguïté des sentiments québécois à l'égard des Français, entre l'amour et la haine, l'adhésion et le rejet. On déplore que le cinéaste ne se soit pas libéré de l'héritage culturel français, que cette nostalgie prenne appui sur les images d'Épinal que justement le film veut combattre. En fait, la critique québécoise se montre peu concernée par le discours du film et l'image de la France que projette le film. Si les diégèses franco-québécoises semblent a priori plus propices à un discours identitaire, encore une fois on dénote qu'en règle générale une coproduction possède toujours une dimension qui en impose l'identité dominante ; celle-ci coïncide souvent avec la nationalité du réalisateur, qui semble plus importante que l'endroit où le film est tourné. C'est ainsi que, filmé au Québec, *Au revoir... à lundi* (Maurice Dugowson, 1979) paraît français tandis que, filmé en France, *Le vieux pays* paraît québécois.

Les espoirs et déceptions de la coproduction

La coproduction franco-québécoise appartient vraiment aux années soixante-dix, début quatre-vingt. Depuis, malgré certaines déclarations à l'effet que ce serait la pratique la plus appropriée pour percer les marchés étrangers, le recours à la coproduction a reculé. On voit les espoirs qu'a suscités sa mise en œuvre et les déceptions qu'elle a entraînées. On cherchait le prolongement et le même, une permanence de la culture française au-delà des temps et des lieux, et une évolution également, une possibilité de reconnaissance par la France d'une filiation entre elle et le Québec, et on s'est retrouvé face à une impasse. On attendait de la coproduction une compréhension mutuelle et on a eu droit à une domination de l'argent sur l'âme et la culture. En définitive, ce qui se voulait un scénario d'identification a donné lieu à une histoire qui a mal tourné. Les coproductions des vingt dernières années, beaucoup moins nombreuses, vont quand même se faire plutôt sous le signe du cinéma d'auteur, sous le signe de ces pratiques dont l'originalité, la diversité et la vitalité constituent le seul moyen que nous ayons au Québec en réponse à la domination massive du cinéma hollywoodien. Divers cas de figure se mettent en place. Il y a d'abord celui de Léa Pool. Néo-Québécoise d'origine suisse, Pool pratique un cinéma qui, par le style et les thèmes (identité sexuelle et culturelle, créativité, exil, errance) ouvre les perspectives du cinéma québécois et séduit les cinéphiles et le circuit des festivals. Il n'est pas étonnant qu'un certain nombre de ses films puisse faire l'objet de coproductions. Mentionnons *À corps perdu* (1988), *La demoiselle sauvage* (1991) et *Mouvements du désir* (1994). Il y a aussi le cas de Robert Lepage, grand ambassadeur du renouveau théâtral québécois. Prenant appui sur sa notoriété, il réussit à ce que son premier long métrage, *Le confessionnal* (1995), soit une coproduction avec la France et le Royaume-Uni. Reprenant l'histoire du tournage d'*I Confess*, d'Alfred Hitchcock, à Québec au début des années cinquante, il lui ajoute un autre récit de faute et de culpabilité porté par une famille éclatée. D'emblée, Lepage séduit par sa manière, par son style visuel et sa narrativité complexe. Le film s'impose au Québec et dans les festivals étrangers. Cet accueil positif lui permet de monter immédiatement une autre coproduction tirée de son œuvre dramatique, *Le Polygraphe* (1996). Il enchaîne sur trois autres réalisations, dont deux tirées de ses pièces, *Nô* (1998) et *La face cachée de la lune* (2003). Tout comme ses pièces, les films de Lepage touchent un public curieux et se font remarquer dans les festivals où ils remportent quelques prix.

Les réalisateurs parmi les meilleurs du Québec, André Forcier, Francis Mankiewicz, Jacques Leduc, Jean-Claude Lauzon, Arthur Lamothe, Michel Brault, vont emprunter un parcours semblable. Leurs œuvres sont louangées au Québec ; on les inscrit ou on les retient régulièrement dans les festivals et elles remportent même des prix. Elles assurent une présence internationale du cinéma québécois, mais elles ne réussissent pas à percer véritablement le marché. Chacun sera tenté par la coproduction pour franchir les obstacles et bénéficier des systèmes d'aide qui s'appliquent aux productions nationales. Or, ni Lauzon (*Léolo*, 1992), ni Forcier (*Le vent du Wyoming*, 1994 ; *Les États-Unis d'Albert*, 2005), ni Brault (*Mon amie Max*, 1994), ni Lamothe (*Le silence des fusils*, 1996), ni Leduc

(*L'âge de braise*, 1998), ni Mankiewicz (*Les portes tournantes*, 1998) ne vont remporter leur pari. Leur rayonnement demeure confidentiel malgré la qualité de ces films, la richesse et l'universalité de leurs thématiques. Les revues de cinéma, si elles en parlent, leur accordent une place accessoire. Certains jeunes cinéastes qu'on identifie au renouvellement du cinéma québécois des années deux-mille et dont les sujets rompent souvent avec ceux de leurs aînés, se laissent tenter par l'aventure de la coproduction, mais leur destin ne sera guère différent. Au nombre de ces réalisateurs, mentionnons Denis Chouinard (*Clandestins*, film co-réalisé avec Nicolas Wadimoff, 1997), l'homme de théâtre Wajdi Mouawad (*Littoral*, 2004), Manon Briand (*La turbulence des fluides*, 2002) et Philippe Falardeau (*Congorama*, 2006). Il ne reste qu'un cas qui soit exceptionnel : celui de Denys Arcand.

Denys Arcand : une exception

S'il est quelqu'un sur qui repose le rayonnement du cinéma québécois à l'étranger, autant dans le monde francophone qu'en dehors de celui-ci, c'est bien lui. En 1986, le cinéma québécois semble connaître un certain creux de vague tant du point de vue de son public que de l'éventuelle « qualité » des œuvres qui le composent. Or, la sortie et le succès mondial du *Déclin de l'empire américain* (1986), tourné avec moins de 2 millions de dollars, renverse la situation. La popularité des films augmente au pays, leur succès critique et international également. Le succès universel du *Déclin de l'empire américain* prouve qu'il s'agit là d'un film qui sait toucher largement et intelligemment. Il parle du Québec, mais également de l'Amérique et de l'Occident. Il traite de propos universels comme l'amour, le couple, la crise des valeurs. Il adopte un style qui séduit, combinant humour et finesse, satire et sexualité. Arcand comprend qu'il ne faut pas miser uniquement sur les particularismes québécois sans pour autant faire des œuvres qui ne s'ancrent pas dans la réalité et la culture québécoises. Son triomphe – le mot n'est pas trop fort – et la reconnaissance internationale dont il jouit – il est le seul cinéaste québécois des 25 dernières années à profiter d'une telle notoriété – font en sorte qu'il peut bénéficier de certains privilèges, dont celui de pouvoir réaliser des films avec des budgets plus « confortables » que ceux de ses collègues, de pouvoir être inscrit dans les sections prestigieuses des manifestations cinématographiques majeures et de pouvoir compter sur l'intérêt d'un éventuel coproducteur. Ainsi sont réalisés en coproduction *Jésus de Montréal* (1989), *Les invasions barbares* (2003) et *L'âge des ténèbres* (2007).

Jésus de Montréal confirme la tendance essayiste d'Arcand qui confronte les clichés sociaux, les discours et les symboles collectifs et réutilise les matériaux culturels et cinématographiques d'une manière telle qu'il prend dorénavant place dans le cercle des cinéastes postmodernes. Cette démarche est poussée un cran plus loin dans *Les invasions barbares*, ce qui explique sans doute l'énorme succès de cette suite du *Déclin* et les prix prestigieux remportés au Canada, aux États-Unis et en France. Dans *L'Âge des ténèbres*, son œuvre la plus récente, Arcand est-il allé trop loin dans sa démarche de réappropriation des clichés sociaux avec le recours au pastiche et à la parodie ? Toujours est-il que cette fois-ci la presse se montre sévère, le public ne suit pas et les honneurs ne sont plus au rendez-vous. Nous sommes pourtant dans un monde dont on sait déjà qu'il faut accepter les conventions pour en apprécier la portée. Tout comme à l'opéra, une forme à laquelle renvoie toujours le cinéma fictionnel d'Arcand. Tous les détracteurs de ce film auraient-ils des problèmes avec l'esthétique d'Arcand ? Jamais celui-ci n'était allé aussi loin. Lui, dont le cinéma s'était nourri de réalisme social, le voilà qu'il plonge dans l'imaginaire et la fantaisie. On l'attendait au tournant, mais à quel tournant devant tant de méandres ? Arcand ose mêler exagération et caricature avec un référentiel des plus réalistes. Il saute dans l'imaginaire sans qu'il ne soit pas toujours clair que cet imaginaire est irréel. Il propose une construction du récit qui refuse de dissocier clairement ce qui relève du réel et ce qui découle de l'imaginaire. Auparavant, il avait exploré avec beaucoup de bonheur l'ambivalence des images dans *Stardom* (2000) et avait déjà dérouté quelques critiques plus à l'aise avec la linéarité de ses autres films. Il décida probablement de laisser mûrir cet aspect de sa personnalité pour revenir avec une œuvre tout aussi déroutante mais fascinante. Arcand propose une structure tout en fondus où la linéarité du déroulement est transpercée d'invraisemblances réelles et de réalités invraisemblables. Il puise dans le quotidien des événements qu'il catalyse ou grossit pour qu'ils pètent à la figure des spectateurs. Alchimiste de l'image, il veut que son film soit le produit qui précipite au fond des spectateurs les rires jaunes de la mauvaise conscience. Et dans chacun des cas, l'ancrage dans le référent social – c'est le propre de la caricature – ou cinématographique – c'est la mise en abyme de l'œuvre d'un auteur dans sa propre création – procure au spectateur le moindrement averti un plaisir qui ne se dément pas et qui s'amplifie en fonction de la connaissance qu'on a déjà de l'œuvre du cinéaste, car celui-ci propose de multiples référents à *Stardom*, à *Jésus de Montréal*, aux *Invasions barbares*. Il s'agit d'une pièce majeure pour comprendre l'œuvre du grand cinéaste et l'évolution de sa pensée.

Aux yeux des institutions cinématographiques québécoises et canadiennes, le cinéma d'Arcand compte parmi ceux qui leur permettent d'atteindre un de leurs objectifs politiques, à savoir élargir les auditoires canadiens et étrangers par une meilleure distribution et mise en marché. Ainsi, elles se félicitent de l'importance des activités internationales grâce à la coproduction et au succès de films comme *Les invasions barbares*, *La grande séduction* (Jean-François Pouliot, 2003), le long métrage d'animation *Les triplettes de Belleville* (Sylvain Chomet, 2003) ou *Mambo Italiano* (Émile Gaudreault, 2003). Or, nous venons de démontrer qu'il s'agit là d'une prétention vaine qui confond le rayonnement culturel et la rentabilité cinématographique. Au début des années soixante, dans un monde qui montre de l'intérêt pour les luttes politiques et nationales, les luttes du Québec trouvent un écho sympathique dans le monde francophone. La curiosité envers les jeunes cinémas nationaux (qu'ils soient brésiliens, tchèques ou québécois) permet à des cinéastes, qui avaient recours à des modes de récit radicalement différents de ce qu'on trouve ailleurs, d'être reconnus à leur juste valeur. On apprécie, chez Carle et Lefebvre, la liberté du poète combinée avec la familiarité de l'univers culturel. À partir des années quatre-vingt, ce n'est pas tant les cinémas nationaux qui savent s'imposer que des auteurs individuels, même si un groupe d'entre eux – les Chinois par exemple – peut renvoyer à un cinéma national. Les auteurs québécois ont de la peine à se frayer un chemin entre le cinéma commercial de facture hollywoodienne et le cinéma d'auteur internationalement à la mode. Seul Denys Arcand y parvient, probablement parce que mieux que quiconque il réussit à jouer avec la référence américaine tout en la nourrissant d'un imaginaire québécois non folkloriste. Démontre-t-il qu'en subvertissant les genres, en minant les stéréotypes, le cinéma québécois peut réellement fasciner le regard étranger ? En tout cas, il lance des questions pour nous faire réfléchir sur les limites de notre rayonnement mondial tout en posant des balises pour un cinéma qui cherche ses marques dans un contexte international foisonnant, exigeant et soumis aux aléas des modes et des tendances.

Bibliographie

ARCAND Denys, *Hors champ : écrits divers 1961-2005*, Montréal, Boréal, 2005, 193 p.

BOULAIS Stéphane-Albert (dir.), *Le cinéma au Québec. Tradition et modernité*, Fides, Archives des lettres canadiennes, 2006, 349 p.

CARLE Gilles, *La nature d'un cinéaste*, Montréal, Liber, 1999, 243 p.

CARRIÈRE Louise (dir.), « Aujourd'hui le cinéma québécois », Paris, *CinémAction*, 40, 1986, 191 p.

CARRIÈRE Louise, LETENDRE Andrée et PÉRUSSE Denis, *Les films québécois en France : dix ans de cinéma*, Montréal, Centre de recherche cinéma / réception – Institut québécois sur le cinéma, 1991, 146 p.

COULOMBE Michel et JEAN Marcel (dir.), *Dictionnaire du cinéma québécois*, Montréal, Boréal, 2006, 821 p.

COULOMBE Michel, *Entretiens avec Gilles Carle*, Montréal, Liber, 1995, 225 p.

LAROCHELLE Réal, *Denys Arcand, l'ange exterminateur. Biographie*, Montréal, Leméac, 2004, 383 p.

LAROUCHE Michel (dir.), *Cinéma et littérature au Québec : rencontres médiatiques*, XYZ, 2003, 202 p.

LAROUCHE Michel (dir.), *L'aventure du cinéma québécois en France*, Montréal, XYZ Éditeur, 1996, 257 p.

LEVER Yves, *Histoire générale du cinéma au Québec*, Montréal, Boréal, 1995, 335 p.

MARSHALL Bill, *Quebec National Cinema*, Montréal, McGill-Queen's University Press, 2001, 371 p.

VÉRONNEAU Pierre. *Résistance et affirmation : la production francophone à l'ONF 1939-1964*, Montréal, Cinémathèque québécoise, 1987, 144 p.

WARREN Paul, *Pierre Perrault, cinéaste-poète : essai*, Montréal, L'Hexagone, 1999, 435 p.

L'étrangeté des rapports entre le Québec, les communautés francophones en milieu minoritaire et le reste du Canada

Perspectives historiques

Marcel MARTEL

Pour situer dans leur juste perspective les rapports qu'entretient le Québec avec le reste du Canada et plus particulièrement avec les communautés francophones en milieu minoritaire établies dans les autres provinces canadiennes, il importe de présenter, au départ, les frontières changeantes de l'espace francophone en Amérique du Nord depuis l'arrivée des premiers colons au XVIIe siècle. Par la suite, il y a lieu de traiter de la création de réseaux institutionnels pancanadiens et continentaux qui ont contribué à raffermir les liens entre les communautés francophones et à consolider les frontières mouvantes des espaces francophones. Enfin, il est indispensable de mettre en évidence la manière dont se sont conceptualisés les rapports entre le Québec et les communautés francophones en milieu minoritaire, d'une part, et ceux entre le Québec et le reste du Canada, d'autre part.

Territorialité du fait français en Amérique du Nord

L'implantation du fait français en Amérique du Nord débute en 1604 sur les bords de ce qui était alors l'Acadie et qui est devenue, en 1713, la colonie britannique de la Nouvelle-Écosse. L'explorateur Samuel de Champlain y séjourne pendant un temps avant de choisir un nouvel emplacement dans la vallée du Saint-Laurent, en 1608. En construisant « l'abitation » à l'endroit qui deviendra la ville de Québec, Champlain obéit au désir du souverain français d'avoir une colonie en Amérique du Nord. La vallée du Saint-Laurent devient ainsi le principal lieu d'enracinement des Français. On estime leur nombre à 60 000 en 1755, soit à la veille de la guerre de Sept ans et de la Conquête de la Nouvelle-France par la Grande-Bretagne qui viendront mettre un terme à la colonisation française.

Avec la Conquête anglaise et le changement de métropole en 1763, le fait français se confine à la vallée du Saint-Laurent. Certes, il y a des francophones et des Métis, nés des rencontres entre les coureurs des bois francophones et les populations autochtones, qui vivent ailleurs sur le continent. Toutefois, leur nombre peu élevé fait en sorte qu'ils ne forment que des îlots isolés avec lesquels les francophones de la vallée du Saint-Laurent, devenus des Canadiens français, une identité que ces derniers se donnent au XIXᵉ siècle pour se démarquer des Canadiens anglais, entretiennent peu de liens institutionnels.

Les frontières de l'espace francophone se transforment considérablement avec l'émigration de près d'un million de Canadiens français et d'Acadiens vers les États-Unis, surtout vers les États de la Nouvelle-Angleterre, entre 1840 et 1930. Les élites, du moins celles du Québec, condamnent initialement ce mouvement migratoire. Devant cette émigration en masse, elles constatent leur impuissance à l'enrayer et tentent plutôt de l'encadrer. Certaines élites tentent même de convaincre ceux qui veulent émigrer de s'établir dans d'autres régions québécoises plutôt que de partir pour aller travailler dans les usines de textile de la Nouvelle-Angleterre. Les évêques francophones de Saint-Boniface, de leur côté, s'efforcent d'encourager les Canadiens français à venir s'installer dans les plaines de l'Ouest canadien, mais leurs efforts sont vains, on estime que moins de 50 000 Canadiens français et Acadiens s'y installent, entre 1851 et 1901.

Ces déplacements de population viennent modifier les frontières de l'espace francophone en Amérique du Nord. Le Québec et le Nouveau-Brunswick demeurent les centres de la francophonie nord-américaine mais des îlots francophones émergent dans les États de la Nouvelle-Angleterre, en Ontario, du côté de la vallée de l'Outaouais et dans le Nord, ainsi que dans les prairies canadiennes. Les Canadiens français et les Acadiens, présents dans ces îlots, développent des liens de solidarité souvent renforcés par l'échange de lettres.

Solidarité à l'action et conceptualisation de ces espaces en mouvance

À l'instar des trois millions d'Européens qui émigrent au Canada entre 1896 et 1914, les Canadiens français et les Acadiens créent un réseau institutionnel destiné à préserver les composantes de leur identité, soit la langue française et la foi catholique, puisque ces émigrants amènent bien plus que leurs possessions matérielles avec eux. Ces gens transportent, pour reprendre les propos de l'écrivaine Antonine Maillet, leur coin de pays avec ses référents culturels. Le nombre de ces institutions varie toutefois d'un milieu francophone à l'autre en raison du dynamisme et des ressources financières des gens qui participent au développement de ces communautés. Ainsi, des « Petits Canadas » et des « Petites Acadies » à l'exemple des « Petites Italies » ou des « Petites Ukraines », se forment à l'extérieur du Québec et des Maritimes.

L'édifice institutionnel repose sur trois piliers : la famille, la paroisse et l'école. Les familles francophones tissent entre elles des liens de solidarité et revendiquent des services religieux dans leur langue auprès des responsables des diocèses et des écoles dans lesquelles le français sera une langue d'enseignement. Les luttes entourant l'obtention d'un prêtre francophone pour la célébration des services religieux, d'une paroisse nationale pour les francophones et des enseignants et enseignantes francophones marquent le développement des communautés francophones en milieu minoritaire.

Ces luttes s'expliquent en partie par les objectifs du Vatican et des gouvernements concernés qui sont souvent incompatibles avec ceux des milieux francophones. Tandis qu'au Québec la hiérarchie catholique est sous le contrôle des francophones, celle des États-Unis et celle des Maritimes, depuis son détachement du diocèse de Québec en 1818, sont contrôlées par les anglophones irlandais. Dans l'Ouest canadien, la situation est inverse et les évêques francophones, face à l'arrivée d'immigrants, doivent lutter pour conserver leur contrôle, mais leur bataille est un peu perdue d'avance car, dans la mesure où, tout comme pour les catholiques francophones des Maritimes et des États-Unis, le Vatican favorise l'assimilation linguistique à la majorité anglophone. Pour le Vatican, c'est la sauvegarde de la foi et non de la langue qui importe avant tout. De leur côté, les gouvernements des provinces canadiennes adoptent des politiques favorisant l'assimilation des communautés ethnoculturelles, et ce, pour répondre aux pressions exercées par des groupes nationalistes anglo-saxons qui craignent pour la survie de leur culture et de la langue anglaise. À compter de 1890, le gouvernement du Manitoba ne finance plus les écoles confessionnelles, dont bénéficiaient surtout les Canadiens français et les Métis. Le compromis établi entre le premier ministre du Canada, Wilfrid Laurier, et le premier ministre du Manitoba, Thomas Greenway, assure un certain appui financier aux parents catholiques de cette province, mais le gouvernement manitobain poursuit sa politique d'homogénéisation linguistique en faisant de l'anglais la seule langue d'enseignement en 1916. Ce n'est qu'en 1947 que le français est de nouveau toléré comme langue d'enseignement à raison d'une heure par jour. Devant l'opposition des anglophones, le gouvernement fédéral n'impose pas aux provinces de la Saskatchewan et de l'Alberta, lors de leur création en 1905, l'obligation de protéger les droits scolaires des catholiques, des Métis et des autres francophones. Ainsi, à compter de 1918, le gouvernement de la Saskatchewan limite l'utilisation du français comme langue d'enseignement à la première année du primaire et à une heure par jour pour les autres années scolaires. En 1931, le français, comme langue d'enseignement, est interdit sauf si les écoles demandent une exemption. Si l'exemption est accordée, le français est limité à une heure par jour. En Ontario, à la suite de la promulgation, en 1912, du Règlement 17, par le ministère de l'Éducation de cette province, le français comme langue d'enseignement est limité aux deux premières années du cycle primaire, et ce, jusqu'en 1927.

Bien que ces politiques circonscrivent l'action des communautés francophones, celles-ci agissent parfois comme un catalyseur. Ainsi, des associations provinciales voient le jour dans la plupart des communautés francophones en milieu minoritaire. Quelquefois, elles précèdent la mise en place d'une politique limitant l'usage du français comme langue d'enseignement ; ce fut le cas en Ontario avec la création, en 1910, de l'Association canadienne-française d'éducation de l'Ontario et au Manitoba, dès 1916, des associations incitaient les francophones à se regrouper. Ces associations provinciales stimulent de plus le développement des communautés en les épaulant dans leurs démarches en vue d'obtenir un prêtre de langue française pour les services religieux, une paroisse dite nationale ou l'embauche d'enseignants francophones. Enfin, les associations provinciales favorisent des regroupements sur une base professionnelle tels que l'Union des cultivateurs franco-ontariens, créée en 1929.

La diversification du réseau institutionnel devient une priorité. Des caisses d'épargne et de crédit s'implantent au sein de ces communautés grâce notamment à l'action d'Alphonse Desjardins. Dès 1909, ce dernier appuie le curé Pierre Hevey de la paroisse de Sainte-Marie de Manchester, dans l'état du New Hampshire, dans la création de la première caisse populaire aux États-Unis. Au Canada, des caisses populaires sont fondées à Ottawa, dès 1912, puis en Saskatchewan, en 1916. Il faut toutefois attendre vers la fin des années trente pour que le mouvement des caisses populaires prenne son véritable envol. Dans les Maritimes, l'Ordre de Jacques-Cartier et le mouvement d'Antigonish sont les principaux inspirateurs de l'éveil des communautés francophones. Le mouvement d'Antigonish, né grâce au cercle d'étude des enseignants de l'Université St. Francis Xavier d'Antigonish, de la Nouvelle-Écosse, favorise l'éducation à l'entraide économique communautaire. Les dirigeants acadiens y trouvent alors leur inspiration pour contribuer au relèvement économique des leurs, malmenés par la crise économique des années trente. En 1936, la première caisse populaire ouvre ses portes au Nouveau-Brunswick et, neuf ans plus tard, on y retrouve 78 établissements coopératifs.

Dans les domaines de l'éducation et des soins de santé, les groupes francophones en milieu minoritaire bénéficient de l'aide des communautés religieuses dont plusieurs proviennent du Québec. À titre d'exemple, les Sœurs de la Providence fondent le premier hôpital français de Moncton en 1922 et les Religieuses hospitalières de Saint-Joseph font de même dans le nord-est du Nouveau-Brunswick. Au chapitre de l'éducation, plus de 14 collèges classiques sont fondés hors du Québec entre 1920 à 1960, soit deux de moins que pendant la période de 1848 à 1920. La plupart de ces nouveaux collèges sont surtout créés au Nouveau-Brunswick et en Ontario. Cette expansion cache cependant des difficultés, notamment le déclin du nombre de prêtres québécois œuvrant dans les communautés francophones à l'extérieur du Québec. À défaut de posséder des données sur l'ensemble du Canada, les données concernant la Nouvelle-Écosse peuvent sans doute fournir une bonne indication de cette tendance ; alors qu'il s'élevait à 33 % en 1910, le pourcentage de prêtres québécois affectés dans les paroisses acadiennes de cette province n'est plus que de 4 % en 1960.

Une importante caractéristique du réseau institutionnel est la création d'institutions pancanadiennes et continentales. À Ottawa, un groupe de femmes jettent les bases de la Fédération des femmes canadiennes-françaises, en 1914. Destiné à aider les soldats canadiens, cet organisme poursuit son travail social à la fin du conflit armé et devient un lieu d'action politique pour les femmes.

Pour sa part, l'Ordre des commandeurs de Jacques-Cartier, né en 1927, devient le lieu de réflexion et de coordination de la promotion du fait français au Canada. Ses membres doivent toutefois taire leur lien avec l'Ordre. Ils agissent plutôt au travers d'associations connues du public, telles que les Sociétés Saint-Jean-Baptiste au Québec, les associations provinciales dans les milieux francophones minoritaires et la Société nationale l'Assomption dans les Maritimes. À compter des années cinquante, l'Ordre a de la difficulté à recruter de nouveaux membres et peine à retenir ses adhérents. L'incapacité qu'ont ses dirigeants à s'entendre sur les orientations idéologiques de l'Ordre et à se concilier les forces indépendantistes québécoises, dans le contexte du renouveau du nationalisme, constitue une autre cause de sa disparition en 1965. Un autre organisme national, le Conseil de la vie française en Amérique, naît à la fin du Deuxième congrès de la langue française en Amérique, tenu en 1937. La consolidation du réseau institutionnel francophone à l'échelle pancanadienne et continentale représente l'un des grands objectifs auquel le Conseil consacre une bonne part de ses efforts. Dans cette perspective, le Conseil encourage, à titre d'exemple, la formation de l'Association canadienne des éducateurs de langue française, fondée en 1947, ainsi que la création de l'agence de voyage Liaison française qui cherche à développer le tourisme dit patriotique dans les communautés francophones. Le Conseil appuie également les efforts de la Société canadienne d'établissement rural dans les milieux francophones du Nord de l'Ontario et des Prairies canadiennes. Il accorde son soutien à la formation du Comité d'orientation franco-américaine, en 1947, devenu le Comité de vie franco-américaine dix ans plus tard, à la création du Conseil canadien des associations d'éducation de langue française ainsi qu'à l'Association des Commissaires d'écoles catholiques de langue française du Canada, créés en 1959.

Le besoin de s'informer dans sa langue amène la création de journaux, mais surtout d'hebdomadaires destinés aux membres des communautés francophones en milieu minoritaire. Les quotidiens et hebdomadaires ont souvent une existence précaire et éphémère, à l'exception du *Droit*, créé en 1913 à Ottawa.

L'idée de créer des stations de radio en français constitue une réaction défensive au développement de ce média, perçu comme un moyen d'assimilation linguistique et d'américanisation culturelle. Malgré les dénonciations de certaines élites religieuses et sociales, les francophones écoutent la radio anglaise. Graduellement, les élites appuient les efforts de gens d'affaires, tels que Conrad Lavigne de Timmins, en Ontario, pour créer des stations de radio et de télévision assurant une diffusion d'émissions en français. À d'autres occasions, les dirigeants du réseau institutionnel francophone pressent la Société Radio-Canada d'ouvrir des stations de radio francophones. Frustrés par l'inaction de la Société d'État, les francophones de l'Ouest canadien exploitent leurs propres stations jusqu'à ce que, ruinés par des frais d'exploitation trop élevés, ils finissent par obliger la Société Radio-Canada à les leur acheter vers la fin des années cinquante.

La création du réseau institutionnel pancanadien révèle une conceptualisation particulière des rapports entre les francophones et les anglophones. Les crises scolaires dans les provinces anglophones conscientisent les francophones à leur poids politique au Canada. Bien que les francophones forment la majorité au Québec, ce n'est pas le cas à l'échelle canadienne où ils sont progressivement de plus en plus minoritaires. En 1867, ils représentaient 31 % de la population canadienne, mais ne représentaient plus que 26,9 % de cette population en 1921. Ainsi le Québec devient la métropole, et les groupes francophones, peu importe l'importance de leur poids démographique, forment les remparts. D'autre part, pour éviter que le rapport de force démographique défavorable aux Canadiens français ait une influence déterminante sur le fonctionnement des institutions politiques du Canada, la notion des deux peuples fondateurs, comme fondement de la fédération, est constamment propagée.

Avancées et incertitudes depuis 1945

Après la Deuxième Guerre mondiale, les communautés francophones entrent dans une période de profondes transformations. D'abord, l'arrêt de l'émigration francophone vers les États-Unis, à compter, de 1930 signifie que l'apport démographique n'est plus un facteur sur lequel les dirigeants franco-américains peuvent s'appuyer pour consolider leur réseau. Ensuite, les enfants, nés aux États-Unis, désirent de plus en plus apprendre l'anglais, se désintéressent de l'héritage francophone et quittent les paroisses nationales[1]. D'autres participent au mouvement de développement des banlieues, délaissant ainsi les Petits Canadas. Enfin, les querelles entre les dirigeants franco-américains sur les stratégies pour assurer l'épanouissement du fait français deviennent une cause de division dans les communautés. Bref, la francophonie aux États-Unis amorce son déclin.

Chez les groupes francophones en milieu minoritaire au Canada, l'apport démographique fluctue. Ainsi les booms pétroliers expliquent l'afflux des francophones vers l'Alberta dans les années quatre-vingt et depuis le début du XXIe siècle. Le réseau institutionnel demeure fragile, notamment là où la présence francophone est faible, comme en Colombie-britannique, en Saskatchewan et au Yukon. Par ailleurs, il doit actualiser ses activités et élargir ses domaines d'intervention. À ces défis internes s'ajoutent ceux qui lui sont externes et qu'il ne contrôle pas.

Le développement de la Révolution tranquille au Québec et l'intervention de l'État québécois dans les relations entre le Québec et les groupes francophones en Amérique du Nord, puis la tenue du concile Vatican II et le recentrage du clergé sur les activités pastorales amènent les communautés francophones à se repositionner, favorisant un rôle accru des laïcs dans le réseau institutionnel. De plus, l'entrée en vigueur de la loi fédérale sur les langues officielles, en 1969, et l'appui financier du gouvernement fédéral aux communautés francophones placent ces dernières au centre du jeu politique entre le Québec et le gouvernement fédéral au sujet de la place du Québec dans la fédération.

Ces événements entraînent des changements considérables, notamment dans la conceptualisation de l'identité canadienne-française, des rapports

---

1. Dans les années vingt, il y avait environ 150 « paroisses nationales » en Nouvelle-Angleterre. Ces paroisses avaient à leur tête des prêtres d'origine canadienne-française, ce qui était jugé essentiel par les Franco-américains qui militaient en faveur de la promotion et de la survie du fait français. Ces militants s'opposaient à l'établissement de « paroisses mixtes » qui, selon eux, favorisaient l'anglicisation rapide des franco-américains, mais que privilégiaient les évêques catholiques d'origine irlandaise soucieux de voir se développer une Église unie. (Voir : Yves Roby. *Les Franco-Américains de la Nouvelle-Angleterre. Rêves et réalités*, Sillery, Québec, Septentrion, 2000, p. 420).

entre le Québec et les groupes francophones en milieu minoritaire et ceux entre le Québec et le Canada anglais. Ainsi l'identité canadienne-française disparaît. Les groupes francophones minoritaires valorisent une identité centrée sur la langue française et leur appartenance aux territoires provinciaux, comme c'est le cas pour les Franco-Albertains ou Franco-Ontariens. Dans le cas des Acadiens, ces derniers s'étaient dotés d'une identité et de symboles nationaux à la fin du XIXᵉ siècle. La disparition de l'identité canadienne-française n'entraîne pas, pour eux, de ressentiment.

Au Québec, c'est le terme « Québécois » qui devient un référent identitaire, marquant ainsi l'identification au territoire du Québec et à la langue française. La pensée nationaliste se transforme. Le dualisme comme fondement de la fédération canadienne demeure, c'est plutôt la nature de cette dualité qui change. En ramenant le territoire du Canada français à celui du Québec, la dualité met dorénavant en présence deux territoires: le Québec et le Canada. La classe politique et les mouvements nationalistes revendiquent une transformation de l'ordre constitutionnel et symbolique qui tiendrait compte du dualisme et de la place particulière du Québec au Canada. Les dirigeants des groupes francophones en milieu minoritaire, quant à eux, souscrivent encore au dualisme national d'avant la Révolution tranquille fondé sur la notion de deux peuples fondateurs: les Canadiens anglais et les Canadiens français. En agissant ainsi, les groupes francophones en milieu minoritaire ripostent du tac au tac à ceux qui les définissent comme de simples groupes ethniques au sein de la communauté multiethnique canadienne mais s'opposent aussi au dualisme territorial prôné par la classe politique et les mouvements nationalistes au Québec.

Ces bouleversements dans la conceptualisation des rapports entre le Québec et les communautés francophones en milieu minoritaire mais aussi entre ceux entre le Québec et le reste du Canada donnent lieu à des conflits, comme l'ont démontré les référendums de 1980 et de 1995 mais aussi les tentatives d'amender la constitution canadienne avec les accords du Lac Meech (1987-90) et de Charlottetown (1990-92) reconnaissant le caractère distinct de la société québécoise. De plus, les interventions des gouvernements fédéral et québécois accentuent les tensions entre les communautés francophones en milieu minoritaire et le Québec. Initié par le Québec mais repris par le gouvernement fédéral, notamment au moyen du Programme des langues officielles doté de moyens financiers considérables par rapport à ceux du Québec, l'appui au réseau institutionnel francophone en milieu minoritaire permet de le consolider. Cet appui crée cependant une dépendance financière à l'égard du gouvernement fédéral mais encourage les porte-parole des réseaux institutionnels francophones à sauvegarder leur autonomie et à prendre des positions qui s'opposent parfois à celles des gouvernements fédéral et québécois, notamment dans le dossier constitutionnel. Par ailleurs, l'activisme fédéral s'inscrit dans une stratégie de cooptation de groupes sociaux. L'appui financier aux francophones en milieu minoritaire n'est pas unique puisque d'autres groupes tels que les femmes, les jeunes, les artistes et les communautés ethnoculturelles bénéficient de programmes structurant leurs actions.

Même si les tensions caractérisent les rapports entre le Québec et les communautés francophones en milieu minoritaire, la solidarité institutionnelle n'est toutefois pas disparue comme en atteste la coopération entre des institutions d'enseignement du Québec et des autres provinces, comme c'est le cas entre les universités de Sherbrooke et de Moncton.

Si pour de nombreux Québécois, la modification de la constitution canadienne en 1982 sans l'appui du gouvernement québécois constitue un affront, les groupes francophones en milieu minoritaire ont fait des gains grâce à l'enchâssement de la Charte canadienne des droits et libertés dans la constitution. L'article 23 reconnaît aux francophones leur droit à l'instruction dans leur langue. L'activisme de parents, lassés par l'inaction des gouvernements provinciaux qui leur refusent le droit à la gestion de leurs écoles, force les tribunaux à leur reconnaître ce droit. Fortes de cette victoire, les communautés francophones en milieu minoritaire contrôlent depuis leur système scolaire.

Le défi du maintien de la culture et de la langue confronte toujours les communautés francophones. Certes l'assimilation ne constitue nullement une nouvelle menace. Au contraire, elle ponctue l'histoire de ces communautés. Par ailleurs, l'augmentation des mariages exogames et la baisse de l'indice de fécondité des femmes francophones posent des défis, tout comme au Québec. L'accueil d'immigrants est une solution, mais contrairement au Québec qui, par des accords avec le gouvernement fédéral, intervient dans leur sélection, les communautés francophones en milieu minoritaire ne peuvent appliquer aucune sélection à leur immigration. De plus, le pouvoir d'attraction du français auprès des immigrants est faible.

Lorsque les francophones, surtout ceux du reste du Canada, se définissent comme bilingues, cela suscite des peurs. Pour certains, il s'agit d'une étape dans le processus d'assimilation et les études sur les transferts linguistiques vers l'anglais accompagnées de la thèse du déclin alimentent ces peurs. Pour d'autres, l'identité bilingue révèle l'émergence d'une identité hybride, du moins chez les jeunes des communautés francophones en milieu minoritaire. Cette identité bilingue atteste aussi du rapport changeant à la langue anglaise dans la définition de l'identité depuis les années cinquante. Puisque l'identité se définit souvent par opposition à l'Autre et à ses référents culturels, la langue anglaise joue un rôle déterminant dans la définition de l'identité francophone au Canada. Dans les années cinquante et surtout soixante, le discours sur la décolonisation influence la conceptualisation des rapports entre les francophones et les anglophones et ceux à la langue anglaise. Les secteurs économiques étant dominés par le capital américain et, dans une moindre mesure canadien-anglais, cette réalité incite à définir les Canadiens français comme des colonisés puisqu'ils ne contrôlent pas leur économie et utilisent souvent l'anglais pour gagner leur vie. Dans la dialectique du colonisateur et du colonisé, l'anglais suscite l'hostilité. Le recours à l'État, que les partisans de la gauche définissaient à ce moment-là comme un outil d'oppression contrôlé par le capital économique, a une autre signification chez les Canadiens français, du moins chez ceux du Québec. Cet État devient un instrument de libération culturelle, politique et économique. C'est cette logique qui amène le gouvernement du Québec à légiférer pour faire du français la langue de communication et d'intégration à compter des années soixante-dix. Depuis les dernières années, le statut de la langue anglaise change puisque la croissance des échanges économiques entre les continents en fait la lingua franca. Ainsi les études chez les jeunes francophones, notamment ceux des milieux minoritaires, démontrent qu'ils ne considèrent pas la maîtrise de l'anglais comme une menace culturelle mais comme un instrument de communication. On évaluera dans les prochaines années ce rapport changeant au statut de l'anglais et cette dissociation entre langue, outil de communication et instrument porteur d'une culture.

Tableau 1
Population de langue maternelle française et population dont le français est la langue parlée le plus souvent à la maison ainsi que l'écart entre les deux, Canada, 1971 à 2006.

Années	Population de langue maternelle française		Population dont le français est la langue parlée le plus souvent à la maison		Écart	
	nombre	pourcentage	nombre	pourcentage	nombre	pourcentage
Sources : Statistique Canada, recensements de la population, 1971 à 2006.						
1971	5 792 710	26,9	5 546 025	25,7	-246 685	-1,2
1981	6 177 795	25,7	5 923 010	24,6	-257 785	-1,1
1991	6 562 060	24,3	6 288 430	23,3	-273 630	-1,0
2001	6 782 320	22,9	6 531 375	22,0	-250 945	-0,9
2006	6 892 230	22,1	6 690 130	21,4	-202 100	-0,7

Bibliographie

FRENETTE Yves avec la collaboration de Martin Pâquet, *Brève histoire des Canadiens français*, Montréal, Boréal, 1998, 211 p.

MARTEL Marcel, *Le Deuil d'un pays imaginé. Rêves, luttes et déroute du Canada français. Les relations entre le Québec et la francophonie canadienne 1867-1975*, Ottawa, Les Presses de l'Université d'Ottawa, 1997, 203 p.

ROBY Yves, *Les Franco-Américains de la Nouvelle-Angleterre. Rêves et réalités*, Sillery, Québec, Septentrion, 2000, 534 p.

Les relations entre le Québec et les États-Unis
Dépendre des Américains sans devenir tout à fait comme eux

Guy LACHAPELLE

> *Les Canadiens français ne se sont jamais souciés eux-mêmes de déterminer par un examen méthodique la place qu'occupe leur propre histoire dans les vastes perspectives historiques du continent. Jusqu'à présent, ils se sont presque uniquement préoccupés des questions limitées au Canada ou de leurs rapports avec la Grande-Bretagne et la France.*
>
> James T. SHOTWELL (1941)

En 1941, Gustave Lanctôt, le directeur des Archives canadiennes, dirigeait un ouvrage intitulé « Les Canadiens français et leurs voisins du sud » publié par la Dotation Carnegie pour la Paix internationale de New York. Ce livre s'inscrivait dans une série de travaux portant sur les relations entre le Canada et les États-Unis. Le directeur de cette collection, James T. Shotwell, responsable de la section d'économie politique et d'histoire de la Dotation Carnegie, soulignait, dans la préface de l'ouvrage, qu'il y avait une « indifférence » autant de la part des historiens et chercheurs américains envers « l'évolution sociale et intellectuelle si différente de la leur » de la société canadienne française que de leurs homonymes Canadiens français envers l'étude de la société états-unienne[1].

Au fil des soixante dernières années, plusieurs études historiographiques sont venues enrichir notre réflexion au sujet de la relation entre le Québec et les États-Unis. Or dès qu'il est question de l'américanité du Québec, les passions se soulèvent. Certains y voient une acceptation des valeurs états-uniennes alors que d'autres y voient une menace contre l'identité canadienne française. L'objectif de ce chapitre n'est pas ici de répondre à toutes les « critiques » à propos de l'américanité des Québécois, mais

---

1. G. Lanctôt (dir.), *Les Canadiens français et leurs voisins du sud*, Montréal, Éditions Bernard Valiquette, 1941, v.

simplement d'évaluer comment aujourd'hui ces derniers perçoivent, analysent et entrevoient leurs relations économiques et politiques avec leur voisin du sud. Notre but, tout comme celui de Gustave Lanctôt en 1941, est de faire « l'étude des relations entre deux pays nord-américains, qui étaient au XVIIe siècle la Nouvelle-France et les colonies anglaises, et qui devinrent ensuite le Québec et les États-Unis (…) [et qui] met en présence deux peuples, deux mentalités, deux religions, deux systèmes, évoluant dans un même milieu économique en contact avec des populations indigènes »[2].

Pour ce faire, nous nous appuierons sur les données de deux études, l'une réalisée en 1997 par le Groupe de recherche sur l'américanité (GRAM) et qui portait essentiellement sur l'américanité des Québécois, l'autre réalisée par la firme de sondage Léger Marketing dix ans plus tard (en 2007) qui reprenait plusieurs questions de l'enquête précédente tout en y ajoutant des questions sur l'américanisme et l'américanisation des Québécois[3]. Il faut souligner que depuis une dizaine années, en particulier à la suite des travaux menés par le GRAM et des recherches de plusieurs chercheurs portant sur les questions liées aux identités, le thème de l'américanité des Québécois est devenu un objet de recherche (Lamonde, 1996, 1985 ; Lachapelle, 2001). L'enquête de 1997 a contribué largement à élargir le débat autour de l'américanité en questionnant les changements de valeurs des Québécois. L'intérêt de comparer les résultats des deux enquêtes repose sur la différence des circonstances de l'époque. Lors de la première enquête, l'euphorie entourant l'Accord de libre-échange américain battait son plein – on parlait même d'une ZLEA[4] des Amériques – alors qu'en 2007, lors de la deuxième, le 11 septembre 2001 continuait de peser sur l'environnement économique et politique immédiat.

Les attentats du 11 septembre 2001 à New York ont redéfini fortement l'appartenance des Québécois au continent nord-américain. Si en 2001 « nous étions tous des Américains », la politique étrangère de l'administration américaine a profondément modifié les perceptions et les opinions par rapport

---

2. *Ibid*, vii.
3. L'enquête de 2007, effectuée par la firme Léger Marketing, a utilisé un échantillon représentatif de 1250 Québécois âgés de 18 ans et plus a été sondé au téléphone entre le 27 novembre et le 28 décembre 2007.
4. Zone de libre-échange des Amériques.

aux États-Unis, non seulement au Québec, mais partout dans le monde. Dans le contexte québécois, les décisions ou indécisions de l'administration Bush concernant certaines politiques continentales – bois d'œuvre, vache folle, commerce bilatéral, sécurité aux frontières, immigration – ont obligé les citoyens à modifier leurs attitudes à l'égard des États-Unis. Au lendemain du déclenchement des hostilités contre l'Irak, de nombreux Québécois se sont sentis plus près des valeurs européennes divergeant ainsi de la plupart des Canadiens qui appuyaient les États-Unis dans cette guerre. Si en 1997, les Québécois se sentaient autant Européens que Nord-Américains (50 pour cent – 50 pour cent), les statistiques des dernières années (60 pour cent –40 pour cent) démontrent qu'il se sentent davantage Européens (Lamonde, 2001). Comme le soulignait le journaliste Christian Rioux, désormais il faut distinguer « ceux qui détestent (*aiment*) les Américains pour ce qu'ils font et ceux qui les détestent (*aiment*) pour ce qu'ils sont »[5].

L'objectif de ce chapitre est donc de simplement répondre à la question suivante : Que pensent les Québécois, dix ans plus tard, de nos relations économiques avec nos voisins du sud ? Nous insisterons, surtout dans les prochaines lignes, sur les rapports économiques du Québec avec les États-Unis, vingt ans après la signature de l'ALE[6] qui a en quelque sorte remodelé nos relations continentales. Si certains parlaient avant 2001 de l'émergence d'une « nouvelle génération nord-américaine », nous verrons que les Québécois demeurent toujours fortement ancrés dans les valeurs nord-américaines tout en en ayant un regard tourné sur l'Europe leur permettant d'avoir un jugement plus global sur les événements, la politique et l'économie à l'échelle

5. C. Rioux, *Carnets d'Amérique*, Montréal, Boréal, 2005, p 185-186.
6. L'Accord de libre-échange canado-américain (ALÉ) fut le résultat des efforts du gouvernement conservateur de Brian Mulroney qui proposa aux Québécois et aux Canadiens au lendemain de l'élection en 1984, de conclure avec les États-Unis un accord de libre-échange. Quatre ans plus tard, soit en 1988, l'élection fédérale porta essentiellement sur cet enjeu. Sans l'appui des électeurs québécois, qui étaient massivement derrière le Parti conservateur, cette entente commerciale n'aurait sans doute jamais vu le jour puisque les libéraux de Jean Chrétien y étaient opposés. Après plus de 20 mois de négociations, une entente était conclue entre le Canada et les États-Unis. Cette entente sera officiellement signée le 2 janvier 1988 et entrera en vigueur le 1er janvier 1989. Quelques années plus tard, le Mexique décida de se joindre au Canada et aux États-Unis dans un nouvel accord, l'ALENA qui fut signé le 12 août 1992.

mondiale et nationale (Lachapelle, 2005 ; Welsch, 2001 ; Robitaille, 1998). Mais avant de regarder de plus près l'attitude des Québécois, un premier bilan des relations commerciales canado-américaines s'impose.

L'ALENA et le Partenariat nord-américain sur la sécurité et la prospérité (PSP)

L'impact de l'ALENA, en particulier sur les relations canado-américaines, n'est pas toujours facile à évaluer en raison des points de vue pluriels économique, culturel ou idéologique. Sur le plan économique, il ne fait aucun doute que cet accord comporte de nombreux avantages. Comme l'écrivait le journaliste Éric Desrosiers dans *Le Devoir* en juin 2007 : « Le traité a pourtant été, de manière générale, un succès. Le volume de commerce et les investissements entre les trois pays ont augmenté. La production de plusieurs grandes entreprises et de secteurs de l'économie a été intégrée sur une base continentale. Une transition démocratique a été favorisée au Mexique. Les relations commerciales entre les trois pays ont été harmonisées »[7].

En fait, les grandes catastrophes, comme la privatisation du système de santé ou l'intégration culturelle, qu'annonçaient les détracteurs du libre-échange à la fin des années quatre-vingt, surtout au Canada anglais, ne se sont pas produites. Selon le professeur américain Earl Fry de l'Université Brigham Young : « Tous les spécialistes conviennent aujourd'hui que l'Accord de libre-échange canado-américain et l'ALENA ont été une bonne chose pour nos pays »[8]. Les données du commerce témoignent d'ailleurs assez éloquemment du chemin parcouru au cours des 20 dernières années :

- la valeur des échanges de marchandises entre le Canada et ses partenaires dans l'ALENA se sont accrue de 122 % depuis 1993, atteignant 598,7 milliards en 2005 ;
- entre 1994 et 2005, les exportations canadiennes de marchandises vers les États-Unis ont augmenté au taux annuel de 6 % ;

7. É. Desrosiers, « L'ALENA ne devait être qu'un début », *Le Devoir*, 14 juin 2007.
8. *Ibid.*

• en 2005, les échanges avec le Mexique ont atteint une valeur de 18 milliards de dollars, ce qui représente une hausse de 296 % par rapport à celle enregistrée avant l'entrée en vigueur de l'ALENA en 1994 ;
• au total, 84,7 % des exportations canadiennes de marchandises sont destinées aux États-Unis et au Mexique.

Les données de Statistique Canada démontrent également l'importance des importations et exportations canadiennes vers les États-Unis. Toutefois, comme le démontre le tableau 1, les événements du 11 septembre 2001 ont eu un impact important tant sur les exportations que les importations canadiennes avec les États-Unis. Ainsi, après 2001, les exportations sont passées, entre 2001 et 2006, de 87,0 % à 81,6 % et les importations de 63,6 % à 54,9 %.

Tableau 1 : Les exportations et importations canadiennes avec les États-Unis (%). Source : Statistique Canada

	Exportations canadiennes vers les États-Unis (%)	Importations canadiennes des États-Unis (%)
1992	77,2	65,2
1993	80,3	67,0
1994	81,2	67,7
1995	879,2	66,8
1996	80,9	67,5
1997	81,8	67,6
1998	84,8	68,2
1999	86,7	67,3
2000	86,9	64,3
2001	87	63,6

11 septembre 2001

2002	87,1	62,6
2003	85,7	60,6
2004	84,4	58,7
2005	83,8	56,5
2006	81,6	54,9

Par contre, les critiques de l'ALENA affirmaient que nous assisterions au « démantèlement de l'État-providence et à la détérioration de nos programmes sociaux, telle l'assurance emploi »[9]. Les critiques canadiennes, en particulier du Conseil des Canadiens[10] sont souvent plus idéologiques puisqu'elles suggèrent que la souveraineté économique du Canada est en cause. Or il faut comprendre que la menace n'est pas venue de l'extérieur, mais plutôt de nos propres gouvernements. La même chose s'est produite quant à notre niveau de vie. En fait, les syndicats canadiens qui étaient plutôt réservés quant aux effets du libre-échange reconnaissent aujourd'hui, sans hésitation, que l'ALENA a favorisé l'emploi. Cependant, certains secteurs industriels, en particulier celui de l'automobile, demeurent fragiles (23,1 % des importations américaines et 14,5 % des exportations canadiennes vers les États-Unis). Au Québec, comme nous exportons surtout les produits de l'industrie forestière et de l'industrie aéronautique, sans compter que le port de Montréal reçoit beaucoup de produits destinés aux États-Unis, il est clair que le libre-échange eut des effets bénéfiques.

C'est dans ce contexte de réduction des échanges commerciaux que les gouvernements des trois pays signataires de l'ALENA ont décidé de créer, le 23 mars 2005, lors du sommet de Waco, un nouvel accord afin d'améliorer la collaboration et la coordination des politiques et réglementation en matière de sécurité et de prospérité : le *Partenariat nord-américain sur la sécurité et la prospérité* (PSP). Cette entente, conçue après les attentats du 11 septembre 2001, n'est pas un traité qui affecte les lois des trois pays, car il est seulement un accord de principes, un engagement de la part des trois chefs de gouvernement (Canada, États-Unis et Mexique) de se rencontrer à chaque année afin de favoriser un dialogue constructif. Le sommet de Waco fut suivi, en mars 2006, d'une rencontre à Cancun, au Mexique, et en août 2007 à Montebello, au Québec. Le prochain rendez-vous sera à la Nouvelle-Orléans à la fin d'avril 2008.

---

9. J-P. Bibeau et C. Corriveau-Dignard, *Introduction à l'économie internationale*, Montréal, Gaëtan Morin Éditeur, 5ᵉ édition, 2005, p 166.

10. J. Ibbitson, " Little chance partnership proposal will lead to North American union ", *Globe and Mail*, 9 juillet 2007, A9.

Lors de la rencontre de Montebello, les discussions entre les trois chefs de gouvernement ont porté sur divers enjeux. Dans leur communiqué final, ils se sont engagés à : 1) travailler ensemble pour protéger les consommateurs en assurant la sécurité des aliments et des produits importés en Amérique du Nord ; 2) trouver des solutions pratiques afin de relever nos défis environnementaux communs ; 3) rendre les frontières à la fois efficaces et sûres, tout en respectant les liens d'amitié et commerciaux qui unissent les trois pays. De plus, le premier ministre canadien, Stephen Harper, et le président Américain, George W. Bush, ont discuté de diverses questions bilatérales, dont l'engagement conjoint à l'égard d'une frontière plus sécuritaire, ouverte aux échanges de biens et de services, d'un marché commun de l'énergie ainsi qu'à l'interaction entre les citoyens des deux pays.

Les relations canado-américaines aujourd'hui passent à une nouvelle étape. Lors du sommet de Cancun, en 2006, un *Conseil nord-américain de la compétitivité* (CNAC) fut créé qui regroupant 30 représentants d'affaires, 10 pour chacun des pays, ayant comme mandat de proposer des idées permettant d'améliorer la compétitivité des entreprises, mais aussi de formuler des recommandations sur les grands dossiers, notamment la facilitation du passage à la frontière. L'une des constations importantes que l'on peut faire est que l'administration Bush est devenue fortement protectionnisme, certains y voyant dès lors une renonciation aux principes du libre-échange en imposant, par exemple, des mesures tarifaires dans le cas du bois d'œuvre[11]. De plus, les mécanismes de *règlements des* différends tels qu'inscrits dans l'ALENA n'ont pas été respectés, sans compter que plusieurs s'indignent du secret entourant certaines décisions[12]. Il appartient donc à nos gouvernements de remettre en selle l'avenir des relations commerciales Québec/États-Unis, sans quoi la méfiance du public risque de s'installer pour un certain temps.

---

11. C. Turcotte, « Les États-Unis relancent la saga du bois d'œuvre : Les Américains se plaignent d'infractions à l'entente signée en septembre dernier », *Le Devoir*, 8 août 2007, p. B1.
12. H. Buzetti, « Adieu aux promesses de Montebello », *Le Devoir*, 23 mars 2008, p. A1 et A10.

L'évolution de l'attitude des Québécois à l'égard des États-Unis

Un optimisme à la mesure des changements des dix dernières années

L'identité continentale des Québécois et la perception
de leurs différences par rapport aux États-Uniens

Un des premiers constats que l'on peut tirer des résultats de l'enquête de 2007 est que les Québécois demeurent résolument des Nord-Américains. L'identité continentale des Québécois se porte bien puisque 80 % se disent Nord-Américains. Proportion très proche de celle de 1997 où 69 % se disaient Nord-Américains et 12 % se disaient Américains (Lachapelle et Gagné 2000 ; Lachapelle, 1999, 1998). De plus, 54 % des Québécois pensent que l'Amérique du Nord c'est d'abord le Canada et les États-Unis ; seulement 23 % estiment que le Mexique fait partie de l'Amérique du Nord et 19 % ajoutent le Québec comme faisant partie intégrante de l'Amérique du Nord. À la question : Qu'est-ce que pour vous être « Américain ? », 63 % des Québécois affirment que c'est d'abord et avant tout être un citoyen des États-Unis. Pour 24 %, c'est une personne qui habite le continent nord-américain tandis que seulement 12 % considèrent un Américain comme un citoyen des trois Amériques.

Par ailleurs, 65 % des Québécois se sentent très ou assez différents des citoyens états-uniens. En 1997, cette proportion était de 56 % ; on observe donc un gain de 9 % à ce chapitre. Ce qui différencie les Québécois des citoyens des États-Unis, ce sont d'abord la langue (71 %, en 2007, contre 64 %, en 1997), notre système routier (71 %), notre alimentation (72 %), nos valeurs familiales (51 %) et notre attitude par rapport au travail (49 %). Les Québécois se trouvent peu ou ne se trouvent pas différents des États-Uniens en ce qui concerne l'habillement (60 %), les loisirs (57 %) ou le type d'habitation (56 %).

Le libre-échange : un enthousiasme refroidi

Les résultats comparatifs des enquêtes de 2007 et de 1997 montrent bien que les Québécois, s'ils restent plutôt optimistes, sont malgré tout moins enthousiastes qu'ils ne l'étaient il y a dix ans par rapport au libre-échange nord-américain. Il faut mentionner que depuis quelque temps, surtout au début de l'année 2008 alors que battait son plein la course à l'investiture des deux grands partis politiques américains, en prévision des élections présidentielles de l'automne 2008, l'ALENA a été un parfait bouc émissaire ; les deux candidats aspirant à la Maison Blanche du côté démocrate, Barack Obama et Hillary Clinton, ont affirmé à maintes reprises qu'ils souhaitent une renégociation de l'Accord du libre-échange. Dans un tel contexte – et surtout confrontées à une mondialisation qui favorise l'ouverture de nouveaux marchés – un protectionnisme accru risque de remettre en question les relations économiques du Québec avec son partenaire du sud.

L'enquête de 2007 soulève une question importante quant au véritable succès de l'ALENA et sur la capacité des élites québécoises à promouvoir les mérites de ce traité commercial. Ainsi, pour 63 % des Québécois, ce sont les États-Unis qui ont le plus bénéficié de l'ALENA alors que 20 % estiment que c'est le Mexique tandis que seulement 8 % pensent que c'est le Canada. Malgré tout, 55 % des Québécois estiment toujours (62 % en 1997) que l'ALENA a eu un impact favorable sur le développement économique du Québec et que le marché américain demeure plus important que le marché canadien, et ce, à 54 % contre 30 % (64 % contre 22 %, en 1997). Ils sont également quelque 81 % à être en désaccord avec l'affirmation que si le Québec était plus intégré aux États-Unis, nous vivrions mieux ; une opinion partagée par seulement 17 % des répondants. En 1997, nous avions rencontré des résultats assez semblables, 75 % contre 21 %.

Malgré tout, les Québécois souhaitent, dans une proportion de 55 %, que le mouvement vers une plus grande intégration nord-américaine continue au même rythme ; 15 % aimeraient qu'il s'accélère alors que

28 % souhaiteraient un ralentissement. Ces chiffres sont à peu près les mêmes qu'en 1997 (57 % voulant que l'intégration se poursuive au même rythme). Cependant, il y a aujourd'hui un peu plus de répondants qui souhaiteraient voir ce mouvement ralentir (28 % contre 19 %, en 1997) et moins qui veulent le voir s'accélérer (15 % contre 21 %, en 1997). Si en 1997, 40 % des Québécois souhaitaient que, pour faire face à l'intégration nord-américaine, le Québec crée des liens plus étroits avec les États-Unis, ce chiffre tombe à 30 %, en 2007. De même, si en 1997 36 % des répondants préféraient que le Québec maintienne un fort degré d'indépendance par rapport à notre voisin du sud, cette attitude reçoit l'appui de 42 % des répondants en 2007. Un nombre à peu près égal de répondants, 25 % en 2007 contre 23 % en 1997, sont d'accord avec l'idée d'un gouvernement nord-américain auquel le Québec pourrait déléguer un certain nombre de pouvoirs.

L'ALENA et la culture : une méfiance accrue

Bien qu'en 1997 les Québécois continuent de manifester une très grande assurance identitaire, une méfiance accrue se fait sentir, dix ans plus tard. En 2007, 55 % des Québécois estiment toujours que l'ALENA ne constitue pas une menace à la culture québécoise, alors que 44 % affirment le contraire. En 1997, les résultats étaient de 65 % et de 31 %. L'écart n'est donc plus que de 9 % aujourd'hui alors qu'il était de 24 %, en 1997, entre ceux qui perçoivent l'ALENA comme une menace pour la culture québécoise et ceux qui ne perçoivent pas l'ALENA ainsi.

En fait, il faut se demander si ces résultats ne traduisent pas une certaine inquiétude identitaire liée autant aux effets de la mondialisation qu'aux menaces contre une certaine diversité culturelle. L'enquête de 2007 indique que le nombre de personnes qui sont d'accord avec l'idée que la mondialisation de l'économie représente une menace contre la diversité culturelle est passé en dix ans de 29 % à 46 %, alors que le nombre de personnes qui étaient en désaccord a diminué, passant de 65 % à 50 %. Les débats entourant la protection des produits culturels ont sans doute laissé de nombreux Québécois plus songeurs quant à la place que devraient avoir les produits culturels et sur l'importance d'exclure ces derniers de toutes négociations commerciales. De plus, un nombre un peu plus élevé en 2007, soit 48 % contre 45 %, en 1997, souhaitent que les produits culturels soient exclus de l'ALENA. En fait, la différence entre 1997 et 2007 c'est qu'aujourd'hui, plus de gens souhaitent que les produits culturels soient exclus alors qu'en 1997, 54 % contre 40 % y était opposés.

Malgré tout, les Québécois ne voient pas l'ALENA comme étant une menace contre nos politiques publiques et en particulier contre nos programmes sociaux. Ainsi, 57 % d'entre eux contre 35 % (un écart de 22 %) estiment que l'ALENA ne constitue pas un danger pour le maintien de programmes sociaux. Si l'écart était plus élevé en 1997 et qu'un certain optimiste régnait (61 % contre 27 %), les Québécois demeurent encore en 2007 relativement convaincus que l'ALENA ne représente pas une menace bien qu'ils soient ici aussi moins catégoriques.

Le marché américain demeure plus important que le marché canadien

Notre enquête de 2007 démontre qu'une forte proportion de Québécois estime toujours, à 54 % contre 30 % (écart de 24 %), que le marché américain demeure essentiel et plus important que le marché canadien pour l'avenir des exportations québécoises. Si l'optimiste était palpable en 1997, 64 % contre 22 % pour le marché américain (écart de 42 %), on peut noter ici encore un fléchissement de l'optimiste au cours de la dernière décennie. Un bon indicateur de ce ralentissement se mesure au fait que 51 % des Québécois se disent, en 2007, en désaccord avec l'idée d'avoir une monnaie commune en Amérique du Nord alors que 45 % y sont favorables.

Les Québécois souhaitent quand même que les liens économiques du Québec avec les États-Unis s'intensifient dans le secteur touristique (69 %) et en matière de politique environnementale (61 %). Ils souhaitent également, à 48 % contre 21 %, une intensification des exportations d'électricité, ce qui est nettement moins qu'en 1997 alors que 60 %

contre 9 % y étaient favorables. En matière d'éducation, si, en 1997, les Québécois se disaient favorables à 55 % à des liens de coopération plus étroits dans le domaine de l'éducation, dix ans plus tard, ils sont plutôt partagés puisque 43 % estiment que ces liens devraient rester les mêmes, 40 % qu'ils s'intensifient et 14 % souhaiteraient qu'ils diminuent.

En 2007, tout comme en 1997, les Québécois préfèrent nettement acheter des produits fabriqués au Québec : 58 % estiment que le Québec devrait importer uniquement des produits qui ne sont pas disponibles ici. Ils estiment également à 52 % que le Québec ne devrait pas acheter des produits venant de l'extérieur parce que cela nuit aux entreprises québécoises bien que 46 % des répondants se disent en désaccord avec cette affirmation. Finalement, une forte majorité à 73 % se dit en désaccord avec l'idée que d'acheter des produits provenant de l'étranger est anti-Québécois.

Les relations avec les pays d'Amérique du Sud

Il y a plus de dix ans, les espoirs quant à la création d'un marché commun des Amériques étaient au rendez-vous, en particulier lors du Sommet des Amériques tenu à Québec en 2001. Dix ans plus tard, 54 % des Québécois se disent toujours favorables à un élargissement de l'ALENA à d'autres pays de l'Amérique du Sud alors qu'ils étaient 57 %, en 1997 ; ce qui, tout compte fait, représente un très faible changement. Les Québécois continuent donc d'être fortement libre-échangistes, même si cette idée d'une ZLEA est disparue du paysage politique. Depuis la signature de l'ALENA, 46 % des Québécois affirment ne pas avoir observé de changements quant à l'arrivée de produits mexicains sur le marché québécois alors que 34 % affirment avoir noté un accroissement de produits latino-américains.

Les Québécois souhaitent d'ailleurs une intensification des liens de coopération avec l'Amérique latine. Ainsi, ils sont favorables à une intensification des liens de coopération en matière de développement touristique (72 %), de politique environnementale (65 %) et du secteur hydro-électrique (48 %). En ce qui concerne l'éducation, ils sont partagés entre une intensification (45 %) et un maintien au niveau actuel (44 %).

Dans cet exposé, nous avons surtout voulu regarder de plus près comment l'attitude des Québécois par rapport aux États-Uniens avait évoluée depuis dix ans et plus particulièrement en ce qui a trait aux liens commerciaux. Si l'ALENA a eu un impact certainement positif sur les relations commerciales entre le Québec et les États-Unis, il reste néanmoins encore beaucoup de travail pour redynamiser les relations commerciales et politiques. La comparaison entre les résultats des enquêtes de 1997 et de 2007 montre clairement que l'enthousiasme est moins palpable et qu'il y a nécessité pour les élites politiques de deux côtés de la frontière de réévaluer leurs actions. Si le Partenariat pour la sécurité et la prospérité se voulait une réponse aux divers défis post 11 septembre 2001, des mesures doivent être entreprises afin d'harmoniser les politiques continentales et d'améliorer la qualité de vie des citoyens des deux sociétés. S'il y a une conclusion qui nous semble assez claire, c'est que les Québécois sont conscients de l'importance de leurs liens états-uniens et américains tout en étant fort conscients des défis et des opportunités permettant le développement de nouveaux liens économiques.

Bibliographie

Sites internet

Partenariat nord-américain pour la sécurité et la prospérité. Site du gouvernement canadien : www.psp-spp.gc.ca/menu-fr.aspx

Le Partenariat nord-américain pour la sécurité et la prospérité : prochaines étapes (Résumé des cinq priorités du Partenariat) http://www.pm.gc.ca/fra/medai.asp?id=1084

Ouvrages et articles

BIBEAU Jean-Pierre et CORRIVEAU-DIGNARD Catia, *Introduction à l'économie internationale*, Montréal, Gaëtan Morin Éditeur, 5ᵉ édition, 2005, 402 p.

BUZETTI Hélène, « Adieu aux promesses de Montebello », *Le Devoir*, 23 mars 2008, p. A1 et A10.

DESROSIERS Éric, « L'ALENA ne devait être qu'un début », *Le Devoir*, 14 juin 2007.

GAGNÉ Gilbert, « Intégration nord-américaine et enjeux culturels pour le Canada », *Horizons*, vol. 3, no 2, 2000, p. 12-13.

GAGNÉ Gilbert, « Libre-échange, souveraineté et américanité : une nouvelle trinité pour le Québec ? », *Politique et Sociétés*, vol. 18, no 1, 1999, pp. 103-104.

IBBITSON John, " Little chance partnership proposal will lead to North American union ", *Globe and Mail*, 9 juillet 2007, A9.

LACHAPELLE Guy, « Vers une nouvelle citoyenneté nord-américaine : l'articulation entre les identités nationale et continentale des Québécois », dans Emmanuel Nadal, Marianne Marty et Céline Thiriot (éds.), *Faire de la politique comparée au xxıᵉ siècle*, Bordeaux, Karthala, 2005, pp. 279-291.

LACHAPELLE Guy, « L'américanité du Québec au temps de Louis-Joseph Papineau », dans Derek Pollard et Ged Martin (eds.), *1849*, Edinburgh, University of Edinburgh Press, Centre of Canadian Studies, 2001, pp. 164-180.

LACHAPELLE Guy et GAGNÉ Gilbert, « L'Américanité des Québécois ou le développement d'une identité nord-américaine », *Francophonies d'Amérique*, no. 10, 2000, pp. 87-99.

LACHAPELLE Guy, « L'américanité des Québécois ou l'émergence d'une identité supranationale », dans Michel Seymour (ed.), *Nationalité, citoyenneté et solidarité*, Montréal, Liber, 1999, pp. 97-111.

LACHAPELLE Guy, « Les Québécois sont-ils devenus des Nord-américains ? », *Le Devoir*, 21 et 22 novembre 1998, p. A15.

LACHAPELLE Guy, « Quebec under Free Trade: Between Interdependence and Transnationalism », dans *Quebec Under Free Trade: Making Public Policy in North America*, sous la dir. de Guy Lachapelle, Québec, Presses de l'Université du Québec, 1995, p. 3-23.

LAMONDE Yvan, « Nous sommes à la fois Européens et Américains », *Le Devoir*, 12 avril 2001, p. A7.

LAMONDE Yvan, *Ni avec eux ni sans eux – Le Québec et les États-Unis*, Montréal, Nuit blanche éditeur, 1996, p. 11.

LAMONDE Yvan, « L'américanité du Québec – Les Québécois ne sont-ils vraiment que des Américains parlant français ? », *Le Devoir économique*, 1 (2), octobre 1985, pp. 54-55.

LANCTÔT Gustave (dir.), *Les Canadiens français et leurs voisins du sud*, Montréal, Éditions Bernard Valiquette, 1941, 322 p.

ROBITAILLE Antoine, « Les Québécois veulent s'ouvrir à l'Amérique », *Le Devoir*, 9-10 mai 1998, pp. A1 et A12.

RIOUX Christian, *Carnets d'Amérique*, Montréal, Boréal, 2005, 201 p.

TURCOTTE Claude, « Les États-Unis relancent la saga du bois d'œuvre : Les Américains se plaignent d'infractions à l'entente signée en septembre dernier », *Le Devoir*, 8 août 2007, p. B1.

WELSCH Jennifer, « Is a North American Generation Emerging ? », *Revue canadienne de recherche sur les politiques*, vol. 1, no 1, printemps 2000, p. 86-92.

Les relations France-Québec

Stéphane PAQUIN

Les premières retrouvailles officielles entre la France et le Québec, après la Conquête britannique de 1760, datent du Second Empire, c'est-à-dire au cours de la seconde moitié du XIXe siècle. Lors de l'Exposition universelle de Paris en 1855, de nombreux Canadiens (c'est-à-dire les Québécois d'aujourd'hui) font le voyage et remportent même différents prix. La presse française découvrira avec étonnement, même si quelques années plus tôt certains journaux s'étaient intéressés au chef des Patriotes en exil, Louis-Joseph Papineau, que la population canadienne-française a survécu, mais qu'en plus elle est passée de 60 000 à près de 800 000 personnes en moins d'un siècle.

En juillet 1855, Napoléon III dépêche à Québec un navire de guerre, *La Capricieuse*, dont le commandant avait eu pour mission de développer les échanges commerciaux avec le Canada-Uni. L'accueil que les Canadiens français réservent à *La Capricieuse* est plus que chaleureux. On estime que dix mille personnes se sont déplacées pour venir accueillir son commandant au Champs-de-Mars de Montréal.

Dès le retour de *La Capricieuse* en France, le gouvernement français abaisse les taxes à l'importation sur certains produits canadiens. Peu de temps après, le ministère des Affaires étrangères de France accepte la requête des autorités canadiennes transmise par la Grande-Bretagne d'ouvrir un Consulat général de France à Québec. En 1859, le baron Gaudrée-Boileau s'installe dans la Capitale, mais le consulat déménagera à Montréal en 1894.

En 1881, Adolphe Chapleau, premier ministre du Québec, rencontre Jules Ferry et Gambetta lors d'un séjour officiel en France, notamment pour y effectuer des emprunts pour la province. Il est reçu à de nombreux événements et est même décoré par le gouvernement français. Il revient au Québec avec l'intention de développer encore plus les relations entre le Québec et la France. L'année suivante, il nomme à Paris, un agent général du Québec, le sénateur Hector Fabre, qui restera en poste jusqu'en 1910. En 1883, le gouvernement canadien nommera également Hector Fabre commissaire général du Canada à Paris.

Hector Fabre a reçu le mandat d'attirer des immigrants français et de favoriser les échanges économiques et culturels. Les succès sont mitigés pour Fabre. Les Français ne conçoivent pas que l'on puisse à la fois représenter un Dominion britannique et une province canadienne française. De plus, la France avait un taux de croissance démographique négatif alors que la population allemande augmentait à un rythme inquiétant pour les autorités françaises. Fabre eut cependant plus de succès sur le plan financier. Il est un des instigateurs de l'établissement à Montréal de la Chambre de commerce française.

Honoré Mercier, autre premier ministre du Québec effectue également un séjour en Europe en 1891 afin de réaliser un nouvel emprunt à Paris. Durant les trois mois et demi de son séjour en Europe, on lui réserve un accueil digne d'un chef d'État. Le premier ministre du Québec est reçu à l'Élysée par le Président Sadi Cornot et est décoré de la Légion d'honneur. Le roi des Belges le fait commandeur de l'Ordre de Léopold et le pape Léon XII en fait un comte palatin.

Si la visite de Mercier peut être interprétée comme un premier rapprochement entre la France et le Québec, ces retrouvailles ne durent pas longtemps. Le Québec est catholique et les ultramontains étendent leur emprise sur l'État. L'échec de la réforme scolaire du premier ministre Félix-Gabriel Marchand en 1897 en est la démonstration la plus évidente. Les livres d'histoire au Québec défendent régulièrement la thèse de la « conquête providentielle » selon laquelle les Canadiens français avaient réussi à conserver leur religion catholique et à se préserver des « errements » de la Révolution française grâce à la Conquête britannique de 1760. La France, au contraire, se lance dans une politique de laïcisation de l'éducation qui accentue la séparation entre l'Église et l'État. La France laïque sert de repoussoir au Québec catholique, le divorce idéologique est complet. Sir Thomas Chapais écrira au sujet de la France en 1906 :

Voici des chefs de gouvernement qui s'acharnent à faire une nation athée, par conséquent sans frein et sans morale, car on sait ce que vaut la fameuse morale indépendante. C'est cette œuvre insensée, digne de toutes les exécrations et de tous les anathèmes, que ces misérables poursuivent aujourd'hui avec une fureur et une détermination vraiment sataniques.[1]

Les relations internationales du Québec et la Révolution tranquille

À partir de 1912, le Québec n'a plus de représentation à Paris. Hector Fabre a rendu l'âme en 1910 et est remplacé par Philippe Roy, sénateur de l'Alberta. Ce dernier ne sera que le représentant du Canada et non plus du Canada et du Québec. En effet, le successeur de Wilfrid Laurier, Robert Borden, croyait que Roy était dans une situation de conflit d'intérêts à cause de sa double fonction et força Roy à renoncer à représenter le Québec. Les relations France-Québec passent par les mains de la mission canadienne. Malgré cela, le premier ministre Lomer Gouin (1905-1920) fait le voyage à Paris et examine la possibilité d'ouvrir une Maison pour les étudiants. Ce projet est ajourné en raison de la guerre. C'est le gouvernement Taschereau (1920-1935) qui conclura ce projet dont les travaux débutent en 1923. Cette Maison deviendra la Maison canadienne de la Cité universitaire de Paris.

Jusqu'à la Révolution tranquille dans les années soixante, les relations avec la France sur le plan politique sont pratiquement inexistantes. Au Québec, avant 1960, il n'y avait que l'Église catholique qui s'était dotée d'un réseau international significatif. Tout change à partir des années soixante. Depuis la Révolution tranquille, plusieurs initiatives importantes structurent les nouveaux rapports du Québec avec la

1. A. Patry, *Le Québec dans le monde*, Montréal : Leméac, 1980, p. 36.

France, notamment l'ouverture de la Maison du Québec à Paris, en octobre 1961, ainsi que la conclusion de la première « entente » avec l'État français en matière d'éducation, le 27 février 1965. Par ailleurs, la visite du Général de Gaulle en 1967 et l'appui de la France, dans la foulée de cette visite, à la participation du Québec à des conférences internationales de pays francophones portant sur l'éducation ainsi que l'attitude adoptée par la France lors des deux référendums sur la souveraineté du Québec, en 1980 et 1995, témoignent de la nature exceptionnelle de la relation France-Québec.

Depuis l'ouverture de la Maison du Québec à Paris et les ententes France-Québec de 1965, le Général de Gaulle s'intéresse particulièrement au Québec. S'il avait dans un premier temps refusé « d'aller à la foire » que représentait à ses yeux l'Expo 67 de Montréal, il change d'idée après une nouvelle invitation du nouveau premier ministre, Daniel Johnson. Comme il a été convenu, le Général de Gaulle arrive au Québec le 23 juillet à bord d'un navire de guerre, *Le Colbert*. Plutôt que d'accoster à Montréal, le chef de l'État français descend à Québec pour ensuite se rendre à Montréal en voiture. Entre temps, le Président est l'invité de plusieurs réceptions dans la vieille capitale et notamment l'hôte du premier ministre du Québec au Château Frontenac pour un dîner d'État. Lors de ce dîner, le Général déclare : « […] on assiste ici, comme en maintes régions du monde, à l'avènement d'un peuple qui, dans tous les domaines, veut disposer de lui-même et prendre en main ses destinées. Qui donc pourrait s'étonner ou s'alarmer d'un tel mouvement aussi conforme aux conditions modernes de l'équilibre de notre univers et de l'esprit de notre temps? »[2]. Le ton était donné.

Le lendemain matin, le Président français se rend à Montréal par voiture avec le premier ministre du Québec. Ces derniers empruntent le Chemin du Roy (de France) qui longe le fleuve Saint-Laurent jusqu'à Montréal et qui a été aménagé pour les circonstances avec des drapeaux de la France et du Québec. Les Québécois réserveront un accueil triomphal à De Gaulle. Tout le long du Chemin du Roy et lors

---

2. *Ibid*, p. 101.

des nombreuses haltes, de plus en plus de Québécois vont s'entasser pour écouter le Général s'adresser aux « Français du Canada » comme les appelait souvent De Gaulle. Le Général fera plusieurs discours tout le long de ce périple qui culmine vers 19 heures en face de l'hôtel de ville de Montréal où certains estiment que près d'un demi-million de personnes l'attendent.

Tout au long de ce trajet, le ton et le langage du Général ne laissaient aucun doute sur le fond de sa pensée : le Québec se dirigeait vers l'autodétermination. À Trois-Rivières, à la suite d'un déjeuner municipal, De Gaulle déclare : « C'est le génie de notre temps que chaque peuple doit disposer de lui-même. Je suis convaincu que c'est ce qui est en train de se passer ici »[3]. À Montréal, il est reçu par une gigantesque foule et De Gaulle conclura, sur le balcon de l'hôtel de ville de Montréal – où il n'était pas prévu qu'il prenne la parole – par sa tirade célèbre :

> Je vais vous confier un secret que vous ne répéterez à personne. Ce soir, ici, et tout le long de ma route, je me suis trouvé dans une atmosphère du même genre que celle de la libération. [...] Vive Montréal ! Vive le Québec ! Vive le Québec libre ! Vive le Canada français ! Vive la France ![4]

Cette déclaration du Président français provoquera l'enthousiasme de la foule et la colère des représentants du gouvernement du Canada qui ne supportent pas cette intrusion dans les affaires internes et la comparaison indirecte aux nazis. En réponse à ses détracteurs De Gaulle déclare, le lendemain lors d'un déjeuner avec le maire Jean Drapeau : « Et quant au reste, tout ce qui grouille, grenouille, scribouille n'a pas plus de conséquences historiques dans ces grandes circonstances qu'il n'en eut jamais dans d'autres »[5].

Sur le chemin du retour vers Paris, Jean-Daniel Jurgensen, membre du lobby pro-Québec, déclare à De Gaulle : « Mon Général, vous avez payé la dette de Louis XV ! » (qui a cédé la Nouvelle-France à la Grande-Bretagne).

---

3. *Ibid*, p. 101.
4. *Ibid*.
5. *Ibid*, p. 102.

De Gaulle lui répond : « Je savais que je devais faire quelque chose, mais quoi, quand, où ? Au bout de cette journée inouïe, il fallait répondre à l'appel de ce peuple. […] Je n'aurais pas été De Gaulle si je ne l'avais pas fait »[6]. Les gestes du Président français n'étaient donc pas le fruit du hasard et en grand stratège militaire il poursuit l'offensive. Dès son arrivée à Paris, il passe à l'action. Le 29 juillet 1969, il déclare à Alain Peyrefitte :

> Il faudrait que dans les quinze jours ou trois semaines vous vous rendiez au Québec. Nous avons fait une percée. Maintenant, il faut occuper le terrain. Je vous en charge. Les Québécois ont besoin de professeurs, d'instituteurs, de puéricultrices. Il faut qu'ils se remettent dans le circuit du français universel. Ils le souhaitent, mais ils n'en ont pas les moyens par eux-mêmes. Les ententes que nous avons signées avec eux ces dernières années vont dans le bon sens, mais c'est encore très insuffisant. Il faut leur prêter massivement nos enseignants, accueillir massivement leurs étudiants. C'est votre affaire. Il faut tout couvrir, l'éducation, la culture, la technique, la recherche scientifique, la jeunesse, la télévision. Et quand ce programme sera prêt, vous irez le présenter à Johnson ». […][7]

Après que Peyrefitte ait rapporté au Général les problèmes administratifs que cela pourrait causer De Gaulle répond : « Voyez ce qu'on peut développer : des bourses pour nos grandes écoles, pour des infirmières, que sais-je. Pas de paroles en l'air ! Des mesures concrètes d'application immédiate. Pour une fois, il faut que l'intendance suive, et même vite. »[8]

À la suite d'un conseil des ministres de France du 23 août 1967, 25 actions concrètes préparées par Bernard Dorin seront proposées au gouvernement du Québec. On propose 1000 bourses pour les étudiants québécois et on multiplie les échanges entre professeurs. Le 1er septembre, un Conseil restreint les approuve. Plusieurs ministres du gouvernement français feront le périple au Québec avec des projets de coopération. Selon certains, De Gaulle interdit également que ses ministres qui se rendent au Québec passent par Ottawa.

---

6. D-C Thomson, *De Gaulle et le Québec*, Montréal, Éditions du Trécarré, 1990. p. 280.
7. A. Peyrefitte, De Gaulle et le Québec, Montréal, Stanké 2000, p. 68.
8. *Ibid*, p. 68.

C'est également en septembre 1967, que la relation triangulaire entre Paris, Québec et Ottawa s'étendit aux pays francophones. Malgré les protestations de plus en plus fortes d'Ottawa, la diplomatie gaulliste souhaite que le Québec participe à des rencontres intergouvernementales des pays francophones, notamment dans le domaine de l'éducation. Lors d'une conversation avec Alain Peyrefitte, où ce dernier demande au Général si le Québec doit obtenir lors de ces conférences un statut de membre à part entière ou sinon d'observateur, De Gaulle réplique :

> Mais non ! Pas comme observateur ! Comme membre à part entière ! Expliquez à Johnson l'intérêt que cette invitation représente pour le Québec et nous ferons ensuite le nécessaire avec le Gabon. Il faut ouvrir au Québec des fenêtres sur le monde. Le seul moyen pour un peuple d'exister, c'est d'entrer de plain-pied dans le concert des nations. Le Québec existera quand il participera librement à des conférences internationales. Tâchez de l'introduire dans cette conférence des ministres de l'Éducation. Il a l'étoffe d'une nation souveraine ; il en a la cohérence culturelle ; il s'est affirmé en quatre siècles de lutte contre la nature ; contre les Indiens ; contre les Anglais.[9]

En septembre 1967, De Gaulle envoie ainsi une lettre à Johnson. Le porteur de la lettre, le ministre de l'Éducation nationale, Alain Peyrefitte, avait eu le mandat d'indiquer à Johnson ce que le gouvernement français était prêt à faire rapidement. Cette lettre va comme suit :

> Mon cher Premier ministre,
>
> Il semble bien que la grande opération nationale d'avènement du Québec, telle que vous la poursuivez, soit en bonne voie. L'apparition en pleine lumière du fait français au Canada est maintenant accomplie dans des conditions telles que – tout le monde le sent – il y faut des solutions. On ne peut plus guère douter que l'évolution va conduire à un Québec disposant de lui-même à tous égards.
>
> Pour notre Communauté française, c'est donc – ne le pensez-vous pas – le moment d'accentuer ce qui est déjà entrepris. Dans les domaines financier,

---

9. *Ibid*, p. 85.

économique, scientifique et technologique, mon gouvernement sera incessamment en mesure de faire au vôtre des propositions précises au sujet de notre effort commun. Pour ce qui est de la culture et de l'enseignement, M. Peyrefitte, à qui je confie cette lettre, vous indiquera, ce que le gouvernement de Paris est prêt à faire tout de suite et qui est assez considérable.

Laissez-moi vous répéter que j'ai été touché jusqu'au fond de l'âme par l'accueil que m'a fait le Québec et quelles satisfactions m'ont données notre rencontre et nos entretiens sur le sol du Canada français, succédant à ceux de Paris.

En vous demandant de présenter à Mme Daniel Johnson mes très respectueux hommages, auxquels ma femme joint ses meilleurs souvenirs, je vous prie de croire, mon cher Premier ministre, à ma très haute et amicale considération.[10]

Or, quelques jours avant la venue d'Alain Peyrefitte en sol québécois, Johnson avait subi un nouveau malaise cardiaque. Il reçut tout de même le ministre français dans sa chambre d'hôtel à Montréal. Cependant, le message dont Peyrefitte était le porteur n'était pas susceptible d'aider à la santé fragile du premier ministre. Peyrefitte venait faire les nombreuses propositions de coopération entre la France et le Québec dont notamment la création d'un organisme commun et permanent en matière de coopération ainsi que diverses initiatives dont naîtra plus tard l'Office franco-québécois pour la jeunesse.

Johnson tente cependant de freiner les élans français. Il déclare à Peyrefitte : « Il faut y aller doucement, pas à pas, dit-il. Aussi loin qu'il faudra pour obtenir l'égalité. Mais en évitant de mettre en danger le Canada et à plus forte raison de le faire éclater ». Après lecture de la lettre qui lui avait écrit De Gaulle, il suggère de ne pas la rendre publique tout comme sa réponse au président français. Johnson dit à Peyrefitte au sujet des actions du Général : « Le président va trop vite pour nous… il brûle les étapes. Si nous hâtions le pas comme il le souhaite, ce serait l'aventure. Tout va déjà trop vite ! Mon souci n'est pas d'accélérer, mais de ralentir »[11].

---

10. *Ibid*, p. 87.
11. *Ibid*, p. 100.

Au sujet de cette participation à la Conférence internationale sur l'éducation, si Daniel Johnson n'accordait pas une grande importance aux pays francophones d'Afrique, des membres influents de son entourage, dont André Patry et Jean-Marc Léger, souhaitaient que le gouvernement du Québec s'affirme auprès de ces pays sans l'intermédiaire d'Ottawa. Même s'ils n'avaient jamais eu l'idée de participer à une rencontre de pays francophones, les politiciens et les diplomates fédéraux ne digèrent pas l'idée que le Québec soit invité à une conférence internationale sur l'éducation. Cette affirmation du Québec, avec l'aide de la France, de participer à une réunion internationale de pays souverains envenimera encore plus les conflits Québec-Ottawa.

C'est en septembre 1967, peu de temps après la visite du Général de Gaulle au Québec que Marcel Masse, ministre dans le gouvernement de l'Union nationale, apprend par Alain Peyrefitte, ministre français de l'Éducation, l'existence d'une structure permanente des ministres de l'Éducation de la France et des pays africains francophones (CONFENEM). Le Général de Gaulle avait exprimé le souhait que le gouvernement du Québec participe à cette conférence, mais sans la présence d'Ottawa. Le Québec, alors en pleine réforme de l'éducation, y était également favorable. Le premier ministre du Québec, Daniel Johnson se fait même très direct :

Comme il s'agit d'éducation, le Québec doit être invité directement, sans truchement ou canal fédéral, et si Ottawa, par diverses manœuvres, réussit à s'emparer d'une invitation qui nous est destinée pour, ensuite, nous la transmettre avec son paternalisme usuel, nous ne l'accepterons pas, même si on propose au ministre québécois la présidence de la délégation canadienne.[12]

Puisque les relations France-Québec s'intensifient depuis la visite du Général, l'aide de la France est bien accueillie par Québec. Cette rencontre doit avoir lieu au Gabon qui, plus que la plupart des anciennes colonies

---

12. C. Morin, *L'art de l'impossible. La diplomatie québécoise depuis 1960*, Montréal, Boréal, 1987, p. 116.

françaises, était sous l'influence (pour ne pas dire la tutelle) de Paris. Les gouvernements français et gabonais conviendront, en janvier 1968, d'une participation directe du gouvernement du Québec, c'est-à-dire sans présence d'Ottawa. La tension monte à Ottawa où l'on cherche à éviter une présence du Québec à cette conférence sur l'éducation. La relation avec Québec se détériore si rapidement à l'approche de cette conférence que Jean-Guy Cardinal, ministre de l'Éducation du Québec, s'envole pour le Gabon avec en poche un sauf-conduit français, car il craignait d'être arrêté à son retour et emprisonné pour « haute trahison »!

Les conflits avec le gouvernement fédéral se jouent également sur le plan symbolique. En effet, à Libreville, les drapeaux du Canada ont été remplacés par ceux du Québec. Ce geste, qui coïncide avec une importante conférence constitutionnelle à Ottawa, ne manque pas d'être souligné par les journalistes. Cet événement, répété plusieurs fois par la suite, constitue la première « guerre de drapeaux » entre Québec et Ottawa. À noter que lors de cette conférence, le ministre québécois de l'Éducation va être le seul, avec Alain Peyrefitte, à loger dans la résidence de la Présidence de la République du Gabon. Il sera placé sur l'estrade au moment de la photo et décoré de la plus haute distinction gabonaise. Cela en dit moins long sur l'importance du Québec sur la scène internationale que sur la puissance de la France au sein de la Francophonie.

Par mesure de représailles, le gouvernement du Canada suspend ses relations diplomatiques avec le Gabon, chose qu'il n'a pas faite depuis la Seconde Guerre mondiale ! Ce geste spectaculaire démontre bien combien Ottawa prend au sérieux cette atteinte à l'intégrité du Canada. Comme le soutient Ivan Head, qui sera le conseiller spécial du premier ministre canadien Pierre Elliot Trudeau en matière de relations internationales, l'invitation du gouvernement du Gabon était : « une des plus sérieuses menaces à l'intégrité du Canada que le pays ait jamais connue… Elle contenait les graines de la destruction du Canada en tant que membre de la communauté internationale ». Pendant un instant, on pense appliquer la même mesure à la France, mais comme le souligne le diplomate québécois

Jean Chapdelaine : « il eut été pour le moins cocasse que le Canada rappelât son ambassadeur à Paris et y laissât la place libre au Délégué général du Québec »![13] Daniel Johnson annonce que le gouvernement du Québec apportera une aide technique au Gabon malgré le fait qu'Ottawa n'entretient plus de relations diplomatiques avec ce pays.

À la suite de cette conférence, une nouvelle rencontre est convoquée à Paris le 22 avril 1968. Le gouvernement du Canada fait pression à plusieurs reprises pour normaliser la situation et réaffirmer la suprématie du gouvernement fédéral en ce qui concerne les relations internationales. Lester Pearson écrit à Daniel Johnson pour lui signifier que la participation du Québec à la seconde conférence : « se concilie mal avec la survivance de notre pays comme entité internationale »[14]. Le premier ministre du Canada suggère que le Conseil des ministres de l'Éducation du Canada, organisme interprovincial dont est membre le Québec, se rencontre afin d'ébaucher des recommandations sur la composition de la délégation canadienne. Johnson refuse. Le premier ministre du Canada hausse le ton une nouvelle fois en avançant qu'il ne ferait pas de différence entre les grandes et les petites puissances si la souveraineté du Canada n'est pas respectée. Le Canada proteste auprès de la France et menace de lui infliger des sanctions. Rien n'y fait, le Québec est, encore une fois, invité seul.

À Paris, les ministres de l'Éducation décident que la prochaine rencontre aura lieu à Kinshasa au Zaïre (aujourd'hui République démocratique du Congo). Cette fois, les choses se passent différemment, car à la suite d'un arrangement conclu avec le président Mobutu, le Canada sera formellement invité. Cet arrangement visait à réaffirmer la prééminence du fédéral en matière de relations internationales. Le gouvernement fédéral insiste pour qu'il n'y ait qu'une seule délégation

---

13. J. Chapdelaine, « Les relations France-Québec », dans *La politique étrangère de la France-Québec*, Centre québécois des relations internationales, collection choix, 1984, p. 121.
14. Gouvernement du Canada, *Fédéralisme et Relations internationales, Secrétaire d'État aux Affaires extérieures*, Ottawa, 1968, p. 63-73.

canadienne et que cette dernière n'ait qu'une seule voix. À Québec, le nouveau premier ministre et successeur de Daniel Johnson, Jean-Jacques Bertrand, plus conciliant que son prédécesseur et moins intéressé par les questions internationales, accepte les termes de l'entente conclue par le gouvernement fédéral.

Si le Québec a réussi à se tailler une place dans les conférences internationales dans le domaine de l'éducation, cet acquis était mis en péril par un projet que nourrissaient de nombreux chefs d'État africains, c'est-à-dire la création d'une institution de coopération multilatérale qui ne s'occuperait pas uniquement des questions d'éducation. Cette institution devait réunir plusieurs pays souverains de langue française et aurait un mandat qui déborderait des champs de compétence du Québec. La question qui se pose alors est de savoir si le Québec pourra y avoir une place et à quelle condition. Puisque cet organisme traiterait de bien d'autres choses que des questions d'éducation, Ottawa se retrouvait en position de force.

L'Agence de coopération culturelle et technique (ACCT) est fondée le 20 mars 1970 à l'initiative du Président du Sénégal, Léopold Senghor, du Président tunisien, Habib Bourguiba, et du Président du Niger, Hamani Diori. Deux conférences sont organisées en 1969 et en 1970 afin de créer l'ACCT. Ces conférences sont connues sous le nom de Niamey I et Niamey II. Le gouvernement français intervient, encore une fois, pour assurer au Québec une invitation à la conférence de Niamey I. Pour y parvenir, le gouvernement français, se rappelant les sanctions canadiennes vis-à-vis du Gabon, met en place des mesures supplémentaires. Le gouvernement fédéral canadien a déjà fait connaître au Niger sa position en ce qui concerne la place du Québec. Au Niger, on craint que le Canada ne coupe l'aide extérieure canadienne promise à ce pays, soit 2 800 000 dollars si le Québec est invité. Les autorités françaises prendront l'engagement de dédommager le Niger pour toute action de rétorsion du gouvernement canadien liée à une invitation adressée au gouvernement du Québec et ce jusqu'à concurrence de 10 millions de francs !

Après de multiples revirements et confrontation dans le triangle Québec-Ottawa-Paris, le gouvernement du Québec se voit finalement accorder le droit d'être admis comme « gouvernement-participant » au sein de l'ACCT. Pour conclure cet épisode, Jean-Marc Léger, premier secrétaire général de l'ACCT, déclare au sujet de l'attitude du gouvernement du Canada, qu'il « aura consacré au moins autant d'énergie à tenter d'empêcher avec acharnement l'émergence du Québec qu'à apporter sa propre contribution aux institutions francophones. »[15]

Le gouvernement français et les deux référendums

L'arrivée au pouvoir du Parti québécois en 1976 marque une escalade des conflits entre Québec et Ottawa. Le fédéral est, à juste titre, convaincu que le gouvernement souverainiste recherchera des appuis à l'étranger. Selon Pierre Godin, le gouvernement du Québec cherche à établir le maximum de contacts afin d'accroître sa visibilité à l'étranger. En 1978, René Lévesque affirme que : « le Québec ne saurait laisser à un autre gouvernement, fût-ce Ottawa, le soin de le représenter à l'étranger »[16].

L'élection du Parti québécois est accueillie avec prudence à l'Élysée. Valéry Giscard d'Estaing ne veut pas créer de problèmes avec Ottawa. Les choses commenceront à changer en 1977 lorsque Jacques Chirac, qui est le maire de Paris et principal adversaire à droite de Giscard d'Estaing, fait du cas québécois un enjeu politique. Sentant le vent tourner, Giscard d'Estaing fait parvenir au premier ministre René Lévesque une lettre où il affirme que la France veut seconder les efforts du Québec. Au cours d'une visite à Paris quelque temps après, Claude Morin, le ministre des Affaires intergouvernementales du gouvernement du Québec, confirme la tendance. En mars 1977, Giscard d'Estaing nomme Alain Peyrefitte au poste de Garde des Sceaux, un gaulliste pro-québécois qui proposera une rencontre annuelle des premiers ministres du Québec et de la France.

---

15. J-M Léger, *La Francophonie : grand dessein, grande ambiguïté*, Montréal, Hurtubise HMH, 1987, p. 131.
16. P. Godin, *René Lévesque. L'espoir et le Chagrin*, Montréal, Boréal, 2001, p. 376.

Deux semaines après la visite de Morin, le premier ministre du Canada se rend en France. L'accueil à Paris est glacial. Durant la rencontre entre Giscard d'Estaing et Trudeau, on ne parle pas des relations France-Québec, mais le message est clair : la France aura des relations avec le Québec, et ce, malgré Ottawa.

René Lévesque se rend à son tour en France du 2 au 4 novembre 1977 et sa visite est un triomphe. Lévesque est invité à s'adresser aux parlementaires, ce qui attire de vives protestations d'Ottawa. Paris change le programme pour donner encore plus d'éclat à la visite du chef souverainiste. Lévesque parlera à la Salle des fêtes du Palais Bourbon, dans l'édifice même de l'Assemblée nationale. On ouvre pour l'occasion un escalier qu'empruntait jadis Napoléon, puis une porte fermée depuis 150 ans. Giscard d'Estaing multiplie les marques d'accueil pour son invité à l'Élysée. René Lévesque sera élevé au rang de Grand officier de la Légion d'Honneur, et ce, sans consulter le gouvernement canadien. Ottawa, outré, annonce que ce geste est illégal, car toute remise de décorations étrangères doit recevoir l'aval d'Ottawa. Giscard d'Estaing fera également comprendre aux Québécois que la France reconnaîtra un vote favorable à l'indépendance. Il déclare :

> Vous déterminerez vous-même, sans ingérence, le chemin de votre avenir. Vous en avez le droit et vous en avez la capacité. Ce que vous attendez de la France – je le sais pour avoir vécu parmi vous – c'est sa compréhension, sa confiance et son appui. Vous pouvez compter qu'ils ne vous manqueront pas le long de la route que vous déciderez de suivre.[17]

En affirmant cette politique de « non-ingérence et non-indifférence », le chef d'État français allait très loin. Comme le souligne Jean-François Lisée : « La diplomatie américaine, qui s'y connaît en signaux » note dans un bilan de la visite que : « Sauf à reconnaître le

---

17. P. Poulin, « Les relations franco-québécoise sous Lévesque, 1976-1985 », dans Stéphane Paquin avec la collaboration de Louise Beaudoin (dir.), *Histoire des relations internationales du Québec*, Montréal, VLB éditeur, 2006, p.130.

Québec comme un État souverain, on voit mal comment la France aurait pu aller plus loin. »[18]

La France sera encore une fois au rendez-vous lors du référendum de 1995. Le Parti québécois est élu en 1994 avec la promesse de tenir un référendum sur la souveraineté le plus rapidement possible et, comme en 1976, il s'attendait à un durcissement des relations avec les libéraux de Jean Chrétien au pouvoir à Ottawa depuis l'année précédente. Le nouveau premier ministre du Québec s'attendait à des manifestations de sympathie de la part de la France et à des réactions inverses des autorités américaines.

La stratégie internationale du premier ministre Jacques Parizeau s'appuie fortement sur la France. Alors qu'il était chef de l'opposition, Jacques Parizeau avait été reçu, en juillet 1994, par Alain Juppé, ministre français des Affaires étrangères. Lors de cette rencontre, le chef du Parti québécois avait demandé à Juppé si la France serait au rendez-vous en cas de victoire référendaire. Celui-ci répondait que « Dans l'éventualité où une majorité de Québécois se prononçait pour la souveraineté, la France ne laisserait pas tomber le Québec et se manifesterait rapidement dans la reconnaissance d'un Québec souverain »[19]. Juppé sera, lors du référendum de 1995, Premier ministre. À l'approche du résultat référendaire, le chef d'État français, Jacques Chirac, confirme la position de Juppé. Le 23 octobre 1995, invité à l'émission de Larry King sur le réseau CNN, le Président Jacques Chirac indique clairement que dans l'éventualité d'un référendum positif, la France reconnaîtra le résultat.

Les relations France-Québec sont de nos jours encore très solides comme en témoignent les excellentes relations entre le premier ministre du Québec et le gouvernement français. Il est vrai cependant que

---

18. J-F Lisée, *Le Tricheur. Robert Bourassa et les Québécois*, 1990-1991, Montréal, Boréal, 1994, p. 184.

19. P. Duchesne, « Diplomatie préférendaire » dans Stéphane Paquin avec la collaboration de Louise Beaudoin (dir.), *Histoire des relations internationales du Québec*, Montréal, VLB éditeur, 2006, p.203.

le gouvernement français est aujourd'hui plus réservé quant au projet souverainiste. Il reste cependant que les relations France-Québec représentent un phénomène inédit du point de vue international tant la coopération et les échanges sont importants. Lors de l'année 1999-2000, la Commission franco-québécoise de coopération, qui se réunit tous les deux ans, a retenu plus de 143 projets de coopération dont près de 34 dans le secteur des technologies de pointe. En 1997, on recensait 225 ententes et le nombre d'accords entre les universités québécoises et françaises a connu une augmentation de 1000 % depuis 15 ans. En ce qui concerne l'Office franco-québécois pour la jeunesse seulement, 80 000 jeunes ont participé aux échanges depuis 1968. Sur le plan des jumelages de villes, près de 131 ont conclu des accords. Le développement des nouvelles technologies de l'information a pour effet que de plus en plus de Québécois communiquent quotidiennement dans le cyberespace. À n'en pas douter, les retrouvailles France-Québec qui débutent dans les années soixante sont des retrouvailles durables.

Bibliographie

CHAPDELAINE Jean, « Les relations France-Québec », dans *La politique étrangère de la France-Québec*, Centre québécois des relations internationales, collection choix, 1984, 179 p.

DUCHESNE Pierre, « Diplomatie préférendaire » dans Stéphane Paquin avec la collaboration de Louise Beaudoin dir., *Histoire des relations internationales du Québec*, Montréal, VLB éditeur, 2006, p. 194-206.

GODIN Pierre, *René Lévesque. L'espoir et le Chagrin*, Montréal, Boréal, 2001, 631 p.

Gouvernement du Canada, *Fédéralisme et Relations internationales, Secrétaire d'État aux Affaires extérieures*, Ottawa, 1968.

LÉGER Jean-Marc, *La Francophonie : grand dessein, grande ambiguïté*, Montréal, Hurtubise HMH, 1987, 242 p.

LISÉE Jean-François, *Le Tricheur. Robert Bourassa et les Québécois, 1990-1991*, Montréal, Boréal, 1994, v. 2.

MORIN Claude, *L'art de l'impossible. La diplomatie québécoise depuis 1960*, Montréal, Boréal, 1987, 470 p.

PATRY André, *Le Québec dans le monde*, Montréal, Leméac, 1980, 167 p.

PEYREFITTE Alain, *De Gaulle et le Québec*, Montréal, Stanké 2000, 184 p.

POULIN Philippe, « Les relations franco-québécoise sous Lévesque, 1976-1985 », dans Stéphane Paquin avec la collaboration de Louise Beaudoin dir., *Histoire des relations internationales du Québec*, Montréal, VLB éditeur, 2006, p.129-140.

THOMSON Dale C., *De Gaulle et le Québec*, Montréal, Éditions du Trécarré, 1990, 410 p.

La place du Québec dans la francophonie

Trouver des solutions communes à des défis particuliers

Louise Beaudoin

Comprendre le Québec en 2008, ses aspirations, les raisons de sa survie et de son dynamisme actuel, demande qu'on s'attarde à sa fulgurante évolution. D'une société en mode survivance, enclose dans son fragile et précaire univers francophone, bousculé par les ressacs linguistico-culturels d'une mer anglophone, le Québec est passé à la modernité en assumant sa ténacité en terre d'Amérique, en y inscrivant sa culture, en s'ouvrant au monde et en se découvrant dans les yeux des autres. Les Québécois auront toujours un sens aigu de leur fragilité linguistique ; leur réalité de petite nation de sept millions cinq cent mille citoyens, majoritairement francophones, entourée de 320 millions d'anglophones appelle, à l'heure de la mondialisation, au raffermissement de ses amitiés et à la recherche de nouvelles solidarités. Et la Francophonie, si elle sait trouver un second souffle au cœur du dialogue des cultures et de la promotion de la diversité linguistique et culturelle, sera pour le Québec, mais aussi pour l'ensemble des nations francophones, un outil essentiel de rayonnement et d'affirmation.

Le Québec a besoin de nouveaux espaces de solidarités pour fixer son destin de terre française en Amérique. Un destin de nation moderne, active, originale et créatrice qui puisse au cœur de sa diversité, vivre et prospérer en français.

Et pour vivre en français chez eux, les Québécois, qui sont littéralement aux portes du déferlement culturel, et médiatique américain, doivent relever un certain nombre de défis. Parmi ces défis, celui de l'intégration des nouveaux immigrants, vital pour une société au taux de fécondité anémique qui ne peut assurer le remplacement des générations. Autre enjeu de taille, celui de la mondialisation qui conduit beaucoup d'entreprises québécoises à travailler en anglais, du fait, notamment, que 80 % des exportations étrangères du Québec se font vers États-Unis.

Enfin, les Québécois sont aussi pétris d'américanité et si les séductions américaines sont fortes pour l'ensemble de la planète, le Québec ne fait pas exception. Cette attirance pour l'Amérique, celle des grandes idées, de la liberté, de créations marquantes dans tous les domaines n'est pas rejetée ; elle est assumée mais dans le cadre d'un renforcement de leur identité afin qu'ils soient moins dans cette fragilité culturelle qui installe la méfiance plutôt que la fierté de dire qui ils sont.

Une Francophonie internationale forte et mieux ancrée deviendrait un atout de premier plan pour le Québec ; elle donnerait des arguments à ceux qui, au Québec, défendent le fait français et, rappelons-le, le fait français en Amérique renforce la Francophonie internationale, puisqu'il solidifie l'un de ses piliers.

Le Québec a depuis longtemps pressenti l'importance d'une union des nations francophones et francophiles au sein d'un organisme comme l'Organisation internationale de la Francophonie. Dans cet espace géo-culturel pourrait se déployer une nouvelle mondialisation. La Francophonie, a le potentiel de devenir un acteur important sur la scène internationale, un lieu de résistance et d'affirmation, un lieu où se concrétise une véritable solidarité entre pays du sud et du nord, entre pays pauvres, en émergence et pays riches. Mais le Québec ne saurait envisager un espace virtuel francophone, qui, dans la réalité, ne prend pas fait et cause pour la langue française et les cultures francophones. Or, la langue française n'est-elle pas la grande oubliée de 20 ans de Francophonie institutionnelle ? Puisqu'on en parle peu, n'oublie- t-on pas d'en faire la promotion auprès des peuples francophones qui doivent la défendre ? Car, ne nous leurrons pas, même dans le confort hexagonal, les sirènes de l'anglais résonnent de plus en plus fort. Et cet engouement ne saurait être passager ; c'est un signe inquiétant d'une apathie qui, si nous n'y prenons garde, nous piégera fatalement dans une vision unipolaire au moment où l'on peut, au contraire, espérer, compte tenu des évolutions sur la scène internationale, un rééquilibrage entre les langues de grande diffusion à l'échelle planétaire qui ferait en sorte qu'au milieu du XXIe siècle aucune langue n'aura la position hégémonique qu'occupe aujourd'hui l'anglais.

Faut-il rappeler que la langue française reste le ciment de la Francophonie, la raison première de son existence.

La situation de la langue française au Québec, paradoxalement forte et fragile à la fois, est le microcosme de la situation de la langue française dans le monde. Au Québec, nous avons légiféré pour protéger la langue française. Nous l'avons toutefois négligée dans son expression, oubliant que la qualité d'une langue apporte la fierté à ses locuteurs et encourage les nouveaux arrivants à l'adopter. Et plus une langue a de locuteurs, plus forte est son influence. Assaillie de toutes parts, laissée pour compte trop longtemps de notre système d'éducation, notre propre négligence a augmenté le péril. Nous en sommes aujourd'hui conscients.

De par notre situation géographique, nous sommes à l'épicentre de la mondialisation. Nous vivons dangereusement notre singularité linguistique en Amérique du Nord. Le Québec est au poste avancé du combat pour l'avenir de la langue française. Si celle-ci continuait à s'affaiblir ailleurs dans le monde, notre combat n'aurait plus le même sens.

Laissons parler le poète Gilles Vigneault qui exprimait ainsi notre grande fragilité américaine :

> *Quand nous partirons pour la Louisiane*
> *Anne, ma sœur Anne, nous emporterons*
> *Dans un vieux coffret en imitation*
> *Ton vieux dictionnaire et quelques dictons.*
>
> *Quand nous marcherons vers la Louisiane*
> *Anne, ma soeur Anne, nos enfants sauront*
> *Déjà mieux que nous la langue des gens de la Louisiane*
> *Ils vont nous l'apprendre, nous la parlerons....*[1]

Résistants et combattants, voilà notre inscription dans l'histoire, voilà notre destin. Mais n'est-ce pas aujourd'hui le destin de toutes les petites et moyennes nations aux expressions culturelles et linguistiques multiples. Alors, il faut le répéter, défendre le français et les cultures

---

1. Gilles Vigneault, chanson « Quand nous partirons pour la Louisiane » (1973).

francophones c'est aussi défendre toutes les autres langues et toutes les autres cultures.

Le Québec en Francophonie

Au Québec, comme dans beaucoup de pays francophones, c'est par ce qu'il est maintenant convenu d'appeler la société civile que nous avons abordé la Francophonie. Déjà dans les années cinquante, les pionniers de la Francophonie, regroupés au sein d'ONG et d'OING, (notamment, l'Union internationale des journalistes et de la presse de langue française, dont le président fut le Québécois Jean-Marc Léger qui dirigea plus tard l'Agence de coopération culturelle et technique (ACCT)), ont pressenti l'importance de la coopération entre peuples, institutions et individus de langue française.

Vinrent ensuite les grands inspirateurs de la Francophonie institutionnelle, les Léopold Sédar Senghor, (Sénégal) Habib Bourguiba (Tunisie) et Hamani Diori (Niger) désireux de regrouper les anciennes colonies françaises afin de maintenir avec la France, malgré le passé, des relations fondées sur les affinités culturelles et linguistiques.

Les débuts de cette Francophonie institutionnelle ont coïncidé avec la Révolution tranquille québécoise, génératrice des plus grands bouleversements qu'ait connus notre société, vecteur d'un besoin légitime d'affirmation dans tous les domaines. Fort de tous les contacts créés depuis les années cinquante avec les nations francophones et porté par ses aspirations internationales, le Québec est alors décidé à prendre sa place au sein des institutions francophones internationales.

À partir de 1960, plusieurs organisations voient le jour : la conférence des ministres de l'Éducation nationale des pays francophones (CONFEMEN-1960), l'Association des universités partiellement ou entièrement de langue française (AUPELF-1961), l'Association internationale des parlementaires de langue française (AIPLF-1967), la conférence des ministres de la Jeunesse et des Sports des pays francophones (CONFEJES-1969). Le Québec y participe.

En 1970, la création du premier organisme intergouvernemental de la Francophonie, l'Agence de coopération culturelle et technique (ACCT) donnera lieu à des affrontements historiques entre le Québec et le gouvernement fédéral canadien au sujet du rôle international du Québec dans ses champs de compétence constitutionnelle.

Dès 1965, la volonté du Québec avait été clairement exprimée par ce qu'il est convenu d'appeler « La doctrine Gérin-Lajoie », du nom du vice-premier ministre et ministre de l'Éducation du Québec de l'époque, Paul Gérin-Lajoie.

Cette doctrine, qui est le fondement de l'action internationale du Québec depuis, affirme « la détermination du Québec de prendre dans le monde contemporain la place qui lui revient et de s'assurer, à l'extérieur autant qu'à l'intérieur, tous les moyens nécessaires pour réaliser les aspirations de la société qu'il représente[2] ».

Pierre Elliott Trudeau, élu premier ministre du Canada en 1968, est farouchement opposé aux prétentions internationales du Québec, même dans l'espace francophone. Pour lui, le Québec est une province comme les autres ; la politique étrangère du Canada doit servir l'intérêt « national » des Canadiens et être au service de l'unité « nationale ». La doctrine Trudeau décrète que, même en matière de culture, de langue et d'éducation- champs de compétence du Québec- c'est le gouvernement fédéral- gouvernement d'un pays très majoritairement anglophone où les francophones de tout le Canada ne comptant plus aujourd'hui que pour 22 % de la population – qui doit à l'international parler pour le Québec.

Le premier ministre Trudeau fera tout en son pouvoir pour que le Québec soit exclu de l'ACCT, ce qui en exaspérera plus d'un comme en fait foi la déclaration du ministre sénégalais de la Coopération d'alors : « Il n'est pas acceptable que ce soit un État fédératif à majorité anglophone qui nous empêche de créer une agence francophone. À la

---

2. Discours de Paul Gérin-Lajoie devant le corps consulaire de Montréal, le 12 avril 1965. « Les relations internationales du Québec depuis la Doctrine Gérin-Lajoie (1965-2005) » sous la direction de S. Paquin, avec la collaboration de L. Beaudoin, R. Comeau et G. Lachapelle annexe 1 p. 285-292, PUL, 2006.

rigueur, nous nous passerons d'eux. »[3]. L'histoire se répètera lorsque le président François Mitterrand voulut convoquer un Sommet des chefs d'État et de gouvernement des pays membres de la Francophonie. Il accepta tout de même, in extremis, à la demande pressante de René Lévesque, le premier ministre du Québec, de surseoir jusqu'à ce que le Québec s'entende sur son statut à l'intérieur de ces Sommets avec le gouvernement canadien. Pour ce faire il fallut attendre le départ de la scène politique de Pierre Elliot Trudeau et l'arrivée d'un *nouveau* Premier ministre, Brian Mulroney, en 1984.

Déjà, en 1968, peu de temps après la mémorable visite du général de Gaulle, le Québec, qui désirait participer à la conférence des ministres de l'Éducation de la France et des pays africains francophones (CONFENEM), avait subi un véritable tir de barrage diplomatique d'Ottawa qui tenta, en vain, par tous les moyens de convaincre Paris de ne pas inviter le Québec à la table de la conférence. Le gouvernement libéral du premier ministre Lester B. Pearson, alors au pouvoir à Ottawa, ira, au cœur de la tourmente, jusqu'à suspendre les relations diplomatiques du Canada avec le Gabon qui avait offert une trop grande visibilité au Québec…

Le combat de la diversité culturelle

Le Québec a fait sa place au sein de la Francophonie. Considéré comme une force de proposition, il y a toujours été très actif, comblant son manque de ressources par son dynamisme. Il faut quand même souligner ici que la contribution financière que le Québec verse à l'OIF le place au 5e rang des principaux bailleurs de fonds de cette organisation, derrière la France, le Canada, la Communauté française de Belgique et la Suisse. En fait, cette contribution du Québec est encore plus importante si on ajoute la part québécoise automatiquement présente à l'intérieur de celle du Canada.

---

3. Cité dans Sabourin, 1972 :20. « Ottawa et Québec dans l'Agence : une coopération à inventer » revue *Perspectives internationales*, janvier février 1972.

Le Québec a donc joué un rôle majeur dans la construction de l'espace francophone en luttant aux côtés de ses alliés, dont la France fut le plus fidèle et le plus puissant, afin de faire entendre sa voix unique.

En partenariat avec la France et grâce à la forte implication de la Francophonie, le Québec, qui avait déjà accordé son soutien à ce projet lors du Sommet de Beyrouth en 2002, a été l'un des moteurs de l'adoption par l'UNESCO, en 2005, de la Convention sur la protection et la promotion de la diversité des expressions culturelles. Cette Convention adoptée en octobre 2005 à l'UNESCO, à une très forte majorité[4], vise à permettre les interventions des États en faveur des expressions et des produits culturels nationaux et à les exclure du champ de l'Organisation mondiale du commerce (OMC).

Le combat en faveur de la diversité n'est pas pour autant gagné. Et il apparaît urgent à certains d'entre nous au Québec, après la formidable mais toujours fragile victoire de la diversité culturelle, de canaliser maintenant nos énergies en vue de faire adopter une Convention sur la diversité linguistique et d'éviter que ne soient contestées, au nom de la liberté de commerce, les dispositions contraignantes des lois linguistiques nationales et par conséquent, celles de la Charte québécoise de la langue française qui a, à toutes fins utiles, sauvé le français au Québec en l'imposant, sans exclure les autres langues, dans tous les secteurs de la vie.

La Convention sur la protection et la promotion de la diversité des expressions culturelles comporte des avancées importantes, notamment pour les pays en voie de développement qui disposent d'un fonds de soutien aux expressions culturelles qui se révèlera efficace, espérons-le, malgré le fait qu'il soit à contribution volontaire. Évidemment la grande victoire de cette convention réside dans la reconnaissance, en droit international, de la nature spécifique des biens et services culturels en tant qu'ils sont porteurs de valeurs, d'identité, de sens ainsi que l'établissement, en théorie du moins, du principe de non-subordination de la convention aux autres instruments internationaux.

4. La Convention a obtenu 148 voix pour, 2 contre (États-Unis et Israël) et 4 abstentions (Australie, Honduras, Libéria et Nicaragua).

Il est bon de souligner que le Québec a été l'un des premiers gouvernements à se préoccuper de cette question, pour des raisons évidentes, car la culture québécoise a besoin de fonds publics et de quotas ne serait-ce que parce que notre marché intérieur est trop restreint pour être rentable. Nos films les plus populaires ne font pas leurs frais ; il en va de même pour les émissions de télévision, pour les livres, les chansons, les disques. Pour aider à créer, produire, diffuser, distribuer et exporter nos œuvres, des politiques publiques sont nécessaires.

Les nouveaux défis de la Francophonie vus du Québec

Au Sommet de Québec, en octobre 2008, le premier défi de la Francophonie sera de résolument se tourner résolument vers l'avenir, de faire taire la morosité et de contrer les perceptions négatives en s'arrimant plus fermement à ses grandes missions que sont la promotion et la défense de la langue française ainsi que du dialogue des cultures au sein d'une diversité créatrice de paix et de tolérance plutôt que d'affrontements ou de choc des civilisations. Les grands débats qui ont cours autour de l'institution de la francophonie se feront, notamment, entre les défenseurs d'un élargissement tous azimuts et ceux qui s'inquiètent d'une trop grande dilution de l'Organisation. Il y aura par ailleurs une nécessité de cohérence dans ce dossier. Ainsi, la France favorise l'élargissement de la Francophonie à des pays qui n'ont pas beaucoup d'intérêt pour l'avenir de la langue française. La France, pays le plus puissant de la Francophonie, semble aussi moins tenir à promouvoir le français dans une organisation dont la raison d'être est le français qu'à discuter en français dans cette enceinte de grandes questions de politique internationale, comme nous le confirme le discours du Président Sarkozy, le 20 mars dernier, à l'occasion de la Journée internationale de la Francophonie. Pourtant, l'un ne va pas sans l'autre puisqu'un jour, pas si lointain, si nous n'y prenons garde, l'on en viendra à discuter en anglais des droits de la personne au sein de la Francophonie.

La vigilance doit être à la mesure du combat qui devient toujours plus complexe. Avec l'utilisation de l'anglais comme langue de travail sur le plan international et avec l'expansion des transmissions en réseau, il est toujours plus difficile de contenir les débordements de l'emprise de la langue unique dans un espace où il n'y a ni quota ni frontière. Ces fabuleux outils qui nous mettent en lien avec le monde peuvent aussi se révéler destructeurs en matière de pluralisme linguistique et culturel. Solidifier et protéger les assises de nos propres langues et cultures signifie être conséquents avec des engagements que le Sommet voudra sans doute renouvelés.

Le combat de la modernité

Le combat en faveur de la langue française et de la diversité linguistique n'est pas un combat d'arrière-garde, pas plus qu'il est un refus de la modernité. Au contraire, les Québécois en tant que nord-américains sont conscients aujourd'hui de la nécessité de parler l'anglais ainsi que d'autres grandes langues, comme l'espagnol. La nouvelle géographie planétaire de l'instantanéité et de la multiplicité des communications les y invite.

Ils savent que le vrai combat est celui du plurilinguisme. La mondialisation et son corollaire commercial nous ont tous contraints à utiliser une langue anglaise qui, qu'on le veuille ou non, est la nouvelle lingua franca, ne serait-ce que temporairement. Ceci étant, pourquoi la langue française, parlée sur les cinq continents, ne demeurerait-elle pas une grande langue internationale dont on défendrait le statut dans les droits et dans les faits y compris dans des secteurs, celui de la recherche et des sciences particulièrement, où à peu près tout le terrain a été perdu ?

La Francophonie, comme institution, a certes un rôle à jouer au plan multilatéral, mais elle ne saurait remplacer celui même des États et gouvernements membres.

Ainsi, il est tout à fait anormal que les instances de l'Union européenne s'abandonnent à ce point, jour après jour, à l'anglais. Alors que 14 des 27 pays membres de l'Union ont adhéré à la Francophonie, ses institutions fonctionnent de plus en plus en anglais seulement ; les dix nouveaux pays adhérents ont choisi cette langue comme langue de communication. Avec comme résultat que les ministères français travaillent maintenant souvent en anglais avec leurs interlocuteurs à Bruxelles. Il y a donc un réel danger de dérive de l'Union européenne vers une langue unique. Ajoutons à cette incroyable vassalisation l'attraction de la langue anglaise chez les jeunes du monde entier, grands consommateurs de produits culturels anglo-américains.

Les jeunes en concluent souvent que le français est une langue désuète, incapable d'exprimer leur réalité et la modernité. Mais, soyons optimistes, de belles et fulgurantes éclaircies chez nos jeunes chanteurs, dramaturges et écrivains de la Francophonie, qui s'approprient le français pour exprimer leur réalité, leur âme et leurs rêves, préludent d'un bel avenir en Francophonie. À la condition que les membres de la Francophonie ainsi que les populations francophones soient profondément convaincus qu'une mondialisation aux accents différents mérite le combat et que l'apathie donnera plus rapidement qu'on le croit des fruits amers.

S'il est vrai que la Francophonie doit resserrer ses critères quant à l'adhésion de membres dont le rapport au français a plus ou moins valeur de symbole, il demeure que les États et gouvernements déjà membres de la Francophonie ont des responsabilités : celles de s'engager à défendre la langue française, et, partant de ce principe, à l'utiliser dans les enceintes internationales et celles de témoigner d'une vigilance accrue quant à la place du français comme langue d'enseignement sur leur propre territoire. Ces devoirs sont la contrepartie des droits qui deviennent les leurs en adhérant à l'Organisation internationale de la Francophonie.

Les messages équivoques que véhiculent certains pays membres de la Francophonie à travers leur pratique, par exemple, de correspondre en anglais avec les Nations Unies alors que le français est l'une des langues officielles de l'ONU sont très dommageables. D'ailleurs, face à la prédominance croissante de l'anglais au détriment des autres langues officielles, l'ONU a proclamé 2008 « Année internationale des langues », reconnaissant du coup l'importance de défendre et de conserver la diversité linguistique.

Le geste onusien vient encore nous convaincre que la vigilance doit être resserrée, car actuellement dans toutes les organisations internationales, mêmes africaines, le français est en repli.

À l'issue du Sommet de Beyrouth, en 2002, la « déclaration de Beyrouth » battait le rappel :

> Nous rappelons que la langue française, que nous avons en partage, constitue le lien fondateur de notre communauté et réaffirmons notre volonté d'unir nos efforts afin de promouvoir le plurilinguisme et d'assurer le statut, le rayonnement et la promotion du français comme grande langue de communication sur le plan international. Soulignant l'importance de la diversité linguistique dans les Organisations internationales et les autres enceintes au sein desquelles nous siégeons, nous réaffirmons notre engagement à y privilégier l'utilisation du français...[5].

Le message de Beyrouth a-t-il été entendu ?

Le prix de la solidarité

Les grandes institutions internationales sont, comme tous les regroupements humains, parfois menacées par des intérêts particuliers de leurs membres. TV5 Monde, une des rares réussites concrètes à laquelle on associe spontanément la Francophonie, voit régulièrement son avenir remis en jeu par la France qui désire en faire une chaîne franco-française. À l'heure où les antennes médiatiques internationales sont si précieuses, TV5 Monde, qui est diffusée sur tous les continents et entre dans 147 millions de foyers,- ce qui la place au troisième rang des télévisions internationales- est un outil essentiel au déploiement de la Francophonie et au sentiment d'appartenance des pays membres. Il serait extrêmement grave qu'elle soit phagocytée par le système télévisuel français.

---

5. IXᵉ Conférence des Chefs d'État et de gouvernement des pays ayant le français en partage, *Déclaration de Beyrouth*, http://www.francophonie.org/doc/txt-reference/decl-beyrouth-2002.pdf

Mais il ne faut pas faire preuve d'angélisme. Il n'est pas normal que la France assume 84 % des dépenses de la chaîne comme c'est le cas actuellement et environ 70 % du budget de toutes les instances francophones. La relance de la Francophonie, à l'occasion du Sommet de Québec, passe par une réelle multilatéralisation budgétaire car comment peut-on continuer à accabler la France, l'accuser de se désintéresser de la Francophonie pour en faire une affaire franco-française et du même souffle la laisser assumer seule de tels montants qui se chiffrent en centaine de millions de dollars canadiens. Au Canada, au Québec, comme à la Communauté française de Belgique, à la Suisse et aux autres partenaires de mettre les moyens pour revenir à un plus juste partage.

Une nouvelle mondialisation portée par la Francophonie ?

L'avenir de la Francophonie, qui regroupe en son sein des États occidentaux, arabes, africains et asiatiques dépend, malgré les difficultés, de sa capacité à devenir un des laboratoires d'un monde aux inégalités réduites, aux tensions aplanies.

La mondialisation commerciale et financière actuelle, intense, rapide et débridée, met à mal les droits culturels et sociaux des peuples. À ce titre, la diversité culturelle et linguistique apparaît comme le front avancé d'un combat visant à baliser et à humaniser la mondialisation.

Pour le Québec, il n'est pas indifférent que la Francophonie échoue ou réussisse, car le statut de la langue française comme grande langue internationale aura des conséquences importantes sur l'avenir du français en Amérique.

Or la Francophonie, on le sait, est une construction récente, de plus en plus hétéroclite. Son élargissement, à l'instar de celui de l'Europe, pose problème. Comment justifier, en effet, qu'elle accueille des pays sans engagement francophone réel dont certains pays d'Europe centrale et orientale ? Et comment baliser cette construction pour qu'elle fasse entendre une voix différente et cohérente ?

L'architecture des cercles concentriques pourrait s'avérer intéressante pour la Francophonie qui y trouverait une géométrie variable de participation, correspondant davantage à la réalité. Le premier cercle, ou noyau dur, pourrait être composé des 32 pays ayant le français comme langue officielle, le deuxième, de pays non francophones mais francophiles, impliqués dans la défense de la diversité linguistique et culturelle et un troisième cercle regrouperait des pays désireux de coopérer avec la francophonie dans les sens du dialogue des cultures et d'un partage plus équitable des ressources.

Le Québec, j'en suis certaine, est prêt à travailler à relever les nouveaux défis de la Francophonie car il y va en partie de son avenir comme nation plurielle majoritairement francophone en Amérique. Le Sommet de Québec sera une occasion précieuse de mesurer les ambitions et les volontés de chacun des membres et de l'organisation elle-même pour y arriver.

Bibliographie

Site internet

IX⁰ Conférence des Chefs d'État et de gouvernement des pays ayant le français en partage, *Déclaration de Beyrouth* :
http://www.francophonie.org/doc/txt-reference/decl-beyrouth-2002.pdf

Ouvrage et articles

Discours de Paul Gérin-Lajoie du 12 avril 1965 dans « Les relations internationales du Québec depuis la Doctrine Gérin-Lajoie (1965-2005) » sous la direction de S. Paquin, avec la collaboration de L. Beaudoin, R. Comeau et G. Lachapelle, Québec, PUL, 2006, 324 p.

PAQUIN Stéphane (dir.) avec la collaboration de Louise Beaudoin, « Histoire des relations internationales du Québec ». Montréal, VLB éditeur, 2006, 357 p.

LÉGER Jean-Marc, « Le temps dissipé », HMH, Montréal, 1999, 474 p.

SABOURIN, 1972 : 20. « Ottawa et Québec dans l'Agence : une coopération à inventer » revue *Perspectives internationale*s, janvier février 1972.

Chanson

VIGNEAULT Gilles, chanson « Quand nous partirons pour la Louisiane » (1973).

Le rôle du Québec dans la promotion de la diversité culturelle et linguistique au sein des organisations internationales
Obtenir l'appui de la communauté internationale sans en faire partie

Gilbert GAGNÉ

Un historique culturel et linguistique du Québec

Le Québec est, à bien des égards, unique en Amérique du Nord. Si l'on rattache le Mexique et les Caraïbes à l'Amérique latine, le Québec est en effet la seule société où l'anglais n'est pas la principale langue véhiculaire[1]. À la suite du Traité de Paris de 1763 qui céda la Nouvelle-France au Royaume-Uni, le sort des Canadiens (comme on appelait alors les Québécois) et du fait français dans cette région du monde était des plus incertains. Cependant, les autorités britanniques ont vite compris l'importance de ménager les Québécois, de peur qu'ils ne se joignent aux révolutionnaires américains, ce qui leur vaudra la reconnaissance des lois civiles françaises et de la religion catholique. Il faut souligner le rôle-clé de l'Église dans la survivance de la « race », à savoir de la langue et de la culture françaises. Alors que le commerce et l'industrie sont laissés aux conquérants, le « peuple » du Québec se rabattra sur la terre et sur une forte natalité pour répondre à l'immigration massive anglo-saxonne (stratégie appelée revanche des berceaux). Les Québécois se considéreront investis d'un « rôle missionnaire » ou d'une « mission

---

1. Avec un peu moins de 250 000 personnes, concentrées pour la plupart dans la partie est de la province du Nouveau-Brunswick, l'Acadie peut être considérée comme une autre société francophone. Toutefois, la population de la province (un peu plus de 700 000) et son statut bilingue font en sorte que les Acadiens n'ont pas (encore) au même titre que les Québécois leur propre réseau d'institutions.

civilisatrice » en Amérique du Nord, qui n'est pas sans rappeler un trait essentiel de leurs cousins d'outre-Atlantique.

Le caractère francophone du Québec ne sera pas sans en étonner plusieurs, surtout chez les voisins des États-Unis, où la langue de Shakespeare a permis leur intégration à un riche continent plein de promesses. Le président américain, Franklin Delano Roosevelt, avait d'ailleurs proposé au premier ministre canadien, William Lyon Mackenzie King, d'assimiler une fois pour toutes ce peuple qui se refusait à parler la langue et à embrasser la culture communes du continent[2]. Même aujourd'hui, on peut lire de la part des Américains des remarques, teintées d'un bienveillant paternalisme, à l'effet que les Québécois préfèrent encore parler français ! Dans un pays où la langue est avant tout, sinon uniquement, un outil de communication, une telle attitude explique en bonne partie l'incompréhension qui prévaut aux États-Unis à l'égard de la notion de diversité culturelle et linguistique et de la nécessité d'une Convention internationale afin de la protéger et de la promouvoir. Si, au cours des dernières années, l'usage grandissant de la langue espagnole chez l'Oncle Sam a soulevé des débats quant à l'identité américaine[3] et fait songer à une « Reconquista », la moitié du territoire des États-Unis ayant été pris par la force aux Hispanophones, les tendances démographiques peuvent tout au plus laisser espérer aux Québécois de maintenir la langue et la culture françaises sur leur territoire. Petit État peuplé d'un peu plus de 7 millions et demi d'habitants, le Québec ne compte que 6 millions de Francophones qui, faut-il le rappeler, représentent 86,2 % du total de tous les francophones du Canada.

Toujours est-il que si le Québec a eu un rôle de premier plan dans la promotion de la diversité culturelle et linguistique au sein des organisations internationales, c'est d'abord parce qu'il en impose au

---

2. J-F Lisée, *Dans l'oeil de l'aigle : Washington face au Québec*, Montréal, Boréal, 1990, p. 20-23, 454-455.
3. Voir notamment S.P. Huntington, *Who Are We ? The Challenges to America's National Identity*, New York et Londres, Simon & Schuster, 2004.

monde de par son exemple en Amérique du Nord face à une langue et à une culture hégémoniques et qu'il bénéficie, en conséquence, d'une expertise unique et d'une crédibilité sans pareilles lorsqu'il intervient sur cette question. Mentionnons au passage que si les albums de la bande dessinée Astérix ont connu un succès au Québec, c'est probablement parce que l'idée d'une petite communauté résistant encore et toujours à l'envahisseur touche à une corde sensible des Québécois.

Le Québec et les relations extérieures

Si la pérennité d'un Québec français et distinct en Amérique du Nord a longtemps supposé le repli sur lui-même, elle s'accompagne à présent d'une volonté d'émancipation, d'affirmation et d'ouverture sur le monde. Depuis le tournant des années soixante, période qui correspond à ce que l'on a appelé la Révolution tranquille, les Québécois ont pris en main leur destin collectif et sont entrés de plain-pied dans la modernité. Le Québec a alors pris note que le gouvernement canadien ne représentait pas de manière satisfaisante ses perspectives, pas plus qu'il ne savait mettre de l'avant ses intérêts et ses aspirations. Les autorités fédérales ne reflétaient pas la dualité du pays (*bi*national, *bi*lingue et *bi*culturel) et avaient surtout tendance à en projeter son caractère anglo-saxon. Si le gouvernement central a tenu à rectifier le tir, en accentuant la présence de Francophones à l'échelon fédéral et les liens avec la Francophonie, le Québec a estimé que cet intérêt tardif pour le fait français avait pour objectif premier de court-circuiter ses initiatives en matière de relations extérieures. Aujourd'hui, la volonté d'Ottawa de définir le Canada comme une *nation* bilingue et *multi*culturelle constitue pour les Québécois une dénégation de leur existence nationale et de leur spécificité. Au vu d'un tel désaccord fondamental, alors que le gouvernement fédéral s'estime le seul habilité à représenter le fait français au Canada, y compris au Québec, ce dernier a conclu qu'il ne pouvait compter que sur lui-même et qu'il se devait d'occuper le champ des relations internationales.

Le Québec a tenu à avoir sa propre voix dans les forums internationaux et a revendiqué le droit de conclure des ententes internationales dans des domaines, comme l'éducation et la culture, qui relèvent de sa juridiction dans le cadre du régime fédéral canadien et qui sont jugés fondamentaux pour le développement et l'épanouissement de la société québécoise. Cette idée du prolongement externe des compétences internes est connue comme la doctrine Gérin-Lajoie (du nom du premier titulaire du ministère québécois de l'Éducation) et constitue la base juridique de l'action internationale du Québec à laquelle ont souscrit tous les gouvernements québécois qui se sont succédé depuis 1965[4].

L'Acte de l'Amérique du Nord britannique, depuis connue comme la Loi constitutionnelle de 1867 et qui a donné naissance au régime fédéral canadien, est muette sur la question des relations extérieures. Rappelons qu'à cette époque le Canada formait un Dominion de l'Empire britannique et ne jouissait que de l'autonomie interne, les relations extérieures relevant de Londres. La position de Québec est confortée du fait que la mise en oeuvre des traités conclus par les autorités fédérales relève exclusivement des provinces quand ceux-ci touchent à leurs champs de compétence. Aussi, les relations internationales concernent de plus en plus des domaines relevant des compétences du gouvernement québécois, une tendance qui s'est accentuée avec la mondialisation. De même, il n'existe aucun mécanisme formel dans le cadre de la Constitution canadienne qui assure aux États fédérés une voix dans la prise de décision au niveau central. Bien qu'il y ait coordination entre les deux niveaux de gouvernement, afin notamment d'assurer que le Canada puisse honorer ses engagements internationaux, le caractère *ad hoc* de cette dernière fait en sorte qu'Ottawa garde toute latitude dans la formulation de la politique étrangère.

---

4. Pour l'énoncé de la position québécoise, voir : « Texte de l'allocution prononcée par P. Gerin-Lajoie, vice-président du Conseil et ministre de l'Éducation, devant les membres du corps consulaire de Montréal », 12 avril 1965.

Le Québec et les obstacles/appuis en matière de relations extérieures

Pour le Québec, la participation aux activités des conférences et organisations internationales constitue « une ouverture sur le monde » aux plans à la fois socioculturel, économique et politique. Il a tenu particulièrement à être présent dans les organisations, dites fonctionnelles, qui oeuvrent dans ses champs de compétence constitutionnelle. Or, la participation aux forums internationaux peut soulever des problèmes majeurs aux niveaux international et national. L'instance internationale en question doit avoir prévu la participation d'entités sans pleine souveraineté internationale. Si c'est le cas de l'Organisation internationale de la Francophonie (OIF), il en va autrement des agences spécialisées comme l'Organisation des Nations Unies pour l'éducation, la science et la culture (UNESCO).

Le gouvernement canadien est d'avis, quant à lui, que le Canada ne peut avoir qu'une seule « personnalité » internationale et qu'il ne peut être que le seul « acteur » sur la scène diplomatique. Ottawa a toujours insisté sur sa responsabilité dans la conduite de la politique étrangère, et en particulier sur son pouvoir exclusif de conclure des traités, de participer à titre de membre aux organisations internationales et d'accréditer et de recevoir des représentants diplomatiques, et ce, en vertu du droit constitutionnel canadien et du droit international. Sa position se verra renforcée quand, en 1981, la Cour suprême du Canada attribuera les droits et pouvoirs en matière internationale au seul exécutif fédéral. Toutefois, si le gouvernement central a marqué une opposition de principe à un rôle international direct pour les provinces canadiennes, en pratique, il a fait montre d'un certain pragmatisme. Au-delà des considérations constitutionnelles et juridiques, la question relève, en dernière analyse, du champ politique et de rapports de force[5].

---

5. A. Jacomy-Millette, « Les activités internationales des provinces canadiennes », dans P. Painchaud dir., *De Mackenzie King à Pierre Trudeau : Quarante ans de diplomatie canadienne 1945-1985*, Québec, Les Presses de l'Université Laval, 1989, p. 81-104.

Le Québec a dû se trouver des alliés dans ses efforts en matière de relations extérieures. Son principal appui va venir de sa mère-patrie et, au moment où il fait ses premiers pas dans l'arène diplomatique, aura son plus solide allié en la personne du général de Gaulle. Quand une conférence des ministres de l'Éducation des pays francophones est organisée en 1968 à Libreville au Gabon, une invitation est directement envoyée à Québec, et non à Ottawa, au motif que l'éducation relève exclusivement de la compétence provinciale. S'en suivra un chassé-croisé entre Ottawa, Québec, Paris et, à l'occasion, certaines capitales africaines, qui aboutira à des compromis sur les modalités de la participation québécoise à de telles rencontres internationales. Il en sera de même lorsque les conditions de la participation du Québec à l'Agence de coopération culturelle et technique (ACCT), aujourd'hui l'Agence intergouvernementale de la Francophonie (AIF), seront arrêtées en 1971, ainsi que des années plus tard, aux Sommets des chefs d'État et de gouvernement de la Francophonie.

Le combat ne sera pas facile pour Québec, dans la mesure où Ottawa dispose de la pleine souveraineté internationale et de moyens financiers supérieurs, sans compter que les querelles entre les deux paliers de gouvernement finiront souvent par lasser les partenaires de la Francophonie, y compris la France. Devant le refus obstiné du Canada, Paris ne cédera néanmoins jamais sur l'idée d'une présence du Québec aux Sommets francophones, au point de retarder d'une décennie la tenue d'un premier Sommet en 1986, rendue possible à l'issue d'une entente entre Québec et un nouveau gouvernement à Ottawa. Un autre gouvernement conservateur nouvellement élu s'entendra avec Québec en mai 2006 sur ses modalités de participation aux travaux de l'UNESCO.

Les modalités de la participation québécoise dans les instances internationales

La communauté internationale reconnaît aux États membres d'une fédération la capacité de conclure des traités « si cette capacité est admise par la Constitution fédérale et dans les limites » fixées par cette Constitution[6]. Or, on a vu que la Constitution du Canada n'en dit mot et que son gouvernement central refuse cette capacité aux provinces. Là encore, cependant, des compromis politiques ont été trouvés. Ainsi, Québec a pu conclure des ententes de coopération, notamment en matière d'éducation et de culture, surtout avec la France, ces dernières souvent chapeautées par un accord-cadre entre les autorités françaises et canadiennes.

Le Québec est aussi parvenu à être présent dans les conférences et organisations internationales, par moments, au-delà même de celles relevant de la Francophonie. Des représentants des provinces, dont le Québec, ont fait partie des délégations canadiennes lorsqu'il s'agit, comme pour l'UNESCO ou l'Organisation de coopération et de développement économiques (OCDE), de sujets touchant leurs compétences. Les positions respectives du gouvernement fédéral et des provinces, de même que les modalités de participation de ces dernières, font, au préalable, l'objet de consultations, voire de négociations. Il se peut même que ce soit des fonctionnaires provinciaux qui prennent la parole au nom du Canada. La participation québécoise se situe uniquement dans le cadre de la délégation canadienne. Le Québec ne participe pas de plein droit aux travaux des instances internationales, sans compter la nature *ad hoc* de tels arrangements qui ont souvent fait les frais de rapports de force conjoncturels.

Au sein de l'espace francophone, où non seulement le Québec, mais aussi la France, ont spécialement tenu à ce que Québec ait une place, celui-ci a obtenu de haute lutte le statut de « gouvernement participant » dans l'ACCT sous la désignation « Canada-Québec ». Même si sa présence se situe toujours au sein de la délégation canadienne, le Québec peut avoir des relations directes avec les autorités de l'Agence et s'y exprimer en son propre nom. Question de bien marquer sa préséance, Ottawa offrira

---

6. Article 5.2 du projet d'articles de 1966 sur le droit des traités élaboré par la Commission du droit international des Nations Unies, cité dans A. Jacomy-Millette, « Les activités internationales des provinces canadiennes », *op. cit.*, p. 97.

le même statut au Nouveau-Brunswick. La délégation canadienne n'a qu'un seul vote, quoique les gouvernements du Québec et du Nouveau-Brunswick y jouissent d'un droit de veto tacite dont l'usage suppose l'abstention du Canada. Sans lui conférer une pleine autonomie, ce statut a permis au Québec de participer de plein droit aux activités et au budget de l'Agence[7]. Ce statut de gouvernement participant et les dispositions qui y sont associées seront pour l'essentiel repris en 1985 pour fixer les conditions de la présence du Québec aux Sommets francophones. Le Canada et le Québec y sont chacun directement invités et présents en la personne de leur chef de gouvernement[8].

À la suite de ses efforts en vue de l'élaboration et de l'adoption de ce qui est devenu la Convention de l'UNESCO sur la protection et la promotion de la diversité des expressions culturelles, le Québec a insisté pour avoir une place à l'UNESCO. L'accord en ce sens prévoit un représentant permanent du Québec, qui peut se présenter comme tel, au sein de la Délégation permanente du Canada auprès de l'UNESCO. Ottawa fournit au Québec tous les documents reçus de l'Organisation et chaque gouvernement tient l'autre informé des activités qu'il y mène. Le Québec peut être représenté au sein de toutes les délégations canadiennes aux travaux, réunions et conférences de l'UNESCO. Bien que tout représentant québécois travaille sous la direction générale du Chef de la délégation canadienne, il a droit d'intervenir pour compléter la position du Canada et faire valoir la voix du Québec. Les deux gouvernements ont convenu de se concerter sur toute question au sein de l'Organisation et, en l'absence de consensus, Québec entend décider seul, en vertu de ses prérogatives constitutionnelles, s'il assurera la mise en oeuvre des questions pour lesquelles il a la responsabilité.

7. A. Jacomy-Millette, « Les activités internationales des provinces canadiennes », *op. cit.*, p. 94-96 ; « Modalités selon lesquelles le gouvernement du Québec est admis comme gouvernement participant aux institutions, aux activités et aux programmes de l'Agence de coopération culturelle et technique », entente entre le gouvernement du Canada et le gouvernement du Québec, 1er octobre 1971.
8. « Entente entre le gouvernement du Canada et le gouvernement du Québec relative au Sommet francophone », 7 novembre 1985.

Les experts québécois, tant du gouvernement que de la société civile, sont consultés par Québec sur la programmation et les travaux de l'UNESCO. Le résultat de ces consultations est transmis au gouvernement du Canada et à la Commission canadienne pour l'UNESCO qui voient à refléter la spécificité québécoise dans leurs rapports à l'Organisation. Ottawa s'engage à obtenir l'adhésion au Comité exécutif de la Commission canadienne d'un représentant désigné par Québec. Finalement, cet accord ne peut être modifié ou résilié qu'avec le consentement des parties, quoiqu'il faille souligner, par-delà les gouvernements en place et des divergences quant à la teneur de certaines de leurs dispositions, le respect par Ottawa des accords conclus avec Québec dans le cadre de la Francophonie. Dans la mesure où seul le Canada vote à l'UNESCO et en l'absence de droit de veto tacite, on ne peut conclure à une participation de plein droit pour le Québec dans cette enceinte[9].

Le Québec et le combat en faveur de la diversité culturelle et linguistique

Quoique un peu moins exposé que le Canada anglophone à l'omniprésence des produits et services culturels de son grand voisin américain, le Québec a été très tôt sensible à l'importance de préserver les cultures nationales des effets homogénéisants de la mondialisation et de permettre aux pouvoirs publics d'adopter des politiques culturelles. Les efforts de sensibilisation et de mobilisation ont dû toutefois être considérables. Il y a à peine quelques années, l'idée de la diversité culturelle était à peu près inexistante, sinon sous la forme, peu mobilisatrice, de l'exception culturelle.

En décembre 1998, dans le cadre d'une visite du chef du gouvernement français au Québec, les deux premiers ministres annonçaient la création du Groupe de travail franco-québécois sur la diversité culturelle. Ce

---

9. « Accord entre le gouvernement du Canada et le gouvernement du Québec relatif à l'Organisation des Nations Unies pour l'éducation, la science et la culture (UNESCO) », 5 mai 2006.

groupe rendra publique, en avril 2002, une *Étude sur la faisabilité juridique d'un instrument international sur la diversité culturelle*, qui deviendra une référence pour l'ensemble de la communauté internationale. Trois ans auparavant, l'idée d'un tel instrument avait été mise de l'avant par le Groupe de consultations sectorielles sur le commerce extérieur – Industries culturelles du gouvernement canadien. Le Québec allait d'ailleurs, dès juin 1999, être le premier gouvernement à endosser cette recommandation.

Une telle convergence dans les initiatives relevant de divers gouvernements s'explique du fait que l'on a souvent eu recours aux mêmes experts et conseillers. Il faut souligner à cet égard le rôle-clé joué par de nombreux Québécois dans les démarches qui ont abouti à la Convention sur la diversité culturelle. Les efforts de mobilisation en faveur de la Convention ont en outre reposé pour une part significative sur la société civile québécoise. Regroupée dès 1999 dans une Coalition pancanadienne sur la diversité culturelle, celle-ci a organisé à Montréal, en 2001, la première rencontre internationale des coalitions nationales existantes. Aujourd'hui au nombre de plus de 40, leur secrétariat international s'est installé au Québec.

Comment obtenir l'appui de la communauté internationale sans en faire partie

En tant qu'entité fédérée, le Québec a dû batailler pour, selon son souhait, faire entendre sa voix dans le concert des nations. Si certains obstacles sont de nature juridique, on a vu que les plus importants tiennent à des rapports de force politiques et notamment à un refus de principe de la part du gouvernement du Canada d'une diplomatie parallèle des provinces. Grâce à l'aide de la France, le Québec est parvenu à surmonter l'opposition tenace des autorités canadiennes et a obtenu le statut de gouvernement participant dans les institutions de la Francophonie.

C'est avant tout par ce statut dont il y jouit et la crédibilité qu'il s'y est acquise que le Québec a été en mesure de contribuer le plus aux efforts internationaux de promotion de la diversité culturelle et linguistique. Ce rôle-clé du Québec a été favorisé par la concordance de ses efforts avec, au premier chef, ceux de la France et du Canada qui, tous trois, vont faire de l'OIF le parangon de la diversité culturelle. Ainsi, au IXe Sommet francophone tenu à Beyrouth en octobre 2002, Bernard Landry, premier ministre du Québec, en compagnie du représentant du Maroc, soumit la diversité culturelle comme thème principal du Sommet. La Francophonie deviendra, au terme de cette rencontre, la première organisation internationale à se prononcer officiellement en faveur de l'élaboration d'un traité sur la diversité culturelle et à demander à l'UNESCO de se saisir de la question.

Hormis la Francophonie, où sa place ne semble pas pouvoir être contestée, le Québec a quelquefois essuyé des rebuffades. Ainsi, à la première rencontre du Réseau international sur la politique culturelle (RIPC), tenue en juin 1998 à l'initiative d'Ottawa, le Québec s'est vu tout au plus invité à soumettre des suggestions au ministère fédéral et à faire partie de la délégation canadienne. N'étant pas autorisée à y prendre la parole, la ministre québécoise de la Culture a, dans ces conditions, décliné l'invitation. Moins d'une année plus tard, soit en mars 1999, la ministre française de la Culture recevait, à l'occasion d'une réunion à Paris de la Banque interaméricaine de développement, les ministres de la Culture de plusieurs États latino-américains afin de les sensibiliser à la question de la diversité culturelle. Là encore, ce sera la France qui fournira au Québec une tribune internationale. S'invitant à la rencontre, la ministre du Patrimoine canadien déclara que le Québec n'y serait pas présent. La ministre française de la Culture accepta alors la demande qui lui a été faite par la ministre québécoise des Relations internationales, Louise Beaudoin, d'y inviter son homologue. En réponse, la ministre canadienne décida de boycotter la réunion à laquelle la ministre de la Culture du Québec prit une part active[10].

---

10. L. Balthazar et A.O. Hero Jr, *Le Québec dans l'espace américain*, Montréal, Québec Amérique, 1999, p. 179-209 ; L. Beaudoin, « Le Québec et le combat pour la diversité culturelle », dans Stéphane Paquin dir., *Histoire des relations internationales du Québec*, Montréal, VLB Éditeur, 2006, p. 232-238.

Concurremment, à quelques reprises sur des questions qui intéressent le Québec, celui-ci n'a pu intervenir à l'UNESCO, les autorités canadiennes y faisant obstacle. La délégation française a alors donné l'occasion au Québec de s'exprimer en lui cédant de son temps de parole[11]. Au vu de son expertise et de ses appuis internationaux, le Québec est néanmoins parvenu assez tôt à prendre la parole au sein de la délégation canadienne dans les travaux du RIPC. Enfin, un gouvernement canadien plus ouvert aux revendications du Québec s'est révélé le facteur premier dans l'entente sur sa participation aux activités de l'UNESCO.

En somme, le Québec a obtenu une place au sein des organisations internationales, entre autres pour y promouvoir la diversité culturelle et linguistique. Il le doit, d'une part, à sa pugnacité et, d'autre part, au soutien français, qui lui a permis d'être gouvernement participant de la Francophonie. C'est le rôle-clé qu'il lui a été possible d'y jouer, grâce à son statut, sa crédibilité et son expertise, qui a assuré au Québec l'appui de la communauté internationale pour en arriver à une Convention sur la diversité culturelle. Ses efforts lui ont ouvert les portes de l'UNESCO où le Québec espère exercer un rôle, cette fois-ci dans la mise en oeuvre de la Convention et, par-delà, dans tout dossier, au premier chef culturel et linguistique, où il juge essentiel que ses perspectives soient dûment considérées et puissent servir à l'ensemble du monde.

---

11. Conversation avec Agnès Maltais, ministre québécoise de la Culture et des Communications de 1998 à 2001, 2 octobre 2004.

Bibliographie

« Accord entre le gouvernement du Canada et le gouvernement du Québec relatif à l'Organisation des Nations Unies pour l'éducation, la science et la culture (UNESCO) », 5 mai 2006.

BALTHAZAR Louis et HERO JR Alfred O., *Le Québec dans l'espace américain*, Montréal, Québec Amérique, 1999, 384 p.

BEAUDOIN Louise, « Le Québec et le combat pour la diversité culturelle », dans Stéphane PAQUIN dir., *Histoire des relations internationales du Québec*, Montréal, VLB Éditeur, 2006, p. 232-238.

« Entente entre le gouvernement du Canada et le gouvernement du Québec relative au Sommet francophone », 7 novembre 1985.

GAGNÉ Gilbert (dir.), *La diversité culturelle : vers une convention internationale effective ?*, Montréal, Fides, 2005, 216 p.

HUNTINGTON Samuel P., *Who Are We ? The Challenges to America's National Identity*, New York et Londres, Simon & Schuster, 2004, 448 p.

JACOMY-MILLETTE Annemarie, « Les activités internationales des provinces canadiennes », dans Paul Painchaud dir., *De MacKenzie King à Pierre Trudeau : Quarante ans de diplomatie canadienne 1945-1985*, Québec, Les Presses de l'Université Laval, 1989, p. 81-104.

LISÉE Jean-François, *Dans l'oeil de l'aigle : Washington face au Québec*, Montréal, Boréal, 1990, 580 p.

« Modalités selon lesquelles le gouvernement du Québec est admis comme gouvernement participant aux institutions, aux activités et aux programmes de l'Agence de coopération culturelle et technique », entente entre le gouvernement du Canada et le gouvernement du Québec, 1ᵉʳ octobre 1971.

PAQUIN Stéphane (dir.), *Histoire des relations internationales du Québec*, Montréal, VLB éditeur, 2006, 325 p.

« Texte de l'allocution prononcée par M. Paul GÉRIN-LAJOIE, vice-président du Conseil et ministre de l'Éducation, devant les membres du corps consulaire de Montréal », 12 avril 1965.

Le Québec en un coup d'œil

Les grandes dates de l'histoire

8000 av. J.-C. Arrivée des premières peuplades autochtones sur le territoire actuel du Québec.

Vers 1390 Fondation de la Confédération iroquoise par Dekanawidah et son assistant Hiawatha unissant les Cinq Nations iroquoises (Mohawks, Sénécas, Onondayas, Coyugas, Oneidas).

1534 Jacques Cartier, de Saint-Malo, accoste dans la baie de Gaspé. Au nom de François 1er, roi de France, il prend possession de ce territoire qui s'appellera le Canada.

1608 Samuel de Champlain arrive aux abords d'un site escarpé que les Amérindiens appellent « Kébec ». Il fonde sur ce site une ville du même nom (Québec). Il est par la suite nommé lieutenant du vice-roi de la Nouvelle-France (1612).

1625 Arrivée des premiers Jésuites.

1639 Fondation à Québec du couvent des Ursulines par Marie Guyart, dite Marie de l'Incarnation, et de l'Hôtel-Dieu de Québec.

1642 Paul de Chomedey, sieur de Maisonneuve, fonde Ville-Marie (Montréal).

1689-97 Première guerre intercoloniale (Français contre Anglais).

1701 Le gouverneur Callières met fin aux guerres franco-amérindiennes. Il signe la Grande Paix de Montréal avec les Iroquois.

1701-1713 Deuxième guerre intercoloniale.

1718 Érection de la forteresse de Louisbourg pour défendre la Nouvelle-France.

1740-48 Troisième guerre intercoloniale.

1748 Fin de la guerre entre les colonies (Traité d'Aix-la-Chapelle).

1754-1760 Quatrième guerre intercoloniale.

1759 Siège de Québec et bataille des plaines d'Abraham. Les troupes françaises du général Montcalm sont défaites par le général Wolfe et son armée britannique.

1760 L'armée britannique prend possession de Montréal. Capitulation de la Nouvelle-France et de Montréal. Établissement d'un régime militaire anglais.

1763 Proclamation royale : le roi de France, par le Traité de Paris, cède le Canada au royaume britannique. La Province of Quebec est soumise aux lois d'Angleterre.

1774 Le Parlement de Londres, par l'Acte de Québec, reconnaît le droit civil français (tout en gardant le droit criminel britannique), la religion catholique et le régime seigneurial.

1791 L'Acte constitutionnel divise le Canada en deux provinces : le Haut-Canada, à majorité anglophone, et le Bas-Canada, à majorité francophone. Débuts du parlementarisme britannique.

1792 Premier Parlement du Bas-Canada et premières élections. Deux partis s'opposent : les « Tories », surtout des marchands et des nobles anglais, et les « Canadiens », qui sont francophones.

1799 L'anglais est déclaré langue officielle du Bas-Canada.

1834 Ludger Duvernay fonde la Société Saint-Jean-Baptiste, vouée à la cause des Canadiens français. Le Parti Canadien (Patriotes) propose 92 résolutions à l'Assemblée du Bas-Canada, pour réclamer les mêmes privilèges que le Parlement britannique.

1837-1838 Londres refuse les 92 résolutions. Rébellions dans le Bas et le Haut-Canada. Les Patriotes (Parti Canadien), avec à leur tête Louis-Joseph Papineau, se soulèvent. Douze Patriotes sont pendus à Montréal, de nombreux autres sont forcés à l'exil et des villages sont détruits par l'armée britannique.

1839 Rapport Durham

1840 L'Acte d'Union rassemble les provinces du Bas et du Haut-Canada.

1852 Fondation de l'Université Laval, première université francophone et catholique en Amérique.

1867 L'Acte de l'Amérique du Nord britannique réunit les provinces du Canada – l'Ontario, le Québec, la Nouvelle-Écosse et le Nouveau-Brunswick – pour créer le Dominion du Canada. C'est le début de la Confédération canadienne. Pierre-Joseph-Olivier Chauveau, un conservateur, devient le premier premier ministre du Québec et John A. MacDonald, un conservateur, premier premier ministre du Canada.

1896 Wilfrid Laurier, premier premier ministre francophone du Canada.

1900 Alphonse Desjardins fonde la première caisse populaire à Lévis.

1907 Le gouvernement Gouin crée l'École des hautes études commerciales (HEC).

1909 Fondation du club de hockey Canadien.

1910 Fondation du journal Le Devoir par Henri Bourassa, un nationaliste canadien.

1912 Premier Congrès de la langue française.

1917 Crise de la Conscription. Résistance des Canadiens français à l'enrôlement forcé.

1918 Les femmes obtiennent le droit de vote au niveau fédéral.

1919 Fondation, au Monument-National, à Montréal, du Congrès juif canadien.

1922 Inauguration de la première radio de langue française, CKAC (mise en ondes par le quotidien La Presse; en 1919, Marconi avait mis en ondes une station de langue anglaise, CJAD).

1931 Le Statut de Westminster consacre la pleine indépendance du Canada.

1934 Création de la Banque du Canada.

1935 Maurice Duplessis fonde l'Union nationale, un parti réformiste et nationaliste. Il devient premier ministre du Québec (battu en 1939, puis régulièrement réélu à partir de 1944).

1937 La Loi du Cadenas, adoptée sous Maurice Duplessis, interdit l'utilisation d'une maison « pour propager le communisme ou le bolchévisme ».

1940 Droit de vote accordé aux femmes aux élections provinciales; création par Ottawa de l'assurance-chômage.

1942 Plébiscite sur la conscription approuvée par les deux tiers des Canadiens, mais rejetée par 71 % des Québécois; accords fiscaux cédant à Ottawa le pouvoir d'imposition.

1943 Loi sur l'instruction obligatoire des enfants.

1944 Création d'Hydro-Québec.

1945 Loi sur l'électrification rurale.

1948 Paul-Émile Borduas, à la tête des automatistes rebelles, écrit son manifeste intitulé Refus global; adoption du drapeau du Québec.

1949 Grève de l'amiante; la Cour suprême du Canada devient la dernière instance d'appel au Canada après l'abolition du droit d'appel au Comité judiciaire du Conseil privé de Londres.

1952 Création de la première station de télévision au Québec, CBFT (Radio-Canada), Montréal.

1955 Émeute au Forum de Montréal à la suite de la suspension de Maurice Richard.

1959 Inauguration de la Voie maritime du Saint-Laurent.

1960 Début de la Révolution tranquille, après 16 ans d'un régime duplessiste plus conservateur que réformiste (la période a été qualifiée de « Grande Noirceur »). L'élection du gouvernement libéral de Jean Lesage inaugure une période de modernisation accélérée de la société québécoise et de son économie : création d'entreprises publiques, création de l'assurance-hospitalisation (1960), du ministère des Affaires culturelles (1961), nationalisation de l'électricité (1963), création du ministère de l'Éducation (1964), création de la Caisse de dépôts et placements du Québec (1965) et de la Société générale de financement ; ouverture des premières délégations du Québec à l'étranger.

1961 Candidate libérale dans Jacques-Cartier, Claire Kirkland-Casgrain devient la première femme élue à l'Assemblée législative du Québec.

1963 Création du Front de libération du Québec (FLQ); création par Ottawa de la Commission royale d'enquête sur le bilinguisme et le biculturalisme (Laurendeau-Dunton).

1964 Adoption de la loi qui met fin à l'incapacité juridique des femmes mariées.

1966 Inauguration du métro de Montréal.

1967 Montréal accueille l'exposition universelle; visite du général De Gaulle : « Vive le Québec libre ! »; États généraux du Canada français; création de la Bibliothèque nationale.

1968 Fondation du Parti québécois, le chef : René Lévesque ; parachèvement du barrage de la centrale hydro-électrique Manic 5; instauration du mariage civil ; Commission Gendron sur la situation de la langue française ; l'assemblée législative du Québec devient l'Assemblée nationale; fondation de l'Université du Québec.

1969 Manifestation pour un McGill français; adoption à Ottawa de la Loi sur les langues officielles du Canada ; émeute à Saint-Léonard relative à la loi 63 qui donnait le libre choix de la langue d'enseignement aux enfants d'immigrants.

1970 Le libéral Robert Bourassa devient premier ministre du Québec.

1970 Crise d'Octobre. Des membres du FLQ enlèvent le diplomate britannique James Richard Cross et assassinent le ministre du Travail, Pierre Laporte. Pierre-Elliott Trudeau, premier ministre du Canada, applique la Loi sur les mesures de guerre (suspension des libertés civiles). Le Québec est occupé par l'armée canadienne. Assurance-maladie; agence de coopération culturelle et technique (ancêtre de l'Organisation internationale de la Francophonie).

1972 Grève du Front commun syndical du secteur public; emprisonnement des chefs syndicaux; aide juridique.

1974 Le français devient la langue officielle du Québec (loi 22).

1975 Adoption par l'Assemblée nationale de la Charte des droits et libertés de la personne du Québec.

1975 Création de Radio-Québec qui deviendra Télé-Québec en 1996 ; signature de la Convention de la Baie-James et du Nord québécois avec les Cris, les Inuits et les Naskapis.

1976 Montréal accueille les Jeux olympiques de la XXIe olympiade; René Lévesque remporte les élections à la tête du Parti québécois.

1977 Adoption de la Charte de la langue française (loi 101).

1980 60 % des Québécois rejettent le projet de « souveraineté-association », lors d'un référendum ; une loi consacre le « Ô Canada » comme hymne national du Canada.

1982 Nouvelle constitution canadienne, sans l'accord de l'Assemblée nationale du Québec qui perd des pouvoirs en matière de langue et d'éducation. Selon la Cour suprême du Canada, le Québec ne jouit d'aucun statut particulier au sein du pays.

1983 Création du Fonds de solidarité des travailleurs du Québec; adoption de la Charte québécoise des droits et des libertés de la personne à l'Assemblée nationale.

1985 Retour au pouvoir de Robert Bourassa, libéral.

1987 Accords du Lac Meech (négociations constitutionnelles) pour réintégrer le Québec dans la Constitution canadienne. Signature des onze premiers ministres du Canada et des provinces. Mais l'accord ne sera pas ratifié.

1988 Les clauses sur l'affichage unilingue français de la loi 101 sont jugées inconstitutionnelles par la Cour suprême du Canada. La loi 178 permet l'affichage commercial bilingue à l'intérieur des commerces.

1989 Entrée en vigueur de l'Accord de libre-échange (ALE) Canada-États-Unis.

1990 Échec des Accords du Lac Meech ; Commission Bélanger-Campeau sur l'avenir politique du Québec; crise d'Oka : affrontement entre citoyens blancs et Mohawks sur une question territoriale.

1991 Rédaction du Rapport Allaire par les libéraux : on y recommande un transfert massif de pouvoirs aux provinces, et en particulier au Québec.

1992 Accords de Charlottetown (négociations constitutionnelles). Lors d'un référendum pancanadien, 57 % des Québécois et 54 % des Canadiens rejettent l'entente.

1993 Adoption de la loi 86 permettant l'affichage bilingue avec prédominance du français. Le Bloc québécois, parti souverainiste, avec à sa tête Lucien Bouchard, est élu « opposition officielle » à Ottawa.

1994 Jacques Parizeau (PQ) est élu premier ministre du Québec. Entrée en vigueur de l'Accord de libre-échange nord-américain (ALENA) Canada-États-Unis-Mexique.

1995 Pour la deuxième fois de son histoire, le Québec, par voie référendaire, refuse la souveraineté politique : 49,4 % de OUI; 50,6 % de NON.

1996 Lucien Bouchard (PQ), premier ministre, réélu en 1998. Déluge au Saguenay.

1998 Grand Verglas. Déconfessionnalisation du système scolaire par la création de commissions scolaires linguistiques ; renvoi de la Cour suprême du Canada sur la sécession, reconnaissant la légitimité du mouvement souverainiste. Il n'existe pas de droit à la sécession dans la Constitution, mais avec une question claire et une majorité claire

lors d'un référendum sur la sécession du Québec, le reste du Canada aura l'obligation de négocier.

2000 Sanction de la loi fédérale sur la clarté, découlant du renvoi de la Cour suprême de 1998, imposant des conditions pour que le Parlement fédéral prenne en compte les résultats d'un référendum sur la souveraineté (loi C-20 ; en riposte, adoption à l'Assemblée nationale de la Loi sur l'exercice des droits fondamentaux et les prérogatives du peuple québécois et de l'État du Québec (loi no 99). Fusions municipales, notamment des 29 municipalités de l'île de Montréal.

2001 Bernard Landry (PQ) succède à Lucien Bouchard comme premier ministre.

2003 Sous la gouverne de Jean Charest, retour du Parti libéral au pouvoir. Jean Chrétien se retire de la vie politique. Paul Martin devient chef du Parti libéral du Canada (14 nov.) et premier ministre du Canada (12 déc.).

2004 Éclatement du scandale des commandites (portant sur l'utilisation de fonds publics pour la promotion du Canada au Québec). Le mariage gai déclaré légal au Québec; élection d'un gouvernement libéral minoritaire au fédéral sous la direction de Paul Martin.

2005 Grève étudiante sans précédent contre la réduction de l'aide financière aux études. Bernard Landry quitte la présidence du Parti québécois; ouverture de la Grande Bibliothèque. André Boisclair devient le sixième chef de l'histoire du Parti québécois. Il succède à Bernard Landry, qui a démissionné 6 mois plus tôt.

2006 Élection d'un gouvernement conservateur minoritaire au fédéral sous la direction de Stephen Harper. Un nouveau parti, Québec solidaire, est créé le 4 février 2006 à Montréal. Fondé sur les valeurs de l'écologie, du féminisme et du bien commun, il est né de la fusion du mouvement politique Option citoyenne et du parti politique Union des forces progressistes.

2007 Élection d'un gouvernement minoritaire libéral à Québec. L'Action démocratique du Québec devient l'opposition officielle et met fin à l'alternance entre libéraux et péquiste qui dure depuis 30 ans. Pauline Marois devient la septième chef du Parti Québécois, et la première femme élue à la tête de ce parti. Elle succède à André Boisclair, qui a démissionné après un peu plus d'un an à la présidence du PQ. Le Québec est reconnu comme nation à la Chambre des communes du Canada.

Description générale et statistique

Devise et emblèmes

Je me souviens

C'est en 1883 que l'architecte et sous-ministre des Terres de la Couronne Eugène-Étienne Taché fait graver, sur la porte en pierre du Palais législatif de Québec, la devise « Je me souviens ». En 1939, elle est officiellement inscrite sur les nouvelles armoiries. L'architecte Taché a voulu rendre hommage à tous les pionniers du Québec en rassemblant, sur la façade de l'hôtel du Parlement, des figurines de bronze qui représentent les Amérindiens, les Français et les Britanniques. On y trouve représentés les premiers moments de la Nouvelle-France, avec les explorateurs, les missionnaires, les administrateurs, les généraux, les chefs, etc. Taché a aussi fait inscrire, au bas de l'œuvre, la nouvelle devise.

Armoiries

Les armoiries du Québec reflètent les différentes époques du Québec. Elles sont décorées de fleurs de lis or sur fond bleu pour souligner l'origine française de la nation québécoise, d'un léopard or sur fond rouge pour mettre en évidence l'héritage britannique, et de feuilles d'érable pour signaler l'appartenance du Québec au Canada.

Drapeau

Depuis le 21 janvier 1948, le drapeau officiel du Québec, le fleurdelisé, flotte sur la tour de l'Assemblée nationale. En hommage à la France, le drapeau représente quatre lis blancs sur autant de rectangles de fond azur. Une croix blanche, symbole de la foi chrétienne, les sépare. La fleur de lis est l'un des plus anciens emblèmes au monde. Les Assyriens, quelque 3 000 ans avant notre ère, l'utilisaient déjà. Le fleurdelisé a aussi occupé une grande place dans l'ornementation en France.

Emblèmes

L'iris versicolore a été désigné emblème floral du Québec à l'automne 1999.

Le harfang des neiges, grand-duc blanc qui habite le nord du Québec, a été désigné emblème aviaire en 1987. Il évoque la blancheur des hivers québécois.

Le bouleau jaune, ou merisier, est présent dans la sylviculture québécoise depuis les temps de la Nouvelle-France.

Drapeau officiel du Québec

Iris versicolore

Harfang des neiges

Le territoire

Superficie :

1 667 441 km2 (15,5 % du territoire canadien)

Le Québec est un très vaste territoire :

1 667 441 km2, soit trois fois la superficie de la France et près du cinquième de celle des États-Unis d'Amérique. Il s'étend sur plus de 17 degrés de latitude et 22 degrés de longitude, entre les 45e et 62e degrés de latitude nord, et les 56e et 79e degrés de longitude ouest. C'est la deuxième province la plus populeuse du Canada et la plus vaste en terme de superficie; elle occupe 15,5 % du territoire canadien.

Le Québec est délimité par plus de 10 000 km de frontières terrestres, fluviales et maritimes : à l'ouest, il est bordé par l'Ontario, au sud, par quatre États américains (Maine, Vermont, New York et New Hampshire), et au nord, par le territoire du Nunavut (frontière maritime). À l'est, ce sont les provinces canadiennes du Nouveau-Brunswick, de Terre-Neuve-et-Labrador, de la Nouvelle-Écosse et de l'Île-du-Prince-Édouard qui partagent des frontières avec le Québec. L'immensité du territoire québécois est aussi ce qui explique la faible densité de sa population, qui se chiffre à 4,7 habitants par km2. Ce chiffre est en effet peu significatif si l'on prend en considération le fait que le nord du Québec est presque inhabité, avec seulement 35 000 habitants, et que 80 % de la population vit près des rives du Saint-Laurent.

Le fleuve majestueux

Le Saint-Laurent, long d'environ 3 058 km, traverse le territoire d'ouest en est pour se jeter dans l'océan Atlantique. C'est le troisième plus grand fleuve en Amérique du Nord, après les fleuves Mackenzie et Yukon, et le 19e plus long au monde. Il reçoit dans sa portion québécoise 244 affluents, ce qui le classe au 15e rang mondial quant à la superficie de son bassin versant. En plus d'alimenter les Québécois en eau potable, il est le plus important axe fluvial nord-américain. Grâce à son estuaire de 65 km de largeur, il ouvre la voie vers les confins de l'Amérique, en plus d'atteindre par la voie maritime le cœur du continent.

Superficie des eaux :

10% du territoire est recouvert de nappes d'eau douce, qui compte 132 000 cours d'eau et près d'un million de lacs.

355 315 km2 (21 % du territoire)

1 000 000 lacs

130 000 ruisseaux

3 % des réserves d'eau douce mondiale

Superficie de la forêt :

761 100 km2 (45 % du territoire)

2 % des forêts mondiales

Le mont d'Iberville, situé dans la chaîne des monts Torngat, est le plus élevé du Québec, à 1 652 mètres.

Terres agricoles :

33 514 km (2 % du territoire)

Population

Nombre d'habitants des principales villes	
Montréal	1 633 700 hab.
Québec	498 600
Laval	376 800
Gatineau	249 400
Longueuil	232 000
Sherbrooke	144 300
Saguenay	144 300
Lévis	131 200
Trois-Rivières	126 900

Population par sexe (2006) (estimation)	
Femmes	3 874 248
Hommes	3 777 283

Âge moyen 1996 - 2006		
	36,8	39,9
Femmes	38,0	41,0
Hommes	35,6	38,7

Pourcentage de la population par groupe d'âge (2006)	
0-14 ans	16,2 %
15-24 ans	12,6 %
25-44 ans	28,7 %
45-64 ans	28,4 %
65 ans et plus	14,1 %

Espérance de vie (2003-2005)	
Femmes	82 ans
Hommes	77,6 ans

Taux de natalité 2006	10,7
Québec	10,7
Colombie-Britannique	9,6
Alberta	12,8
Ontario	10,5
Nouveau-Brunswick	9,0

Taux de mortalité (2006)	7,0 %
Taux de nuptialité (2006)	2,9 %
Divorces (2003)	16 738

Familles (2001)	2,1 millions
Biparentales sans enfant	44,6 %
Biparentales avec enfant(s) (dont 12,4 % sont des familles recomposées)	55,4 %
Monoparentales (dont 79,7 % sont des mères seules)	16,6 %
Nombre moyen d'enfant(s) par famille	1,08

PYRAMIDE

Pyramide des âges, Québec, 2006 et 2031

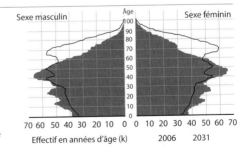

Source : Statistique Canada et Institut de la statistique du Québec

Sources et taux d'accroissement de la population

Tableau comparatif du Québec, de l'Alberta, de la Colombie-Britannique, de l'Ontario et du Nouveau-Brunswick pour 2006

2006	Qc	C.-B.	Alb.	Ont.	N.-B.
Accroissement naturel	28 150	11 048	22 557	42 566	262
Solde de la migration internationale	37 679	36 224	22 971	103 445	1 515
Solde de la migration interprovinciale	12 619	7 823	63 284	-33 856	-3753
Accroissement total	53 210	55 095	108 812	112 155	-1 976
Taux d'accroissement	0,7 %	1,3 %	3,4 %	0,9 %	-0,3 %

La population autochtone du Québec

Abénakis	1 985		Mohawks	15 558
Algonquins	8 471		Naskapis	787
Attikameks	5 328		Indiens inscrits et non associés à une nation	119
Cris	13 530			
Hurons-Wendats	2 881		Total population amérindienne	68 440
Innus (Montagnais)	14 492			
Malécites	683		Inuits	9 397
Micmacs	4 606		Total global	77 837

Source : *Registre des Indiens, ministère des Affaires indiennes et du Nord canadien (MAINC), 31 décembre 2000 et Registres des bénéficiaires cris, inuits et naskapis de la Convention de la Baie-James et du Nord québécois et de la Convention du Nord-Est québécois, ministère de la Santé et des Services sociaux du Québec, 5 avril 2001.*

Scolarité

Niveau de scolarité (%)	1981	1986	1991	1996	2001
Québec	100	100	100	100	100
Inférieur au certificat d'études secondaires	46,2	43,7	39,1	35,5	31,7
Certificat d'études secondaires	25,4	25,3	25,5	26,3	25,8
Certificat ou diplôme d'une école de métiers	10,2	9,6	10,9	9,7	10,8
Certificat ou diplôme collégial	9,2	10,3	11,4	13,3	14,5
Certificat, diplôme ou grade universitaire	9,1	11,1	13,0	15,2	17,2

Immigrants selon le pays de naissance (2006)

Pays de naissance	Nombre immigrants	%
2006	44 686	100,0
Algérie	4 597	10,3
France	3 236	7,2
Maroc	3 031	6,8
Chine	2 433	5,4
Colombie	2 172	4,9
Roumanie	2 028	4,5
Liban	1 802	4,0
Haïti	1 400	3,1
Inde	1 280	2,9
Mexique	1 131	2,5

Catégories d'immigrants (2006)

Année	Immigration		Regroupement économique familial		Réfugiés		Autres		Total	
	n	%	n	%	n	%	n	%	n	%
2000	16 31	50,6	7974	24,5	8049	24,8	48	0,1	32502	100
2003	23864	60,3	9301	23,5	6184	15,6	234	0,6	39583	100
2005	26310	60,8	9103	21,0	7165	16,5	734	1,7	43312	100
2006	25985	58,2	10408	23,3	7102	15,9	1191	2,7	44686	100

Langue maternelle

Emplacement	Français	Anglais	Langue non officielle	Plus d'une langue
Le Québec	80,9 %	7,8 %	10,0 %	1,4 %
La région métropolitaine de Montréal	67,3 %	12,1 %	18,5 %	2,1 %

L'économie

Produit intérieur brut réel – PIB (2006)

242 milliards de dollars

PIB par habitant

	2005	2006
Québec	36 009	37 137
C.-B.	39 657	41 690
Alberta	66 645	69 790
Ontario	42 812	43 847
N.-B.	32 153	33 665

Livraisons manufacturières (2006)

141 081 millions de dollars

Mises en chantier Québec	
2000	24 695
2004	58 448
2006	47 877

Investissements (en milliers de dollars)

	2005	2006
Québec	49 469 300	50 967 600
Ontario	91 215 300	96 967 900
C.-B.	33 254 200	37 575 800

Commerce international, biens et services (2004-2005)

Tableau comparatif du Québec, de l'Alberta, de la Colombie-Britannique, de l'Ontario et du Nouveau-Brunswick, et moyenne canadienne pour 2004/2005 (prévision)

Exportations	Qc	C.-B.	Alb.	Ont.	N.-B.	Moyenne canadienne
2004	88 353	45 202	73 564	227 985	10 633	33 686
2005p	91 420	47 916	84 687	231 964	11 804	35 570
Importations	Qc	C.-B.	Alb.	Ont.	N.-B.	Moyenne canadienne
2004	87 371	41 148	46 313	213 583	10 799	29 217
2005p	93 762	43 773	51 148	222 049	12 505	30 925
Balance	Qc	C.-B.	Alb.	Ont.	N.-B.	Moyenne canadienne
2004	982	4 054	27 251	14 402	- 166	4 468
2005p	-2 342	4 143	33 539	9 915	- 701	4 745

Table des matières

Deuxième partie
L'adaptation constante à un environnement
en changement permanent

Troisième partie
L'exportation nécessaire d'une culture
spécifique et originale